CRIMES
ET CHÂTIMENTS

Du même auteur

La Petite Histoire du crime au Québec, vol. 1, éditions Alain Stanké, 1981. Épuisé.

Crimes et châtiments, La petite histoire du crime au Québec, tome II, Libre Expression, 1982.

Hélène-Andrée Bizier

CRIMES ET CHÂTIMENTS

**La petite histoire du crime
au Québec**

Tome I

Illustration de la couverture: *Le Petit Journal, 16 mai 1891*
Lettre d'Amable Dionne, p. 50: Archives nationales du Québec

Maquette de la couverture: France Lafond

Photocomposition et mise en pages: L'Enmieux

© Libre Expression, 1983

Dépôt légal:
4e trimestre 1983

ISBN 2-89111-163-X

Si quelqu'un frappe à mort n'importe quel homme, il sera mis à mort, et celui qui frappe mortellement une tête de bétail devra la remplacer, un animal vivant pour un vivant. Si quelqu'un fait une blessure à quelque autre de son peuple, il lui sera fait selon ce qu'il a fait, fracture pour fracture, oeil pour oeil, dent pour dent, on lui fera la même blessure qu'il aura faite à un autre homme. Celui qui aura tué une pièce de bétail devra la remplacer, mais celui qui aura tué un homme devra mourir.

Ancien Testament, Lévitique, XXIV, 17-22.

AVANT-PROPOS

On dit qu'il existe, dans le monde, des peuples dont l'une des règles tacites est de considérer la délation comme l'un des gestes les plus ignobles qu'il soit donné à l'homme d'accomplir. Le délateur, comme le criminel, est mis au ban de la société. Ces peuples sont rares et, à dire vrai, ils ne semblent pas avoir pris racine en Amérique du Nord.

Il est curieux de constater comment, à l'époque où la police est virtuellement inexistante, on parvient à alerter les autorités et à réclamer le châtiment des coupables que la vindicte désigne, à tort ou à raison. Avant la délation, c'est la rumeur qui opère, la rumeur qui naît d'un intime mariage d'indices, vrais et faux, et d'opinions personnelles. Entre ce que l'on sait et ce que l'on croit savoir, entre ce que l'on a vu et ce que l'on croit avoir vu, entre ce que l'on a entendu et ce que l'on a entendu dire, le démarquage devient impossible. Tout a été amplifié. La rumeur populaire devient clameur. Des coins les plus reculés, des cellules les mieux protégées, elle éclate. Il lui faut parfois des mois, surtout si le forfait a été commis en hiver. La clameur parcourra des kilomètres qui la séparent d'un juge de paix, d'un coroner ou d'un officier de justice quelconque. Lorsqu'elle démarre, entreprenant une course qui trop souvent mène à la potence, celui qu'elle dénonce devine déjà la force du piège dans lequel il est pris.

Lorsque la Justice enfin est alertée, c'est au piège de la rumeur que, comme le criminel désigné, elle est d'abord prise. Dans quelle mesure le verdict lancé par la clameur publique précède-t-il, oriente-t-il et influence-t-il l'action de la Justice proprement dite? Cette magistrale institution, formée par le peuple d'où sont issus les avocats, les juges et les jurés, peut-elle refléter autre chose que l'image d'un peuple animé par la rumeur? La Justice peut-elle être le reflet de la simple équité lorsqu'elle offre un salaire à celui qui, le premier, informe le juge de paix ou le coroner de la naissance d'une rumeur? La Justice peut-elle prétendre à une justice entière lorsqu'elle oppose la richesse de la Couronne à la pauvreté de la défense; lorsqu'elle défraie les dépenses d'un nombre important de témoins de la poursuite, laissant l'accusé se débattre avec une pénurie de témoins qu'il n'a pas les moyens de faire venir jusqu'à lui et qui, eux-mêmes confrontés à des problèmes de transport, financiers, familieux ou de santé, sont incapables de demeurer à sa disposition? Et que penser de l'issue d'un procès où la rumeur, récupérée, fait l'objet d'un débat oratoire dont le vainqueur est parfois celui qui a su savamment doser faits et rumeurs dans un cocktail émouvant? Et ce jury, composé d'honnêtes gens et quelquefois de canailles, ignorant, jusqu'au jour où il y est appelé, le fonctionnement des cours, est-il en mesure de faire abstraction des préjugés qu'il nourrit face aux avocats? Pourquoi les jurés somnolent-ils si souvent lorsqu'un avocat prend la défense de son client? Pourquoi les jurés, confrontés à des faits ou à des théories subtiles, s'enfoncent-ils dans un entêtement profond, pour n'en être tirés que par la thèse qu'ils semblent avoir adoptée dès le début du procès?

En définitive, ce sont les jurés qui font les verdicts, après avoir écouté des plaideurs dont certains sont parfois desservis par une absence de talent, et après avoir entendu des juges qui ne parviennent pas toujours à être objectifs lorsque l'heure vient pour eux de résumer la cause qui vient d'être portée à leur attention.

Dans ce livre où sont racontées quelques-unes des affaires judiciaires les plus importantes de l'histoire des XVIIIe et XIX siècles, c'est la rumeur et la délation qui ont pris la vedette. De sorte que si la Justice ne paraît pas avoir toujours été juste, il ne m'a pas été possible d'oublier qu'elle est la fille des gens qui l'appliquent, de leurs préoccupations, de leurs angoisses et de leurs soucis.

LA FEMME ENCAGÉE
L'affaire
Marie-Josephte Corriveau

Alors qu'il fait encore nuit, le 26 janvier 1763, Louis-Étienne Dodier se lève, revêt une chemise et un pantalon, puis il se penche sur le lit où dort Marie-Angélique Bouchard, la cadette des enfants de sa femme. La fillette de neuf ans est doucement soulevée et transportée de son lit à celui de sa mère, Marie-Josephte Corriveau. Distinctement, elle entend son beau-père dire qu'il s'en va au moulin, où plusieurs des hommes de Saint-Vallier-de-Bellechasse se sont donné rendez-vous pour y moudre leurs grains.

La nuit est froide et noire, sans lune. Depuis 19 heures, la veille, le village dort. Comme c'est l'habitude en hiver, on se couche avec le soleil et on se lève avant lui. Dodier se rend à l'étable, où se trouvent ses deux chevaux, dont une jument qui appartient aussi à son beau-père et premier voisin, Joseph Corriveau. A-t-il en mémoire la journée de la veille, au cours de laquelle, pour la nième fois, le major James Abercrombie avait arbitré un différend le mettant en cause? Sait-il que, dans une phrase ambiguë, son beau-père s'est dit las de ces difficultés qui pourraient bien un jour s'achever dans un grand malheur? Nul ne sait à quoi songeait Louis-Étienne Dodier, ni s'il savait que sa femme avait rendu visite à son père, la veille au soir vers 21 heures, moment où Corriveau avait l'habitude de se lever pour mettre du bois dans le poêle.

On ne devait plus le revoir vivant.

L'affaire Corriveau, l'une des plus stupéfiantes histoires criminelles à s'inscrire dans nos annales judiciaires, se joua au cours des minutes qui suivirent le lever de Louis-Étienne

Dodier. Non seulement la mort du jeune homme intéressa-t-elle les deux familles impliquées, mais elle força une partie d'un petit village à tenter d'entraver l'action de la justice. Un grain de sable, incarné ici par un soldat curieux, allait dérégler le mouvement des roues d'un engrenage que l'on croyait pourtant bien huilé...

Pour la compréhension du drame, il est utile de situer les personnages principaux dans le contexte familial et social qui fut le leur au XVIIIe siècle. Le 14 mai 1733, à Saint-Vallier-de-Bellechasse, non loin de Québec, Joseph Corriveau et Marie-Françoise Bolduc faisaient baptiser leur deuxième enfant, qui reçut le prénom de Marie-Josephte. Débutait, pour la fillette, une existence dénuée d'événements remarquables. Un destin banal, semblable à celui des filles de sa condition, l'attend. C'est ainsi qu'à l'âge de 16 ans, le 15 novembre 1749, elle promet d'épouser Charles Bouchard, un jeune homme de huit ans son aîné, qui a lui aussi vécu à Saint-Vallier.

L'amour grandit sans doute au domicile conjugal, où, pour en témoigner, les naissances se succèdent. Marie-Françoise naît au mois de mars 1752. Elle est suivie, deux ans plus tard, par Marie-Angélique et enfin par Charles, né au mois d'août 1757. En témoignage, peut-être, de l'estime que les Corriveau portent à leur gendre et de l'espoir qu'ils fondent sur une éventuelle coopération dont ils pourraient bénéficier dans leurs vieux jours, ils lui font donation d'une terre. Celle-ci est enclavée entre celle de deux homonymes qui, malgré une parenté patronymique évoquant leur commune origine, n'entretiennent aucune amitié. Marie-Josephte Corriveau a donc pour voisins, d'un côté, son père Joseph Corriveau, fils de Pierre, et, de l'autre, Joseph Corriveau, fils de Jacques.

Pour Charles Bouchard, sa femme et leurs trois enfants, la vie s'écoule dans la paix toute relative que suppose, à compter de 1755, la guerre que l'Angleterre livre à la France sur le territoire du Canada. Bouchard participe-t-il à la défense de la Nouvelle-France comme doivent le faire tous les hommes sains? C'est probable mais, s'il court des risques certains, ce n'est pas le plomb qui l'emporte puisqu'il meurt dans son lit vers les derniers jours d'avril 1760, anéanti par les «fièvres putrides». Ce mal, aujourd'hui quasi inconnu par la médecine, évoque une blessure mal soignée et envahie par l'infection, ce qu'un dictionnaire du temps confirme en écrivant que cette fièvre «n'est autre chose que cette intempérie allumée dans le coeur par le moyen de quelque humeur qui se pourrit dans le corps».

Inhumé le 27 avril 1760, Charles Bouchard laisse une veuve qui, malgré des mots et des querelles, le regrettera suffisamment pour exprimer, parfois, l'attachement qu'elle lui portait. Malgré tout, soit par amour, soit par ce simple intérêt qui pousse les possesseurs d'une terre à prendre les moyens pour qu'elle ne retourne pas en friche, Marie-Josephte convole, le 20 juillet de l'année suivante, avec un jeune homme de son âge, Louis-Étienne ou Louis-Hélène Dodier.

Tout naturellement, le nouveau marié s'établit sur la terre défrichée par Bouchard. Les enfants issus du premier mariage de Marie-Josephte sont séparés à ce moment ou plus tard, Marie-Françoise vivant chez son grand-père Corriveau et Marie-Angélique partageant l'existence de sa mère et de son beau-père. Quant au petit Charles, nous savons qu'il est vivant à cette époque, mais rien n'indique où il se trouve exactement.

Depuis quand et pourquoi les choses vont-elles aussi mal entre Dodier et son beau-père? Il semble que le déclenchement des hostilités soit lié au refus du gendre de s'acquitter des rentes dues sur la terre dont il est, par son mariage, devenu le propriétaire et que, de son côté, fort de son titre de donataire, Joseph Corriveau ait tenu à profiter entièrement de ses privilèges. Il n'en fallait pas davantage pour que, moins d'un an après leur mariage, une atmosphère lourde, empreinte de rancoeur, ait commencé à étouffer les nouveaux mariés. Marie-Josephte n'était peut-être pas la femme sans défaut ou la pauvre victime des circonstances qu'on se plaît à imaginer. Parlant haut, parlant trop, elle donna prise aux ragots en manifestant publiquement un certain mépris pour Dodier, qui la récompensait de son côté en la battant... parfois. Au mois de mars 1762, elle aurait suggéré au sergent Alexander Fraser, du 78e Régiment, de battre son mari. Même proposition était faite, à la même époque, à Alexander McDonald, un simple soldat du 78e. Si ces hommes ont dit vrai, Marie-

Josephte aurait assorti son étrange requête du moyen d'en venir aux coups simplement en protestant contre le prix trop élevé des dindes et moutons que Dodier devait leur vendre. Marie-Josephte, elle ne le niera pas, aimait boire sans retenue. Si cette habitude la rendait parfois malade, elle l'entraînait également à poser des gestes inconsidérés et, dira un contemporain, à vendre quelques biens pour se procurer de l'alcool. Et voilà pour la vie intime du couple qui, à Noël de l'année 1762, était définitivement déchiré. À cette date, Marie-Josephte trouvait refuge chez son ex-belle-mère, Anne Veau dite Sylvain, surnommée la veuve Sylvain ou encore la veuve Bouchard, promettant à Dodier de ne plus revenir vivre avec lui à moins d'y être forcée! Qui, mieux que le major James Abercrombie, peut la contraindre à reprendre la vie conjugale?

Depuis le 22 septembre 1760, date où le général Jeffery Amherst publiait une proclamation décrivant le nouveau mode d'administration du pays, les Canadiens savent que les différends entre habitants «doivent être portés devant le capitaine de milice» et que c'est à ce dernier de décider si, oui ou non, il y a lieu de faire intervenir le pouvoir militaire. Mais, à Saint-Vallier-de-Bellechasse, le capitaine de milice est ce Jacques Corriveau, père du voisin de Dodier. Pour une raison que l'on ignore, le capitaine de milice et le père de Marie-Josephte s'entendent si bien qu'ils ne se parlent guère, évitant ainsi les frictions, ce qui n'empêcha pas Jacques de s'attaquer à la mère de Marie-Josephte et, «sans égard à son sexe», de lui désarticuler un bras.

Donc, entre Joseph Corriveau et son gendre, les conflits se règlent au su et au vu d'Abercrombie, qui distribue ordres et amendes. Mieux vaut, semble-t-il, l'avis d'un étranger que celui d'un parent même éloigné! C'est donc ce militaire qui enjoignit Marie-Josephte de reprendre la vie conjugale. C'est lui encore qui, au printemps précédent, avait autorisé Louis-Étienne Dodier à faire cuire son pain dans le four de son beau-père.

Non seulement Abercrombie maintenait-il les deux hommes dans leurs obligations réciproques, mais il veillait à ce que les partages se fassent dans l'équité absolue, ce qui, semble-t-il, enchantait Dodier. L'affaire du four de Joseph

Corriveau était de notoriété publique. Fort de son autorisation, Dodier avait entrepris de l'allumer et, pour y parvenir, il puisait son bois à même la réserve de son beau-père. C'était, du point de vue du major Abercrombie, absolument normal. Sauf que Corriveau ne l'entendait pas de cette manière. Une altercation s'ensuivit, au cours de laquelle les deux hommes revendiquèrent ce bois comme étant leur propriété individuelle! Choqué, Corriveau quitta la pièce où se trouvait le four en y enfermant son gendre, qui réclama de son beau-père un changement d'humeur. Corriveau refusant d'ouvrir la porte, Dodier menaça de la fendre à coups de hache. Enfin, Corriveau aurait ouvert la porte, puis, lui-même armé d'un semblable instrument, il aurait couru après Dodier. Ce dernier, n'ayant plus alors qu'un bâton dans les mains, se serait brusquement arrêté, criant: «Frappez, mais soyez certain de votre coup parce que si vous me manquez, moi je ne vous manquerai pas!» Là-dessus, Dodier était retourné à son pain et Corriveau était rentré chez lui, le temps de reprendre une houe, avec laquelle il était revenu menacer son gendre, qui lui aurait alors promis de le jeter dans le four s'il persistait à le menacer.

Déjà, à cette époque, c'est-à-dire moins de six mois après son mariage, Louis-Étienne Dodier avait commencé à dire qu'il craignait d'être victime du même sort que le précédent mari de Marie-Josephte et d'être assassiné par son beau-père. C'est vraisemblablement un ragot de cette nature qui valut à Dodier un nouvel entretien «affectueux» avec son beau-père. Le prenant à part, Corriveau traita son gendre de coquin et de scélérat, l'invitant à cesser de dire du mal dans le dos des gens. Joseph Corriveau, fils de Jacques, témoin de la scène, fut saisi par les épaules et il faillit se faire arracher les yeux par le vieil homme, qui ne lui pardonnait sans doute pas encore les deux côtes fracturées lors d'une autre altercation.

Comme on le voit, le bleu du ciel du bucolique village de Saint-Vallier n'était pas limpide. Le dernier événement à marquer les singulières relations du gendre et de son beau-père eut lieu le 25 janvier 1763. Ce jour-là, plusieurs personnes s'en souvenaient, il y avait eu querelle à propos de la fameuse jument qui, depuis six mois, servait de principal prétexte aux altercations des deux hommes. Tôt, ce soir-là, alors qu'il était en compagnie de Claude Dion, Dodier vit entrer son beau-père dans l'étable. Venant chercher «leur» cheval, il se fit répondre qu'il n'avait pas encore été nourri et de revenir plus tard. Là-dessus, nouvelle explosion de colère au cours de laquelle les compliments d'usage fusent. Corriveau ayant assuré son gendre «qu'il préférait perdre la vie plutôt que de le laisser plus longtemps maître de son cheval», ils en vinrent à se bousculer, ce que le beau-père cherchait peut-être. Quelque temps après, Corriveau envoyait quelqu'un chercher le cheval. L'incident, apparemment, était clos.

C'était juger sans bien connaître la ruse que pouvait déployer un habitant lassé par mille et une tracasseries. Le lendemain de l'incident, malgré le froid, le vieux Corriveau s'offre un voyage à Berthier-en-Haut, question d'aller sensibiliser le major Abercrombie. Celui-ci connaît la plupart des enjeux en cause et il pense que son visiteur n'a pas toujours raison. Cette fois, Corriveau réclame qu'une amende soit imposée à son gendre qui l'a bousculé la veille. Abercrombie demande si un témoin a assisté à la scène, et, devant la réponse positive du plaignant, il promet d'agir après avoir entendu ce fameux témoin. Le militaire remet donc à son visiteur une sommation destinée à Claude Dion. Corriveau aurait, selon Abercrombie, souhaité que cette confrontation n'ait pas lieu et que, sur la foi de son seul témoignage, Dodier soit condamné à verser une amende pour avoir battu son beau-père...

Le même soir, Corriveau affiche sa satisfaction mais il garde pour lui les motifs de ses rires et sourires, réservant pour un autre moment le plaisir d'annoncer à son gendre et à Dion qu'ils auront bientôt à comparaître, le premier pour justifier les coups donnés et le second pour décrire la scène!

Claude Dion, témoin privilégié de cette scène, est considéré par certains comme étant lui-même un ennemi de Corriveau et, par conséquent, peu crédible. Toutefois, malgré toute la sympathie qu'inspire traditionnellement la personnalité de Corriveau, présenté comme une victime des circonstances, happé par la rumeur publique et sans défense devant elle, il est impérieux de rétablir un certain équilibre. Ni Dodier, ni Dion, ni le père de Marie-Josephte n'offrent ici un profil de victime consentante. Chacun, particulièrement le gendre et le beau-père, tente de tirer son épingle du jeu, et il y a certainement quelque part une raison qui draine la sympathie générale vers Dodier plutôt que vers Corriveau.

Claude Dion, donc, est présent lorsque Corriveau revient de son entretien avec Abercrombie, et c'est en vain qu'il a demandé à l'homme s'il avait raconté au major la scène du 25, Corriveau s'étant contenté de sourire. Dion se trouve à la maison des Dodier le soir même et il est en mesure de décrire une atmosphère à couper au couteau. À Dodier qui demande à Marie-Josephte de lui servir à souper, celle-ci aurait fait remarquer, ironique: «Tu manges beaucoup, mais tu travailles peu... Peut-être ne mangeras-tu pas encore longtemps!»

Ce témoin serait ensuite parti. Comment expliquer qu'il ait pu fournir à Joseph Dodier, frère de Louis-Étienne, les détails suivants: «Dodier a dit à sa femme, alors qu'il se mettait au lit: "Je vais au moulin demain." Elle lui demanda: "Prends-tu la jument de mon père?", à quoi Dodier répondit: "Elle est à moi autant qu'à lui."» Ensuite, plutôt que de se coucher elle-même, Marie-Josephte aurait quitté la maison, entre 19 heures et 21 heures, pour se rendre chez son père, qu'elle aurait éveillé et qui serait parti avec elle.

Le hic de cette histoire réside tout entier dans l'horaire des promenades nocturnes du père et de la fille, qui, s'ils sont effectivement sortis ensemble tôt dans la soirée, n'ont pas pu exécuter Louis-Étienne Dodier s'il est effectivement sorti à la barre du jour comme le prétendra Marie-Angélique Bouchard.

À l'aube du 27 janvier 1763, Marie-Josephte Corriveau se lève ou fait mine de se lever. Elle demande à sa fille d'aller chercher Zacharie Montigny, domestique de son père, afin que celui-ci vienne rentrer *les* chevaux, qui sont à l'extérieur de l'étable. Elle part elle-même, en même temps, chercher Ignace LaCase, domestique de Joseph Corriveau, fils de Jacques, en prétextant le peu d'empressement de Montigny, qui s'en défendra plus tard. Ici, se pose une question: comment, étant propriétaire de deux chevaux, incluant la jument, Marie-Josephte a-t-elle pu jouer la comédie de la femme persuadée que son mari était parti au moulin avec l'un des chevaux, puisque les deux bêtes supportaient, à cette heure, le froid de janvier? Ignace LaCase se rend donc à la demande de Marie-Josephte. «Attention à la jument, lui crie-t-elle, elle est vicieuse!» L'ayant attrapée, LaCase la pousse à l'intérieur de l'étable. «Qu'y a-t-il dans votre étable? demanda-t-il. — Qu'est-ce que c'est? cria-t-elle. — Jésus, Marie! s'exclama-t-il, je vois un corps mort!» Là-dessus, Marie-Josephte serait entrée lentement dans l'étable, derrière LaCase et la jument, en prenant Dieu à témoin d'un aussi grand malheur. Bientôt, Zacharie Montigny et d'autres voisins, alertés par la nouvelle de l'événement qui se répand comme la foudre, se rassemblent autour du corps.

Les ennemis de la veille semblent n'avoir désormais qu'un but: préserver l'honneur des Corriveau; sauver ce patronyme de la terrible tache dont, instantanément, tous ont saisi l'ampleur et la gravité. Joseph Corriveau père semble avoir lui-même alerté Joseph Corriveau, fils de Jacques, lui demandant de venir transporter le corps. Corriveau refuse de poser ce simple geste. Il se rend lui-même à l'étable, où un coup d'oeil lui permet de constater qu'aucune des blessures visibles à la tête de Louis-Étienne Dodier n'a pu être causée par les sabots d'un cheval, d'autant plus que ni la jument ni son compagnon ne sont ferrés. Jacques Corriveau, le capitaine de milice, arrive à son tour. Son premier geste consiste à renverser le corps de la victime et de soustraire ainsi son visage aux regards des curieux.

À compter de 7 heures, les visiteurs se succèdent et, parmi eux, le sergent Alexander Fraser et quelques soldats, tout autant alarmés par ce décès que les voisins, parents et amis de la victime. Malgré l'intime conviction de son fils Joseph, qui a immédiatement affirmé que Dodier avait été tué par son beau-père, Jacques Corriveau, fort de son autorité de capitaine de milice, affirme, péremptoirement, que l'homme est mort blessé par un cheval. Fraser examine le corps et les blessures qui, toutes, se trouvent au visage. Pour lui, la mort n'est pas le fait d'un accident.

À *10 heures*, Jacques Corriveau rassemble des témoins à sa maison et, avec l'aide du curé Thomas Blondeau, il rédige le procès-verbal suivant, destiné au major Abercrombie.

16

En l'année 1763, le 27 janvier à *7 heures* du matin, je fus appelé à examiner le corps de Louis Dodier, qui a été tué dans son étable par son cheval, et j'étais alors accompagné de Charles Denis, Joseph La Plante, Paul Gourges, Jean D'Allaire, Michel Clavet, Jean-Baptiste La Ramée, Zacharie Montigny, Ignace LaCase, Claude Dion, qui tous ont déclaré qu'ils avaient vu et examiné le corps dudit Louis Dodier, encore sous les pieds de ses chevaux, et qu'il avait reçu plusieurs coups à la tête. Voilà ce que les personnes ci-dessus mentionnées ont déclaré au jour et à l'heure indiquée plus haut, quelques-uns ayant signé, les autres ayant déclaré ne pas savoir écrire.

Peu après, Jacques Corriveau et son fils Joseph prenaient la direction de Berthier avec le document. Abercrombie manifeste un certain étonnement en apprenant le décès de Dodier: «J'ai craint que Corriveau ait provoqué cette mort. "Non, m'a dit le capitaine de milice. Pour l'honneur de notre famille, il ne l'a pas fait. Il a été tué par ses chevaux. Voici le rapport de ceux qui l'ont examiné. Il a été tué par ses chevaux."»

La lecture du procès-verbal confirme d'ailleurs les dires de Jacques Corriveau, qui revient à Saint-Vallier avec le permis d'inhumer. Pendant que ce dernier fait l'aller et retour entre les deux villages, dans la maison de Louis Dodier on agit curieusement. Des voisins, des parents et des amis viennent aux nouvelles et constatent que le défunt n'est soumis à aucune toilette funèbre. Urbain Cadran dit Vallier est choqué par cette attitude dont il ne connaît pas d'exemples chez les chrétiens. Revenant du moulin, où il s'était rendu à l'aube en compagnie de Noël Asselin, il est témoin du peu de zèle manifesté par la femme de Charles Denis et par Pierre Bolduc à dévêtir le mort. Ces derniers, se pliant à une consigne émanée on ne sait d'où, ne lavent pas le visage de Dodier, sur lequel le sang s'est coagulé, cachant les blessures parmi lesquelles certains ont observé de véritables petits trous ou perforations qu'ils attribuent à des coups de fourche. Les protestations de Cadran ont raison des réticences et, enfin, le visage est lavé et la chemise de Dodier, changée. Jacques LeClerc construit le cercueil à toute vitesse, ainsi qu'on le lui a demandé.

Lorsque Joseph Dodier s'amène pour voir la dépouille de son frère, il s'interroge sur le fait que le visage de ce dernier est enveloppé dans de la toile. Malgré ses protestations, il ne peut voir que le cou où, à son tour, il remarque les fameux trous. Dodier est témoin de l'intervention de la femme de Jacques Corriveau, qui rappelle aux personnes présentes qu'il leur faudra faire «attention dans leur façon de parler», particulièrement Cadran et Noël Asselin. Le premier surtout avait assuré Dodier que, quant à lui, jamais il ne laisserait son frère être inhumé de la sorte. La femme du capitaine de milice, s'appuyant sur de prétendus ordres du major Abercrombie, leur rappela qu'il était «bien connu que les ordres du major étaient très stricts» et qu'il fallait s'y conformer...

Pourtant, le permis d'inhumation n'indiquait rien à propos du jour où celle-ci devait avoir lieu. «I am sorry for the accident, but seeing the Testimony of so many Persons, I conclude he was killed by one of his Horses, so that there is nothing to be done but to bury him.» Le soir même, le curé Thomas Blondeau écrivait sur les registres paroissiaux quelques lignes où ces mots témoignaient de la rapidité avec laquelle Dodier avait rompu avec l'existence: «... n'ayant pu se confesser ni recevoir les sacrements par la triste mort subite qui l'a conduit à l'autre monde».

Saint-Vallier-de-Bellechasse croyait en avoir fini avec cette affaire, puisque, au cours des jours suivants, la vie reprenait un cours à peu près normal. Alors que l'inventaire et le partage des biens de Charles Bouchard avaient eu lieu au mois de janvier 1762, soit plus d'un an après son décès, on règle la succession Dodier en vitesse. Sur l'ordre de «Monsieur le major Abercrombie, commandant en la coste du sud», ordre daté du 30 janvier, et à la requête de celle qu'il appelle «Marie-Josephette Corrivaux», le notaire Nicolas-Charles-Louis Lévesque se déplace de la Pointe-à-la-Caille jusqu'à Saint-Vallier où il dresse l'inventaire des biens de «Marie-Josephette» et de «Louis-Hélène Dodier». Les 31 janvier et 1er février 1763 sont consacrés à dresser l'inventaire des biens qui sont vendus à l'encan les 2 et 3 février suivants.

Deux jours après le drame, Abercrombie reçoit la visite du sergent Fraser, venu lui faire part des doutes qu'il entretient quant aux causes du décès de Louis-Étienne Dodier.

Selon lui, une fourche servant à déplacer le fumier, fourche que plusieurs personnes ont d'ailleurs entrevue derrière les vaches, dans l'étable, est l'arme du crime. D'autre part, l'officier souligne le fait que les chevaux de Dodier n'étaient pas ferrés. Il n'en faut guère plus pour que le major Abercrombie décide de s'adresser à James Murray, responsable du gouvernement de la région de Québec. Conformément à la règle imposée par Amherst, l'affaire Corriveau relevait désormais, comme tous les cas de vol et de meurtre, de la loi martiale. Simultanément à la démarche entreprise par le sergent Fraser, Joseph Dodier, sur la foi des divers renseignements concernant les menaces proférées par Joseph Corriveau contre son frère, déposait à son tour une plainte devant le major. Dans cette plainte, le frère de la victime faisait état du «témoignage» d'Isabelle Sylvain, servante et nièce de Joseph Corriveau, prétendant avoir entendu un bruit terrible venant de l'étable, le soir du meurtre.

Il ne faudrait pas attribuer à la quiétude le fait que la vente aux enchères ait pu avoir lieu entre l'inhumation de Dodier et l'ouverture de l'enquête, ni imaginer que Joseph Corriveau et sa fille étaient laissés en paix. Au contraire, pendant cette vente, le notaire lui-même, Charles-Louis Lévesque, intervient auprès de Corriveau, lui suggérant, à titre de beau-père de Dodier et de père de la veuve, de demander que l'on poursuive les criminels afin qu'un peu de lumière soit jetée sur le crime. Plus tard, Corriveau se serait adressé à Joseph Dodier pour lui dire qu'il allait lui-même porter plainte et pour lui demander s'il allait signer le document.

Donc, si l'affaire persistait, au début de février, à conserver des allures d'histoire de famille, elle était sur le point d'éclater au grand jour. La réponse de Murray à la requête du major Abercrombie permit à ce dernier de faire exhumer le corps du défunt et de faire procéder à son examen par le chirurgien militaire George Fraser, qui confirme le verdict populaire: Louis Dodier n'a pas été tué par son cheval! La fracture du crâne et les nombreux coups qui ont porté à la hauteur des yeux et fracturé les mâchoires ont une origine que les autorités militaires s'appliqueront à rechercher.

L'arrestation de Joseph Corriveau, qui sera accusé de meurtre, et de sa fille, Marie-Josephte, qui sera accusée de

Les 2 et 3 février 1763, parents, voisins et amis de feu Louis-Étienne Dodier se rassemblent dans la maison du couple, où la plupart des effets sont mis en vente. La veuve, selon la coutume, achète une bonne partie des biens dont elle risquait d'être privée à la suite de la dissolution de la communauté de biens et du partage de ceux-ci entre les héritiers du défunt. Faut-il voir une conséquence de la guerre récente dans le fait que la plupart des ustensiles offerts aux enchérisseurs sont en terre cuite alors qu'avant la Conquête de semblables ventes et inventaires font habituellement état d'ustensiles et de couverts d'étain?

C'est dans l'une des salles du monastère des Ursulines de Québec, dont on voit ici l'aile des parloirs, qu'ont eu lieu le procès et la révision du procès de Joseph Corriveau. Le procès visait à établir sa culpabilité alors que sa révision confirme son innocence et la culpabilité de sa fille, Marie-Josephte Corriveau.

Archives publiques du Canada, A.C. Mercer, 1829

complicité dans cet acte, sera suivie d'un procès entendu dans une des salles du monastère des Ursulines de Québec, les 29, 30 et 31 mars ainsi que le 6 avril 1763. Cette salle, James Murray se l'est appropriée, semble-t-il, pour ce procès, puisque la correspondance de l'évêque de Québec, Monseigneur Jean-Olivier Briand, en fait état, à la date du 28 mars, alors que Hector Theophilus Cramahé, secrétaire de Murray, se dit assuré que le prélat ne désapprouvera pas l'initiative du gouverneur de Québec...

On a dit de ce procès qu'il illustrait à merveille la difficulté de communiquer pouvant exister alors, malgré le fait que les gouverneurs des trois principaux districts de la colonie se soient adjoint des secrétaires d'origine suisse et parlant français. Si Cramahé, «Judge Advocate» en cette cause, comprend, écrit et parle le français comme sa langue maternelle, il n'en va pas de même, croit-on, des douze officiers réunis sous la présidence du lieutenant-colonel Roger Morris, tous treize chargés de juger Joseph Corriveau. Ces hommes sont-ils en mesure d'apprécier la valeur des témoignages des habitants de Saint-Vallier, des parents de la victime et des accusés? Comment l'avocat de la défense, Jean-Antoine Saillant, d'origine française, peut-il faire adéquatement valoir les arguments des accusés, qui nient leur culpabilité? Est-il en mesure de rivaliser d'éloquence avec ses confrères, familiers avec la langue anglaise?

En réalité, la copie «of the Proceedings of a General Court Martial», déposée aux Archives nationales du Québec, à Québec, illustre au contraire une connaissance assez exacte de la langue française et des habitants. Les travaux du tribunal semblent avoir été menés sans méchanceté, réserves ou préjugés. Le tribunal ne brandit pas, comme il pourrait le faire, l'accusation de parjure au-dessus des têtes des douze hommes présents lors de l'enquête menée par Jacques Corriveau, le 27 janvier précédent. L'un après l'autre, les témoins sont invités à réitérer les affirmations contenues dans le procès-verbal. Tous nient avoir examiné le corps et avoir conclu à la mort causée par les blessures infligées par un cheval. Tous admettent que le document a été rédigé par le curé Blondeau d'après des termes dictés par Jacques Corriveau et que ce texte, qui ne leur a pas été entièrement lu, a été écrit à 10 heures plutôt qu'à 7 heures du matin. Enfin, de Charles Denis à Claude Dion, tous ont cru que le procès-verbal avait pour but d'informer le major Abercrombie et ils en ignoraient le contenu. Aucun de ces hommes n'a cru, ne serait-ce qu'un instant, à la culpabilité des chevaux qui, à 10 heures, étaient encore à l'extérieur de l'étable!

D'un autre côté, personne n'avait été témoin du drame, et la perspective d'un tueur vagabond, telle qu'évoquée par le curé Pierre Parent, de Beaumont, fut vite rejetée, d'autant plus que la date où il avait été vu ne correspondait pas à celle où le crime fut perpétré. Le mercredi 6 avril 1763, les fêtes de Pâques étant passées et Jean-Antoine Saillant ayant eu près d'une semaine pour préparer son plaidoyer, le tribunal se réunit à nouveau. La parole est à la défense. L'avocat, qui a manifestement assisté au procès sans préalablement savoir qu'il jouerait à la fin de celui-ci le rôle de défenseur, n'a d'autre alternative que de passer en revue chacun des témoignages et d'en faire ressortir les éléments démontrant que la plupart des témoins éprouvaient du ressentiment pour Joseph Corriveau et pour sa fille. Saillant ne contredit pas la thèse du crime. Il admet que Marie-Josephte et son mari ne s'entendaient guère et il attribue à l'humour particulier des gens de ce pays certaines invectives où, avec moins de méfiance, on aurait goûté toute l'affection qu'y mettait Marie-Josephte. Saillant tente de démontrer que Dodier n'était pas un ange et qu'il s'en est fallu de peu pour que Corriveau n'ait jamais eu à comparaître devant le tribunal puisqu'il a failli finir ses jours dans un four à pain! Et de rappeler que l'accusé a été marguillier et syndic. Cet argument, comme les autres, ne pèsera pas lourd dans la balance. Entre les témoignages assermentés de la vingtaine de témoins et les dénégations des deux témoins principaux, le tribunal choisit sans hésitation, guidé par Cramahé, qui est le dernier à s'adresser au jury.

À l'issue du procès, Marie-Josephte Corriveau n'est plus, et cela pour les siècles à venir, une honnête femme. Ivrogne et potentiellement infidèle, douée d'un extraordinaire ascendant sur son père, elle aurait, prétend la rumeur, conduit le pauvre Corriveau à commettre un meurtre. Peut-être deux, si l'on se souvient de la mort de Charles Bouchard... Mais au moment où le tribunal prononce sa sentence, le 6 avril 1763, cette rumeur, ce renversement de l'opinion publique, ne l'a pas encore atteint. Seule la violence verbale de Joseph Corriveau le désigne, en l'absence de preuves réelles. Ratifiée le 9 avril par James Murray, la sentence fait l'objet d'un «ordre général» d'exécution rendu public le lendemain:

> La cour martiale, dont le lieutenant colonel Morris était président, ayant entendu le procès de Joseph Corriveau et de Marie-Josephte Corriveau, Canadiens, accusés du meurtre de Louis Dodier, et le procès d'Isabelle Sylvain, Canadienne, accusée de parjure dans la même affaire; le gouvernement ratifie et confirme les sentences suivantes: Joseph Corriveau, ayant été trouvé coupable du crime

imputé à sa charge, est en conséquence condamné à être pendu. La cour est aussi d'opinion que Marie-Josephte Corriveau, sa fille, veuve de feu Dodier, est coupable d'avoir connu avant le fait le même meurtre et la condamne en conséquence à recevoir soixante coups de fouet à neuf branches sur le dos nu, à trois endroits différents, savoir: sous la potence, sur la place du marché et dans la paroisse de Saint-Vallier, vingt coups à chaque endroit, et à être marquée au fer rouge à la main gauche avec la lettre *M*. La cour condamne aussi Isabelle Sylvain à recevoir soixante coups de fouet à neuf branches sur le dos nu de la même manière, temps et place que ladite Josephte Corriveau, et à être marquée au fer rouge à la main gauche avec la lettre *P*.

Depuis le 6 avril, Joseph Corriveau se concentre sur le salut de son âme. De Saint-Vallier jusqu'à Québec, le retentissant procès de ce père de famille inspire la pitié. Déjà, on répète qu'il est la troisième victime de sa fille. En effet, la mort naturelle de Charles Bouchard, qui lui a jusqu'ici été attribuée, est maintenant imputée à Marie-Josephte. Ce renversement de l'opinion ne trouve son explication nulle part dans les documents. Si la rumeur est la seule responsable de la réputation dont Marie-Josephte est à ce moment parée, l'affaire Corriveau illustre sa puissance. C'est la conviction populaire qui semble avoir dicté l'intervention du Supérieur des pères jésuites, Augustin-Louis de Glapion, qui rejoint Joseph Corriveau dans sa cellule, à titre de confesseur. Pour le religieux, il ne fait pas de doute que l'enfer est promis au condamné s'il consent à mourir à la place de la coupable. L'homme, aussitôt, avoue son innocence. Dès lors, sa fille est perdue!

Le 15 avril 1763, le tribunal militaire se réunit à nouveau et, en une journée, il règle l'affaire en faisant porter sur Marie-Josephte toute la responsabilité du crime. Elle aurait, une fois son mari décédé, cherché à en camoufler la cause et réclamé l'aide de son père afin de lui donner les apparences d'un accident. La révision du premier procès amène la jeune femme à avouer:

Marie-Josephte Corriveau, veuve Dodier, déclare qu'elle a assassiné son mari, Louis-Hélène Dodier, pendant la nuit alors qu'il dormait dans son lit; qu'elle l'a fait avec une petite hache; qu'elle n'a été incitée ni aidée par aucune personne à le faire; que personne n'était au courant. Elle est consciente de mériter la mort. Elle demande seulement à la cour de lui accorder un peu de temps pour se confesser et faire sa paix avec le ciel. Elle ajoute que c'est vraiment dû en grande partie aux mauvais traitements de son mari si elle est coupable de ce crime.

La cour martiale est dissoute immédiatement après avoir reconnu la culpabilité de l'accusée. Le même jour, James Murray ratifiait et confirmait la sentence du tribunal: «Marie-Josephte Corriveau sera mise à mort pour ce crime et son corps sera suspendu dans les chaînes à l'endroit que le gouverneur croira devoir désigner.»

Exécutée sur la Butte-à-Neveu, à Québec, le ou vers le 18 avril 1763, Marie-Josephte eut à subir l'infamie qui s'ajouta à la perte de la vie. Après avoir été pendue, elle expia encore, son corps se décomposant sous le regard de la population effrayée par ce spectacle. «Suspendue dans les chaînes», c'est-à-dire enfermée dans une cage construite à partir d'un treillis métallique épousant la forme de son corps, elle fut exposée à l'un des plus importants carrefours de la Pointe-de-Lévis. Pendant des semaines, remués d'horreur ou de compassion, les voyageurs arrivant à la fourche des quatre chemins purent contempler celle dont la légende amplifiait déjà les crimes.

Le 19 avril suivant, James Murray délivrait un certificat d'innocence à Joseph Corriveau et il en faisait parvenir une copie au capitaine de milice de la «Pointe Lévi». Ce document, que Corriveau devait remettre à son curé, était destiné à une lecture publique. Sanctionné par le roi le 8 août 1763, il faisait entrer l'affaire Corriveau dans le silence en obligeant les contemporains et les témoins de l'événement à n'y faire désormais aucune allusion:

À Québec, ce 19 Avril 1763
Le Porteur de la présente, Joseph Corriveau, habitant de votre paroisse, s'étant pleinement justifié de l'homicide pour lequel il avait été condamné à mort, est renvoyé absous. Son Excellence et tout le public le reconnaissent parfaitement innocent du crime qui lui avait été imputé.

26

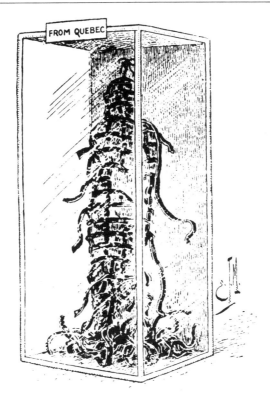

En imposant à Marie-Josephte Corriveau la sentence infamante par laquelle elle meurt et se décompose publiquement, le tribunal militaire et le gouverneur James Murray servent la légende tout autant que la Justice. Dans le numéro 38 des *Cahiers des Dix*, publié en 1973, Luc Lacourcière, faisant le bilan et l'analyse des textes ayant Marie-Josephte Corriveau comme thème, révèle que «depuis 1862, soit depuis Philippe Aubert de Gaspé, soixante-quinze auteurs environ se sont intéressés à son sort, dont dix-huit anglophones. Et tous ensemble ils ont abordé le sujet une centaine de fois, quelques-uns même, comme Louis Fréchette et Pierre-Georges Roy, récidivant jusqu'à proposer six textes différents.» La cage ci-dessus est l'une des illustrations accompagnant *Une relique*, un texte signé Louis Fréchette, publié dans l'*Almanach du Peuple* de la librairie Beauchemin, en 1913.

Son Excellence, ayant aussi reconnu que Isabelle Sylvain, condamnée à être punie du fouet pour parjure, a plus péché par imbécillité que par mauvaise volonté, lui donne son pardon. Son Excellence défend absolument à toutes personnes en aucune manière de faire des reproches audit Joseph Corriveau et à ladite Isabelle Sylvain au sujet du crime commis par la veuve Dodier; et il punira avec la dernière rigueur ceux qui seraient dans le cas de contrevenir à cette défense. Et afin que personne n'en prétende ignorance, vous publierez la présente à la porte de l'église trois dimanches consécutifs à l'issue de la grand-messe.

Suspendue dans sa cage, Marie-Josephte Corriveau, qui n'était protégée par aucun ordre militaire, vit l'imaginaire de ses contemporains s'emparer d'elle et la transformer. On lui attribua des maris toujours plus nombreux, tous morts dans des circonstances troublantes. Des écrivains en firent une empoisonneuse et d'autres eurent l'idée de faire mourir le père de ses trois enfants dans les tourments affreux que suppose du plomb bouillant versé dans l'oreille d'un homme endormi. Aujourd'hui encore, la légende de la Corriveau l'emporte sur les faits. L'on doit aux travaux de J.-Eugène Corriveau et aux documents présentés et analysés par le folkloriste Luc Lacourcière l'éclairage réaliste jeté sur cette affaire.

Le dernier mot n'a pourtant pas encore été écrit. Trop de questions restent sans réponse, comme celle-ci: d'où venaient les coups de fourche observés sur la tête de Louis-Étienne Dodier et qu'une hachette, pas plus que les sabots d'un cheval, ne peut imprimer?

La contribution de James Murray à l'instauration d'un climat engendrant la peur et, par là, l'obéissance des Canadiens est illustrée par une autre aventure où se croisèrent vérité et légende. Le 29 mai 1760, ainsi qu'en témoignent quelques lignes du *Journal* du capitaine John Knox, le capitaine et meunier Joseph Nadeau était pendu à la vergue de son moulin, à Saint-Michel-de-Bellechasse, où son corps se balança au gré du vent pendant trois jours.

Le motif d'une telle sévérité? Nadeau aurait fourni des vivres à ses compatriotes et il les aurait encouragés à ne pas céder à la pression des conquérants. Voilà pour la vérité.

La suite de l'histoire, évoquée par les générations suivantes et rapportée entre autres par Philippe Aubert de Gaspé, est étroitement associée à la légende. Ainsi, on raconte que James Murray, regrettant plus tard d'avoir ordonné ce supplice, aurait adopté les deux filles du capitaine Nadeau. Une autre version sans doute destinée à combattre la précédente, veut qu'elles aient été noyées en mer, sur l'ordre de celui qui avait déjà la mort de leur père sur la conscience.

Archives publiques du Canada, James Peachy, fin du XVIIIe siècle

PATROUILLE VOLONTAIRE.

BUREAU DE LA PAIX,
Québec, Lundi, 3 Octobre 1836.

A UNE session générale spéciale de la
paix, tenue aujourd'hui, il a été résolu,—
Que dans tous les cas où les citoyens des différents quartiers de cette cité auront organisé une
patrouille volontaire, avec un magistrat à sa tête,
les membres de telle patrouille seront assermentés
comme connétables spéciaux, en par eux fournissant
une liste signée par tel magistrat, au bureau des
greffiers de la paix.

Par ordre,

PERRAULT & SCOTT,
Greff. de la Paix.

☞ Une insertion dans tous les papiers-nou-
velles imprimés en cette ville, dans leur langu e re-
spectives.

1834

LES VOLEURS
DE GRAND CHEMIN
L'affaire Charles Chambers

Il serait sans doute exagéré de dire qu'en 1833 Québec vivait dans la plus totale quiétude. Les voleurs s'en donnaient à coeur joie, dérobant du lard ou des moutons, quelques écus et parfois davantage. Les prisons étaient notoirement assimilées à des écoles du crime où, entre un projet d'évasion et la fabrication de fausses clés en bois, le «mangeur de lard», autrement dit le novice, apprenait l'art de vivre en réclusion. Les vieux routiers, forts de leur expérience et trop heureux de «former» de futurs «associés», distribuaient généreusement les conseils destinés à initier leurs compagnons de cellule à l'art de se défendre, de mentir et de tromper la vigilance de la justice afin de ne pas aller «danser dans les airs». Les bois de Québec étaient mal fréquentés, dangereux et, aux dires de témoins du temps, il était risqué d'y tenter une promenade le soir. C'est là et dans les auberges que se tramaient ordinairement les coups qui portaient parfois hors de Québec.

En 1833, donc, les policiers et les hommes du guet ne prêtaient attention qu'aux malfaiteurs que leur longue expérience désignait. Comment auraient-ils pu croire que l'état de panique à venir allait être provoqué par un honnête jeune homme désormais persuadé que «le bonheur, la vertu et la distinction ne sont que le produit de l'or»? Cette année-là, Charles Chambers, offrant aux regards les attributs de l'honnêteté, prenait les moyens d'éloigner de lui, à tout jamais, la misère et son cortège. Vraisemblablement né à Hull 30 ans auparavant, il vivait à l'auberge tenue par son père ou par son frère, rue Saint-Vallier, dans le faubourg Saint-Roch, à l'époque où il décida de devenir marchand de bois. D'une figure agréable, mesurant environ un mètre quatre-vingts, beau garçon et enjoleur, Chambers possédait cette qualité rare qu'est la perspicacité. Observateur futé, il prenait rapidement la mesure des gens, s'attachant à ceux qu'il pouvait manipuler.

Ayant besoin d'employés pour mener à bien son projet, le jeune homme recrute, tout à fait par hasard, un certain George Waterworth, à qui il offre d'acheter du bois. Chambers aura raison de la résistance de Waterworth, qui, enfin, consent à vendre des «billes» qui ne lui appartiennent pas et à empocher de la sorte un bénéfice alléchant. Car Chambers n'est pas un homme d'affaires honnête et, si le bois l'intéresse, c'est en partie parce qu'il flotte souvent à la dérive, qu'il peut se l'approprier et le revendre après en avoir enlevé les marques du propriétaire. L'année 1833 voit donc Chambers s'inscrire au rang des hommes d'affaires qu'il singe le jour et vole la nuit. Waterworth, sous son empire, contribue à un succès professionnel inavouable, d'autant plus lucratif que les mêmes chargements de bois vendus le jour peuvent être volés la nuit, démarqués et revendus le lendemain.

L'automne et l'hiver provoquent un arrêt momentané des affaires, une pause au cours de laquelle Waterworth regagne Broughton. Pendant la saison morte, Chambers médite sur la précarité de sa situation financière, se fiance à Julie Gagné, une sage beauté de 17 ans, puis il court à Broughton réclamer le retour de son associé. Ce dernier est à Québec au début de l'été alors que, désireux d'épouser sa belle, Chambers a loué une maison, rue de l'Église, dans le quartier Saint-Roch. Il est entendu que Waterworth habitera avec le couple, mais, en attendant le grand jour, tous deux se prélassent en poursuivant leur carrière d'écumeurs et en faisant des gains aux tables de jeu. Muni de dés plombés, Chambers voit la chance lui sourire et... s'accumuler les bibelots. Lorsqu'il épouse la belle Julie, le mercredi 2 juillet 1834, il ne manque rien à sa maison.

Est-ce à cette époque qu'il entreprend d'élargir son champ d'action et de voler autre chose que du bois? On pourrait le croire à la lecture des faits divers, témoins de l'apparition d'une nouvelle génération de bandits audacieux, téméraires et doués, donc mieux préparés que leurs «confrères» qui agissent impulsivement, «signant» naïvement leurs coups et s'étonnant ensuite d'être pris. Les malfaiteurs qui surgissent au milieu de l'été 1834 surprendront à plus d'un titre. Leur efficacité, dont témoigne la plupart du temps la qualité du «butin» raflé au cours des expéditions, impressionnera cependant moins que cette curieuse méchanceté empreinte d'un humour sadique qui caractérise leurs «rapports» avec leurs victimes.

La première affaire vraiment sensationnelle à être attribuée à la bande survient le lundi 3 novembre. Elle succède à une entreprise de vol ratée à Saint-Laurent de l'île d'Orléans et met en scène quatre hommes dont trois seulement sont identifiés sur l'acte d'accusation qui sera plus tard porté contre eux. Il s'agit de Chambers, bien sûr, de Joseph Hamel et de James Stewart. Waterworth est le quatrième homme, celui dont les enquêteurs ignoreront la présence. Vers une heure du matin, ils forcent la porte du comptoir d'une société de marchands de bois composée de William Atkinson, George William Osborne et William Campion Faulkner. Pendant que leurs compagnons font le guet à l'extérieur du magasin, sur le quai des Indes, Hamel et Chambers tentent vainement d'ouvrir le coffre contenant des papiers et de l'argent. Le chef du groupe connaît les lieux aussi bien que son associé de la première heure, mais il n'a pas prévu la résistance que lui offre l'objet. «Cambray *, impatienté et maudissant son âme, le saisit seul, le lève à la hauteur de son estomac, et vient d'un pied ferme le déposer sur la fenêtre d'où nous le fesons (sic) glisser dans la cour avec précaution, à l'aide d'un madrier.» Tant bien que mal, racontera plus tard Waterworth, les quatre hommes parviendront à transporter jusqu'à leur chaloupe le lourd coffre-fort, puis à ramer jusqu'au quai faisant face au marché Saint-Paul, où ils le débarquent et le défoncent. Chambers s'empare de l'argent aussi bien que des papiers. C'est chez lui qu'il mettra un peu d'ordre dans la récolte, brûlant les papiers et distribuant, tout à son avantage, les bénéfices de l'expédition.

---

* *Les Révélations du crime ou Cambray et ses complices*, par François-Réal Angers, J.-B. Fréchette, Québec, 1837, 105 pages (dans cet ouvrage relatant une entrevue avec George Waterworth, l'auteur donne à Charles Chambers le nom de Cambray).

C'est au cours de l'année suivante seulement, lorsqu'ils comparaîtront devant les grands jurés, que les comparses de Chambers réaliseront avoir été lésés. Le produit du vol dont il n'aurait distribué que la vingtième partie l'aurait enrichi de 8 billets de banque valant 50$, de 20 billets de banque valant 10$, de 20 autres billets valant 5$ et enfin de 100 billets représentant 1$ chacun. Ces huit cents dollars, résultat d'un premier coup d'envergure, auraient pu avoir valeur de symbole et inciter les malfaiteurs à redoubler d'audace, mais l'offre d'une «récompense de cent piastres» les rendit prudents.

Stewart, soupçonné d'avoir trempé dans l'affaire, alla passer les deux mois suivants en prison, où l'attendaient les gens de son espèce. Pendant ce temps, sans doute un peu inquiets à l'idée que ce compagnon puisse un jour les trahir, Chambers et Waterworth penchaient vers de plus nobles activités. Broughton vit revenir le fils de l'immigrant irlandais, qui chercha vainement à oublier dans les travaux de la terre l'excitation trouble ressentie au cours de la dernière saison.

En janvier, n'y tenant plus, Chambers rappliquait dans la région, souhaitant rentrer à Québec avec son fidèle compagnon d'armes qui, somme toute, ne demandait pas mieux! Les soirées de janvier 1835 redeviennent intéressantes. Même s'il est marié, le beau Chambers ne dédaigne pas les heures passées à l'auberge de Madame Anderson, où, avec Waterworth, il renoue connaissance avec Nicolas Mathieu. Rencontré au cours de l'année précédente, cet homme est un voleur roué que le bénéfice des coups n'intéresse pas et son arrivée dans la carrière de Chambers est inespérée. Travaillant bien et ardemment, il sera toujours plus heureux de boire et de faire bombance que de toucher de sonnants écus. C'est en sa compagnie que s'ébauche le projet de s'en prendre à Charles Paradis. Ce dernier, réputé riche, n'en était pas à sa première expérience. À titre de victime, il s'était, lors d'une attaque à domicile survenue au cours de la nuit du 8 octobre 1827, vaillamment défendu. Résistant aux assauts d'apaches entrant à la fois par la cheminée et par la porte, il avait, avec sa femme, réussi à leur faire prendre la fuite en les menaçant de sa hache.

Les malfaiteurs, avait relaté la *Minerve* du 18 octobre suivant, à la fin parurent alarmés et ayant attelé le cheval de Paradis à sa voiture ils prirent la fuite emportant avec eux la hache que Paradis tenait lorsqu'ils étaient entrés. Il paraît qu'ils n'ont rien emporté de la maison.

À cette époque, soit huit ans avant que Chambers, Mathieu et Waterworth ne songent à lui, Pierre Paradis «senior» habitait le Cap-Rouge, paroisse de Sainte-Foy. En 1835, mal informés mais toujours persuadés que le vieux Paradis s'y trouve, les trois hommes, auxquels Pierre Gagnon s'est maintenant associé, fomentent leur complot à la lueur des chandelles fournies par Madame Anderson. À la fin du mois de janvier, ils sont prêts à exécuter leur plan, mais c'est sur une porte hermétiquement close qu'ils se cognent le nez. Puisque au retour ils avaient eu la prudence de s'enquérir de l'état de santé de Pierre Paradis auprès d'une aubergiste et que celle-ci leur avait obligeamment appris que l'homme avait transporté ses pénates (et, qui sait? son trésor) à Charlesbourg, ils remirent l'expédition à plus tard. C'est Mathieu, gourmet et gourmand, qui eut l'idée de retourner à Sainte-Foy, question de vider le garde-manger de l'aubergiste et de goûter aux charmes de l'hôtesse et de sa fille. Dans la nuit du 2 au 3 février 1835, le projet est mis à exécution. Le *Canadien* du 6 février suivant raconta laconiquement l'événement, se contentant de préciser que les bandits, «après avoir bu et resté longtemps dans la maison, partirent en enlevant ou brisant la plus grande quantité des articles portatifs. La peure (sic) et le froid ont rendu dangereusement malade la fille de Mme O'Connerr (sic)».

Si George Waterworth, se confiant plus tard à Réal Angers, n'a pas trop menti, la soirée aurait eu une allure assez plaisante. Waterworth, qui ne prend même pas la peine de se donner le beau rôle, raconte qu'en arrivant à l'auberge l'un des premiers gestes fut de se débarrasser des deux femmes en les jetant à la cave, «où Cambray (alias Chambers) et Mathieu les suivent pour les consoler». Pendant que ces derniers s'adonnent aux plaisirs de la chair, Gagnon et Waterworth font bonne chère:

Les moineaux une fois dans le cachot, Gagnon et moi nous fesons (sic) de la lumière, et tandis que nos camarades s'amusent à leur guise dans la noirceur, nous apportons sur la trappe de la cave une petite table que nous chargeons de bouteilles et de provisions, et assis tous deux en face l'une (sic) de l'autre, nous nous mettons à manger, à boire et à chanter comme des lurons. Les deux autres ne tardent pas à sortir de leur cage, et à nous rejoindre.

«Elles peuvent appeler cela comme elles le voudront, dit Mathieu en sortant, mais du moins la résistance n'a pas été grande: le diable m'emporte si elles n'ont pas pris cela comme une bonne fortune. J'ai pincé le bras de la fille, elle a eu cinq cents amants, m'a-t-elle avoué!»

Chambers, ravi d'avoir emporté le jonc de la fille, donna un coup de main à ses amis qui posèrent sur la trappe tout ce qui leur tomba sous la main, de sorte que la veuve O'Connor et sa fille furent dans l'impossibilité de donner l'alerte avant le matin. À cette heure, les joyeux lurons étaient loin!

Le lendemain, après avoir repéré la maison de Pierre Paradis, à Charlesbourg, les mêmes hommes s'y rendent, armés de leviers. Cette fois, il n'est pas question de frapper poliment à la porte, mais plutôt d'entrer brusquement et d'agir rapidement. Fidèles à une habitude chère aux cambrioleurs de l'époque, ils se débarrassent d'abord des deux hommes qu'ils trouvent sur place, soit Paradis lui-même ainsi qu'un mendiant. Ils savent qu'une femme se trouve sur les lieux, mais ils se la réservent. Waterworth veut en jouir le premier, mais Chambers, fort de son rôle de chef, se l'attribue... trop tôt car la pauvre, heureusement, prend la fuite avant d'être violée. Dans un tiroir, les quatre hommes font la découverte d'une cassette contenant 170 louis d'or, que Chambers empoche tout naturellement. Le départ de la fille, ayant fait craindre aux équipiers que l'alarme soit donnée, sauva peut-être une partie du trésor de Paradis, qui était destiné à venir s'asseoir «sur le poêle qui était rouge». L'usage de ce type de «fauteuil» était, semble-t-il, assez en vogue, ayant comme qualité principale celle de rendre bavards les êtres les plus secrets. Paradis, qui avait perdu sa hache en 1827, s'était armé pour mieux se défendre. Malheureusement pour lui, d'après la *Gazette de Québec*, ses visiteurs le quittèrent en emportant un pistolet, l'argent et d'autres articles.

Aux dires de Waterworth, Charles Chambers éprouve certaines difficultés à persuader sa femme de la légitimité de ses escapades nocturnes. Il répond à l'appel du travail, lui laisse-t-il entendre lorsqu'elle ose gémir, ce qui n'était même pas la moitié d'un mensonge. Le fameux travail l'appelle encore dans la nuit du 9 au 10 février. Cette fois, la cible est de taille. À 8 heures, Chambers, Waterworth, Gagnon et Mathieu se donnent rendez-vous à l'auberge Anderson pour mettre au point les détails d'un monstrueux vol sacrilège contre la chapelle de la Congrégation Notre-Dame. Mathieu et Gagnon, forts d'une belle expérience, forcèrent, non pas la porte, mais la demi-fenêtre se trouvant au-dessus de celle-ci. L'un des deux étant entré, il put ouvrir la porte, ce qui permit au groupe de travailler paisiblement, sans que les passants ne puissent se douter de quoi que ce soit.

Le lendemain matin, en première page, le *Canadien* relate l'événement en donnant une description incomplète des objets volés. Ils seront plus précisément décrits dans l'acte d'accusation qui sera porté en septembre 1835 contre les quatre malfaiteurs et un certain Egleson Knox. Statues, chandeliers, lampes en argent massif et en bronze, placés sous la protection de Messire Charles-Félix Cazeau, ont été raflés et emportés dans les «manteaux de femmes» revêtus par les bandits, jusqu'à l'auberge Anderson. Ils devaient, plus tard, être transportés chez Chambers, puis à Broughton pour y être fondus.

Le 19 février, dans la *Gazette officielle*, le gouvernement publie une proclamation offrant, à son tour, une récompense de 100 livres et le pardon aux complices, «à qui fera connaître les auteurs des vols qui ont eu lieu dernièrement». Ajoutée à l'offre des Atkinson et Cie, cette somme est susceptible d'inspirer un délateur, aussi Chambers et Waterworth s'offrent-ils une espèce de retraite fermée qui coïncide exactement avec la durée du Carême. Finies les folies! Waterworth retourne auprès de son vieux père, de ses cousins et cousines, où, une fois encore, il tente de s'intéresser à la vie de la campagne. Peine perdue. Son esprit est ailleurs, quelque part dans les

Le climat consécutif à la vague de vols et d'assauts qui secouent Québec et les environs en 1835 provoque la remise en question du système du guet en vigueur dans la ville. Au cours de l'été suivant, on assistera à la formation de brigades bénévoles animées par les citoyens des quartiers les plus menacés. C'est au cours de la nuit du 9 au 10 février 1835 que le vol sacrilège commis à la chapelle de la Congrégation était perpétré. Selon le *Canadien* du lendemain, «les voleurs, après avoir travaillé en vain à enfoncer une des petites portes d'entrée de l'église, ont fini par entrer par le vitrail qui était au-dessus».

James Cockburn, 1829

bois de Broughton où, cachées dans un tonneau, les précieuses reliques attendent d'être fondues. Chambers rejoint bientôt son complice mais, peu enclin à savourer les joies de la vie en pleine nature, il entraîne à nouveau Waterworth à Québec. C'est là qu'ils apprennent l'existence de soupçons les visant. Catherine Rocque, servante à l'auberge Anderson, ayant été le témoin involontaire des rencontres des malfaiteurs à l'auberge, avait analysé la situation et présumé que les deux hommes devaient être les auteurs du vol à la chapelle de la Congrégation. Sur la foi de cette intuition et mue par l'espoir de réaliser un bénéfice rapide en empochant la récompense offerte par le gouvernement, Catherine avait eu une entrevue avec la police. C'est pourquoi, à la veille du mercredi des Cendres, 1835, le connétable Carrier prenait la route de

Broughton pour y faire l'inspection des terres et bâtiments du pauvre père de George Waterworth. Avertis de cette incursion sur leur domaine privé, Chambers et Waterworth prennent à leur tour la direction de Broughton. Quelque part sur la route, ils rencontrent Carrier qui lui-même revient bredouille. Fausse piste. Fausse alerte. Waterworth décide de rester à Broughton afin de faire oublier à son père l'injure causée par la visite du connétable et les soupçons pesant sur son fils et sur son nom jusque-là réputé honnête.

Au mois d'avril, muni de creusets, de soufflets et de charbon, l'honorable Chambers revient à Broughton, déterminé à transformer en argent pur les statuettes et chandeliers qui sont encore cachés dans un baril. Aidés d'Egleson Norris, beau-frère de Waterworth, et de l'engagé de Norris, Knox, ils tentent vainement de fondre les métaux. Ils ont cependant été suivis par une servante curieuse, Cecilia Connor. Celle-ci, affrontant le froid, la neige et les ténèbres, assiste à l'événement. Le sacrilège est à ses yeux si évident, si scandaleux que, malgré la faible intelligence dont elle avait jusqu'ici fait l'étalage, elle décide de dénoncer son employeur et ses compagnons. Prudente, elle s'empare d'abord d'une preuve constituée par un petit sceptre d'argent que Norris a soustrait à la fonderie improvisée, puis elle attend le moment propice pour révéler sa découverte.

Au cours des semaines suivantes, Chambers, qui est retourné à Québec, analyse la situation et s'interroge sur les moyens à prendre pour fondre enfin les masses d'argent massif qui ternissent à Broughton. On ne sait comment il s'y prit, ni comment il réussit à compromettre le forgeron du Cap-Rouge, René Labbé, mais il est curieux d'observer que la veille de Pâques 1835, 19 avril, Waterworth et Chambers ont été en mesure de s'installer à la forge établie sur «la carrière du Carouge». Un feu si ardent «qu'un des creusets éclata» leur permit de fondre tout ce qui pouvait l'être et de former des lingots dont Chambers s'institua tout naturellement le gardien...

L'argent redonna-t-il à Chambers le courage qui semblait lui faire défaut depuis février? Peut-être, car, Pâques et la Pentecôte étant passées, il se rappela l'existence d'un ancien navigateur, Louis Sivrac ou Shivrack. Ce dernier, comme le pauvre Pierre Paradis, avait la réputation de vivre sur un trésor, caché dans un phare, le *Richelieu Light House*, dont il avait depuis quelques années la garde. Établi en face de Lotbinière, Sivrac vivait en solitaire et donnait tous les signes extérieurs d'une grande indigence. On sait que les voleurs de grand chemin puisent souvent leurs certitudes dans les contrastes ou les paradoxes. C'est pourquoi l'apparente pauvreté du gardien de phare maintint Chambers dans la certitude que sa prochaine victime était immensément riche.

Mais, en attendant de s'attaquer à un si gros gibier, Chambers, qui avait été longtemps inactif, songea à l'opportunité de se refaire la main. Il réédita l'expédition à Saint-Laurent de l'île d'Orléans, que le hasard avait fait rater au début de l'été 1834. Sans plus de succès, Charles Chambers, Knox, George Waterworth et Nicolas Mathieu s'en prennent à un pauvre vieillard que la torture n'arrive pas à faire parler. Faute de mieux, les hommes s'emparent de ses provisions de bouche et de ses meilleurs vêtements. Triste butin!

C'est le 20 mai 1835 que les Québécois prennent connaissance du contenu d'une lettre expédiée au *Canadien* par un correspondant. Datée de Lotbinière, le 17 mai, elle se lit ainsi:

> J'ai le chagrin de vous annoncer que le pauvre capitaine Shivrack, qui a soin du phare de l'Islette, a été attaqué, la nuit dernière par deux ou trois scélérats qui, après l'avoir maltraité, l'ont jeté dans une cave à moitié pleine d'eau dont ils ont ensuite cloué la trappe. Le pauvre malheureux y est resté une partie de la nuit et il est maintenant plus mort que vif, tant par suite des coups qu'il a reçus que de la frayeur qu'il a eue. (...)

> L'on n'a rien trouvé (...) si ce n'est des mitaines du capitaine que l'on a trouvées auprès d'un feu sur la grève, vis-à-vis de chez moi; l'on y avait brûlé aussi du linge, etc. Il semblerait que ces gens venaient par eau et sont repartis de même. Ils paraissaient bien connaître le capitaine et ses circonstances. Ils sont étrangers à la paroisse, mais canadiens, au moins ils parlaient comme des Canadiens. Voici ce que j'ai pu recueillir du signalement de l'un d'eux: taille moyenne; grands favoris rouges; teint animé et coloré; capote brune; casque d'une fourrure foncée; âgé d'environ 35 ans.

À deux reprises au moins, Chambers et sa bande se rendent à l'île d'Orléans, en barque, pour y perpétrer des forfaits. Armés de «porte-respect», ils font «suer le chêne» à la façon des plus grands «grinchisseurs de la haute pègre» tout en espérant, bien sûr, éviter le séjour au «brick» ou, sinon, de faire au plus tôt leur «rentrée dans le monde».

Archives publiques du Canada, M.M. Chaplin, vers 1840

Suit la liste des objets enlevés. Quelques cuillères en argent, du tissu, des vêtements et guère plus de «5 ou 6 piastres en argent dur». Pour une deuxième fois en moins d'un mois, la théorie du riche imitant le pauvre s'avérait fausse. Le 21 mai, dans la soirée, le boulanger québécois John Clearihue est attaqué par quatre hommes, en face de l'église de l'Hôtel-Dieu. «Après l'avoir terrassé et bien maltraité, ce qui fut fait dans l'espace d'une minute, ils lui enlevèrent son chapeau et une partie de l'argent qu'il avait sur lui, montant à 10 ou 12 piastres.» Après minuit, c'est la maison de Mary Ross, veuve de John Montgomery, qui est la cible des malfaiteurs. Puisque l'attaque a lieu à l'étage supérieur de la maison, Mary Ross, sa servante, Elizabeth McLennan et le jeune Hugh Fitzpatrick furent tout simplement enroulés dans des tapis! Cette fois, le butin en valait la peine. Une soixantaine d'objets en argent, cuillères, boucles d'oreilles, etc., passaient aux mains de Chambers et de ses acolytes.

Le 22, Louis Doiron, habitant à l'Anse-au-Foulon, est attaqué dans sa maison. Le 25, Pierre Gagnon, que l'on a vu «travailler» avec Chambers, entre autres lors de l'expédition chez Pierre Paradis, était arrêté en rapport avec le vol chez Doiron. Le lendemain, à la suite d'on ne sait quel hasard, la police, assistée d'hommes de la garnison, met la main au collet d'au moins trois familiers de Chambers, soit Nicolas Mathieu, Pierre Provost et Joseph Hamel. Pendant qu'une partie de la population semble être tentée de céder à la panique, réclamant l'établissement d'un système de guet plus efficace, l'autre partie s'adonne aux recherches. C'est ainsi qu'un employé du *Telegraph*, M. Watt, découvre, derrière la citadelle, une cache qui semble être celle des voleurs. La piste guide cependant les policiers vers d'autres malfaiteurs. Edwin Weyman et Henry Bennett vont donc rejoindre leurs confrères et parfaire leurs connaissances en prison.

Le lendemain, 27 mai, on apprend que le capitaine Sivrac a succombé à ses blessures. Cet événement modifie entièrement la situation des bandits qui, jusqu'ici, n'avaient aucun meurtre à se reprocher, sinon celui que Waterworth imputera à Chambers, qui aurait assassiné James Stewart, soupçonné d'avoir bavardé. Le dynamisme des forces policières ne se dément pas et les arrestations effectuées au cours des jours suivants confirment que la piste est valable car on a trouvé, à travers d'autres articles volés, une longue-vue ayant appartenu au capitaine. Le 3 juin, des expéditionnaires s'en prennent à J. Brown, marchand de marine, dans la basse ville, mais ils sont forcés de décamper sans rien emporter. À nouveau, la presse réclame la réorganisation de la «garde municipale». Quelques jours plus tard, le fameux Pierre Gagnon, libéré pour on ne sait quelle raison, était à nouveau mis sous arrêt. Inlassable artisan du vol à domicile, il avait été surpris sur la côte d'Abraham, transportant des effets qui, manifestement, ne lui appartenaient pas.

À la mi-juillet, alors que les plus célèbres bandits de Québec, y compris le fameux Édouard Dumas, sont écroués dans la prison de la ville, la police vient frapper quelques coups à la porte de la maison de Charles Chambers. Ce dernier, qui, tout au long de la dernière année, s'est entouré de relations respectables, avait pourtant cru être à l'abri des soupçons. C'était là faire preuve d'une grande naïveté. Il était de notoriété publique qu'en été surtout, alors que le beau temps les invite au rêve, les·prisonniers enfermés dans leurs humides cachots font des bassesses pour se retrouver à l'air libre. Les autorités ne sont pas sans connaître et apprécier toute la valeur de cette propension dont ils sont tentés d'abuser. Dans la mesure où le Tout-Québec croupissait en prison, il était facile de négocier la liberté de certains parmi les plus faibles, contre divers renseignements.

Chambers, donc, se croyait à l'abri lorsqu'il fut arrêté précisément pour le meurtre de Sivrac. L'amitié engagea Waterworth à se rendre sans y être sollicité, de sorte qu'avec son ancien patron il put goûter aux joies des chaînes que, prudemment, on leur mit aux pieds. Le mois d'août et les trois quarts de septembre s'écoulent dans ce logement gracieusement offert par les citoyens, qui, à tort ou à raison, croient voir chuter le nombre des assauts criminels.

Le 21 septembre a lieu l'ouverture des assises criminelles sous la présidence des juges Jonathan Sewell et Philippe Panet. Le juge en chef Sewell, s'adressant au grand jury présidé par Amable Dionne, marchand de Kamouraska, donne à ces hommes les conseils d'usage, puis il déplore le fait que le nombre des personnes invitées à comparaître soit aussi considérable. Les multiples actes d'accusation qui leur seront lus concernant des délits de petite, moyenne et grande importance, le magistrat leur annonce que les délits mineurs retiendront d'abord l'attention des jurés. Pour Charles Chambers, cette façon de faire indique qu'il répondra d'abord du plus petit des actes qui lui sont reprochés, c'est-à-dire d'avoir dérobé un télescope à George Holmes Parks, dans la nuit du 13 janvier précédent. L'avocat de Chambers, qui a plaidé non coupable à cette accusation, parvient sans difficulté à confondre Parks, qui est incapable de jurer que le télescope produit en cour est bien le sien. Le jury rend le seul verdict possible et déclare Chambers innocent de ce crime.

La première manche est gagnée, mais la partie n'est pas encore jouée pour Chambers, qui est maintenu en prison pour répondre ultérieurement à l'accusation d'avoir participé à l'attentat qui a entraîné la mort du capitaine Sivrac. Le samedi 26 septembre voyait Pierre Gagnon, Charles Charland et Édouard Dumas être condamnés à 12 mois d'emprisonnement. Le premier venait d'être reconnu coupable de grand larcin en rapport avec le vol commis chez Doiron.

Au mois de mars 1836, Chambers comparaît avec Nicolas Mathieu, pour répondre à l'accusation de meurtre. Le 26, le jury rend un verdict de non-culpabilité dans la cause du chef de bande et, le 28, Nicolas Mathieu est également acquitté. Le 1er avril, le *Canadien* pouvait annoncer que Chambers avait été libéré en donnant caution de venir répondre au prochain terme à l'accusation relative au vol de la Congrégation, dans lequel il paraît être impliqué. Dans l'affaire du meurtre de Louis Sivrac, Chambers avait été sauvé par Waterworth, venu jurer qu'il n'y était pas. Comme on le constate, l'amitié était toujours vivace dans le coeur de Waterworth.

Sans qu'il soit possible d'établir une incontestable relation de cause à effet, il est remarquable de constater que la libération de Charles Chambers coïncide avec une nouvelle vague de vols. Le *Canadien*, rompu à l'habitude de narrer ces sortes d'événements, constate avec un certain détachement, dans son édition du 20 mai, que «les vols ont commencé dans cette ville». Un écu et des sous enlevés au bureau de William Stevenson et un vol de cassonade chez R. Peninston témoignent de l'urgence de rétablir la surveillance des quais. Deux semaines plus tard, les voleurs, qui ne se confinent pas aux grands chemins, tentent une incursion à bord de la goélette *Aurora*, propriété du capitaine Plamondon, de Berthier-en-Haut. Faute de cave où enfermer les personnes se trouvant sur le navire, les six ou sept voleurs les font entrer dans une pièce qu'ils ferment avec la barre du gouvernail.

Le journal du 11 juillet raconte dans quelles circonstances ont été capturés les membres d'une autre bande de voleurs. Ce récit exprime la détermination des Québécois de ne plus s'en laisser imposer et, surtout, de ne pas attendre l'intervention policière mais d'agir. Quelques jours plus tôt, le magasin de J.J. Brown, dans le faubourg Saint-Jean, était attaqué au cours de la nuit. Les voisins, on ne sait comment, sont alertés et, aussitôt, ils se lancent à la poursuite des voleurs:

> La conduite des témoins, lit-on, a été digne de louanges. Ils n'ont pas ménagé les voleurs dans la poursuite; ils ont été obligés d'en abattre quelques-uns pour s'en assurer. Si les voleurs étaient partout poursuivis avec la même vigueur, on entendrait moins parler de vols, et les gens honnêtes et paisibles dormiraient tranquilles dans leurs maisons. Au nombre des citoyens qui se sont distingués par leur activité dans cette occasion, nous avons entendu nommer T.-C. Lee, C. Belleau, Vachon, etc.

Pendant que Charles Chambers jouissait de la liberté et qu'il en faisait l'usage de son choix, son compagnon d'aventures croupissait en prison. C'est dans cette situation qu'il se trouvait lorsqu'on lui apprit que Chambers s'apprêtait à témoigner pour le Roi. Était-ce vrai? Était-ce faux? S'agissait-il d'une rumeur destinée à semer la zizanie entre les deux hommes? Le fait est que cette nouvelle fut publiée dans les journaux, qui n'y donnèrent plus suite. Ils avaient pour cela une bonne raison, car Waterworth, apprenant que Chambers se disposait à devenir témoin de la Couronne, prit les devants et se mit à table. Révélant tout ce qu'il savait, il incrimina Chambers au-delà de toute attente, éclaboussant quelques confrères au passage et se tenant prêt à témoigner publiquement devant eux.

François-Réal Angers, dans son ouvrage sur les crimes de Cambray-Chambers, fait état d'une correspondance savoureuse qu'auraient échangée les criminels à cette occasion. À Waterworth, Chambers écrivit ceci:

> Waterworth, t'avait juré par le diable de tenir le secret, et tu a la lâcheté de t'faire témoin du Roi! Tu tes deshonoré devant tous les confrères, pour avoir mangé le morceau. Pour ça j'avons droit de te tuer. Tu sais, et quoique je soignons moi et les autres à la chaîne entre quatre murs, et n'esperre pas d'échapper à ma main. Quand je devrait t'aller trouver par un souterrain dans ton cacheau, j'y étranglerai, si je veu, mai, tu sai que jé toujou été bon pour toi, et jé un moyin de nous sauver tous deux. Je ne

sui accusé que de volle, et y a le meurtre de Sivrac qui n'est pas punit. Soignons comme deux frères toi et moi, et fesons nous témoin conte quelques uns de ces gueu qui y a ici; conte P... ou G..., si tu veu? Voi tu avec ça on se sauvera, car ce meurtre de Sivrac est une affère abominable, que je regraite presque, parce qu'elle n'a pas mit un sou dans ma poche (...).

Waterworth aurait répondu par une pluie de reproches en affirmant sa détermination à ne pas incriminer les autres pensionnaires de la prison et à se libérer de l'ancien pacte fondé sur le crime:

C'est pourquoi je dirai tout, en me riant de tes menaces et de ta rage impuissante. Ne compte plus sur moi. Adieu.

Sachant qu'il allait être libéré sitôt après avoir été entendu au terme du mois de mars 1837, il aurait lu, sans sourciller, la dernière lettre de Chambers:

Waterworth, on se rencontra dans un cacheau, dans un passage étroi, sur un échafo peut ête, ou du moin ché l'diable, n'importe où! tu tombra sou ma main, et j'tétoufrai, j'te massacreré. En attendant j'tenvoi toutes les maledictions; traitre infâme.

Fin mars, on assiste à la comparution de Charles Chambers, Nicolas Mathieu et Pierre Gagnon, accusés d'avoir perpétré, le 22 mai 1835, le vol d'articles de valeur chez Mary Ross, veuve Montgomery. Gagnon se défend en solitaire devant le jury, réclamant de celui-ci qu'il fasse preuve de prudence en rejetant le témoignage de celui qui l'incrimine, c'est-à-dire de George Waterworth. La vie du voleur est en péril, car l'on pend encore pour vol dans ce pays, et si les jurés sont enclins à faire danser quelqu'un au bout de la corde pour le vol d'une montre, ils risquent d'être intraitables pour le vol sacrilège dont on l'accuse également. L'intervention de l'avocat de Charles Chambers, O'Kill Stuart, tendant à faire retrancher le mot «sacrilège» de l'acte d'accusation, s'avère fructueuse; il s'interroge et interroge le tribunal sur l'opportunité d'assimiler la chapelle de la Congrégation à une église. À l'issue des procès, les verdicts sont les suivants: Charles

Gagnon, coupable de grand larcin et de vol sacrilège, en attendant l'avis du juge en chef, qui invite les autres juges de la Province à faire connaître leur opinion à propos de la question soulevée par l'avocat de la défense. Quant à Charles Chambers, jugé et trouvé coupable en même temps que Nicolas Mathieu, il est condamné par le juge Edward Bowen à être pendu le 10 avril suivant. Le 6, Waterworth quittait Québec pour une destination inconnue.

En prison, attendant leur exécution, Mathieu et Chambers agissent différemment. Pendant que le premier sculpte des clés de bois et prépare son évasion, Chambers, dont la femme est morte de chagrin au cours de l'année précédente, dans sa dix-neuvième année, fait la paix avec Dieu. Sans doute dans le but de ne rien négliger, il s'attache à la foi de l'Église d'Angleterre et à celle de l'Église de Rome. L'aumônier qui le soutient dans sa foi catholique serait le fameux Charles Chiniquy. Chambers, qui aime les actions spectaculaires, est à peu près convaincu qu'il pourra, par le biais du clergé catholique, obtenir une commutation de peine. Il ne se trompe pas car, poussés par l'horreur des exécutions capitales et par l'estime qu'inspire un homme animé par le repentir et la foi, plusieurs Québécois signent une requête réclamant la clémence du gouverneur général. L'intervention n'est pas inutile puisque lors Gosford accède à cette demande. Pour la deuxième fois en autant d'années, un fort contingent de malfaiteurs allaient partir à destination de l'Angleterre, pour être ensuite déportés aux antipodes. Parmi eux, Mathieu, Chambers et 37 autres, issus des districts de Québec et de Montréal. Le matin du 27 mai, les curieux, rassemblés le long des rues qu'emprunta le curieux cortège, purent observer ces hommes de tous âges, escortés dans leur marche vers le fleuve par des officiers et des soldats du 66e Régiment. Sortant de la prison et passant près de la potence, Chambers lança des hourras qui furent imités par ses camarades. Fielleux, le *Quebec Mercury* commenta, par ces mots, la tenue vestimentaire des déportés: «They were mostly dressed in Canadian gray homespun cloth, in compliment, we suppose, to the Resolution of the Papineau patriots.»

Le *Ceres*, à bord duquel les prisonniers devaient faire voile vers l'Angleterre, avait jeté l'ancre au Bic, et c'est à bord d'un *horse-boat* piloté par le capitaine Guillaume Amyot que le groupe de malfaiteurs se faisait porter sur les flots. Chambers, qui ne voulait ni mourir ni aller vivre dans un pays inconnu, avait tenté de s'empoisonner en buvant du jus de tabac pour retarder d'un an son départ. Une fois à bord, il se transforma en mutin. S'associant 18 hommes armés de divers objets métalliques dont des lames de rasoir, il brisa ses fers et décida de s'emparer du commandement du navire. Vis-à-vis de Cap-Chat, le capitaine fut informé de ce qui se tramait contre lui et, coupant court aux préparatifs de soulèvement, il attaqua le premier. Seul maître à bord après Dieu, Guillaume Amyot fit goûter du chat-à-neuf-queues, c'est-à-dire du fouet, à Chambers et Mathieu, qui eurent droit à un traitement de faveur, soit à la douzaine du boulanger: douze coups plus un!

Au tribunal:
lenteur et babillage

Les choses ne tournaient pas rond. La justice, lourde machine, semblait lente à plusieurs, qui auraient voulu la voir fonctionner avec vigueur et empressement. Dans ce monde où un procès s'étirant sur deux jours était un «long procès», les reproches adressés aux tribunaux étaient légions. Le 24 février 1837, le *Canadien* se fait l'écho des récriminations:

«On cite au nombre des causes qui retardent l'expédition des affaires dans les cours de justice, les suivantes, savoir:
1) Les juges se rendent trop tard aux séances; rarement la cour commence avant onze heures.
2) Les juges lèvent les séances trop à bonne heure, jamais après quatre heures.

3) Les avocats abusent du don de la parole, dont on sait qu'ils sont généralement trop pourvus; ils parlent beaucoup trop, sans doute pour n'avoir pas assez pensé.

4) Les juges interrompent trop souvent les avocats, ce qui donne à ceux-ci l'occasion de se laisser aller à leur péché d'habitude, et de répéter ce qu'ils ont déjà dit avec de nouveaux commentaires.

5) Il se passe trop de temps à entendre les règles.

6) Les avocats prennent souvent et sans nécessité le temps de la cour à faire des motions d'ordre qui peuvent être logées au greffe sans avoir été faites en cour. Ces motions ne peuvent être faites que parce que les avocats qui les font ignorent leurs règles de pratique, ou dans la vue de se mettre en évidence, de faire voir qu'on n'est pas avocat sans cause, chose fort indifférente pour le public et à la cour, auxquels on enlève un temps précieux.

7) La cour est trop indulgente envers certains avocats, à qui elle permet de répondre ou répliquer dans des cas où les règles de pratique leur refusent expressément la parole. Cette indulgence a un autre inconvénient, c'est qu'elle discrédite la cour en faisant penser qu'elle a peur de ces avocats, ou qu'elle les favorise.

8) Les juges prennent de temps à autre une heure ou deux à l'ouverture d'une séance pour rendre des jugements qui pourraient aussi bien être rendus le dernier jour du terme, qui n'est ordinairement employé qu'à cela. Ce mal est grand surtout les jours d'enquête, qu'un grand nombre de témoins attendent en cour. Les juges peuvent être convaincus que le désagrément d'attendre des heures entières, souvent d'être obligé de revenir un autre jour, ou à un autre terme, l'emporte de beaucoup sur le plaisir que l'audience nombreuse de ces jours-là peut éprouver de voir que les juges font beaucoup d'ouvrage.»

Un meurtre atroce vient d'avoir lieu ici [Kamouraska]

7 Janvier au soir Achille Taché parti de chez ~~lui~~ sa mère
pour venir voir le Docteur, qui est malade, avant d'y arriver,
il fit rencontre d'un jeune homme venant de Lorelle, qui
venait, disait-il lui donner des nouvelles de sa femme et de
ses enfans : ils parurent très contens tous deux de se rencontrer,
Achille Taché, sur invitation de son ami, laissa sa voiture, & alla
embarquer avec lui, disant à son domestique de retourner
avec la voiture chez sa mère, & qu'il retournerait avec son
Ami, qui voulait, disait-il, voir sa maison. Mais Achille
Taché ne revint pas le soir, inquiétude dans la famille
le lendemain, point de nouvelles d'Achille, nouvelles inqui-
-études, vû qu'il était sorti sans vêtement pour le froid. —
le matin le soupçon était général, du sang ayant été vû,
depuis la maison jusqu'au chemin, les doutes se ont accrues,
et des gens ont été mis à la recherche, et ce pauvre enfant
a été trouvé sur la grève, vis à vis chez Mr Michel Lebel,
la tête défoncée, et la cervelle sortant par le trou de la
balle, = le Meurtrier a été rencontré à Ste Anne vendredi
matin, sa Cariole, et ses robes de cariole étaient rouge de
sang, il s'est arrêté à l'auberge pour laver ce sang — —

1839

LE MEURTRE
DE KAMOURASKA
L'affaire George Holmes

En 1839, on s'est interrogé sur la participation de Joséphine d'Estimauville au meurtre commis sur la personne de son mari, Achille Taché. Un siècle plus tard, la réponse n'est toujours pas venue. Un élément de l'aventure, constitué par l'absence de conventions américano-britanniques en rapport avec l'extradition de criminels réfugiés aux États-Unis, devait rendre service à Joséphine. En effet, en refusant de rendre aux autorités canadiennes le docteur George Holmes, le gouvernement permit à la jeune femme de 23 ans d'échapper à l'inquisition commune pesant sur sa tête et sur celle de son présumé amant et de se trouver aux prises avec un seul témoin à charge, bavard mais jugé peu digne de foi.

Joséphine d'Estimauville est née à Québec le 30 août 1816, du mariage de Marie-Josephte Drapeau, fille du seigneur de Rimouski, et de Jean-Baptiste-Philippe II d'Estimauville. Le 16 juillet 1834, dans sa ville natale, elle épouse un jeune homme de 21 ans, Achille Taché, fils de Pascal Taché et de Julie Larue, héritier de la seigneurie de Kamouraska. Mariage d'inclination ou mariage de raison? Discrètes, les annales de l'époque ne nous renseignent pas à ce propos, mais il semble, à la lumière des faits survenus au cours des années suivantes, que Joséphine connaissait peu son mari. Du reste, comme ce dernier est porté sur l'alcool, réputé fainéant et gai luron, la vie familiale a pu ne l'intéresser que modérément. Malgré une santé fragile, Joséphine donne naissance à deux premiers enfants, nés à Kamouraska en 1835 et en 1836. Quelques années plus tard, leur mère se félicitera de les avoir vus survivre aux premiers jours de leur existence. Ni Jean-Baptiste-Joseph-Pascal-Ivanhoé ni Lucien-Elzéar-Isidore ne combleront le fossé séparant les jeunes époux qui, à l'automne 1837, conviennent de se séparer:

> J'ai eu des désagréments dans mon mariage mais je n'ai rien à me reprocher de mon côté, ayant toujours tenu la conduite qu'une épouse doit tenir envers son époux. De son côté, il m'a beaucoup maltraitée et il était adonné à la boisson et m'a aussi souvent menacée de me tuer à coups de fusil. Il m'a aussi souvent menacée de me détruire avec un rasoir. Il m'a tellement maltraitée que je fus forcée de me séparer de lui.

Joséphine, dans un mouvement commun à toutes les femmes du clan auquel elle appartient, se dirige aussitôt vers Sorel, où se trouvent déjà sa mère, veuve, ainsi que quatre des soeurs de cette dernière. Les soeurs Drapeau, veuves ou célibataires, ne vivent pas ensemble, et Joséphine élit domicile chez Adélaïde, veuve d'Augustin Kelly et belle-soeur du curé de la paroisse de Sorel, Jean-Baptiste Kelly. C'est chez cette tante qu'elle s'installe, avec ses deux enfants, avant la fermeture de la navigation. Au mois de janvier 1838, Achille Taché, désireux de rejoindre sa femme et ses enfants, arrive à son tour à Sorel, alors appelé William-Henry, et il reprend la vie commune avec sa femme.

On peut présumer que l'arrivée du mari dans la maison incita Adélaïde Drapeau à engager une cuisinière. Aurélie Prévost dite Tremblay, une jeune fille originaire de Lanoraie et qui a été au service de plusieurs familles notables du bourg, est engagée:

> Quelque temps après le premier jour de l'an 1838, je suis entrée au service d'Adélaïde Drapeau, veuve de feu Augustin Kelly, à Sorel, et y suis demeurée pendant un mois. Joséphine d'Estimauville (...), de Kamouraska, restait alors chez Madame veuve Kelly. Sans sortir de la maison, je m'engageai alors à Madame Taché comme fille de chambre.

À la société de la tante Kelly, s'ajoute celle de la mère de Joséphine, qui habite chez le docteur Haller, ainsi que celle de

Lucie-Gertrude Drapeau, veuve de Thomas Cazeau, dont la maison est située à quelques arpents de celle d'Adélaïde. On fréquente le curé Kelly ainsi qu'un jeune médecin d'origine américaine, George Holmes. Ce dernier, arrivé quelques mois auparavant à William-Henry, jouit d'une position avantageuse. Demi-frère du prédicateur catholique Jean Holmes, il est né en 1813, dans le New Hampshire. En 1819, son frère Jean le faisait venir au Canada, où il était déjà avantageusement connu dans le monde religieux et il en confiait le soin à trois demoiselles de Saint-Ours, les soeurs O'Connor. Comme Jean Holmes, George a d'abord reçu l'éducation religieuse de l'Église d'Angleterre, mais les cinq années suivant son baptême et son entrée dans la société de Saint-Ours suffisent pour en faire un candidat d'élite à l'admission au séminaire de Nicolet.

Les travaux de Sylvio Leblond, publiés dans les *Cahiers des Dix* en 1972, sont éloquents à propos des appuis dont bénéfice George Holmes, l'heure des études supérieures venue. Jean Holmes s'adresse à Monseigneur Joseph Plessis, archevêque de Québec et fondateur de l'institution, auquel il demande la faveur d'une place pour son jeune frère:

> J'ai avec moi un jeune frère de 14 ans (il en a 12 en réalité) converti à la foi qui montre des talents et des dispositions assez heureuses. Il est en état d'entrer en latin dans un séminaire mais les moyens me manquent actuellement de lui fournir cet avantage et d'un autre côté il est difficile pour moi de le garder ayant une vie errante à mener. Si Votre Grandeur pouvait lui accorder une place à Nicolet, je m'engagerais à payer ses dépenses aussitôt que je pourrai et c'est tout ce que j'ose promettre.

Le prélat accède à la requête, mais son décès, survenu au cours de l'année d'admission du jeune George Holmes au séminaire, impose à son successeur, Bernard-Antoine Panet, l'acquittement des frais de pension et de scolarité. Holmes se destine à la médecine. Il termine donc ses études classiques, «obtient son certificat et il est admis à l'étude de la médecine par le Bureau des Examinateurs de Montréal, le 4 octobre 1831. Le 5 avril 1837, ajoute Sylvio Leblond, le Bureau des

Examinateurs de Québec lui accorde sa licence de pratique. Il avait présenté un diplôme du Castleton Medical College».

La date de l'arrivée de Holmes à Sorel est encore imprécise, bien qu'il soit possible de la situer autour de celle marquant la venue d'Achille Taché dans la même ville. Les deux hommes ont fréquenté le séminaire, ils ont à peu près le même âge et, sans doute, des souvenirs et des amis communs. Le silence qui entoura le meurtre de Kamouraska ayant eu pour effet de repousser dans la pénombre la plupart des faits qui le précédèrent, il est difficile de connaître la nature exacte des liens renoués entre Holmes et Taché. Le témoignage d'Aurélie Prévost, l'ex-cuisinière devenue femme de chambre, révèle, si tant est qu'on puisse lui accorder crédit, que l'harmonie ne régnait pas dans la demeure d'Adélaïde Drapeau:

> J'ai eu connaissance d'une querelle qui eut lieu entre Monsieur et Madame Taché au sujet d'un petit voyage de plaisir qui devait se faire de Sorel à Saint-Ours l'hiver dernier (1838). La querelle originait de ce que Monsieur Taché voulait l'y mener, Madame Taché s'y opposait, disant qu'elle voulait y aller, seule, en voiture, avec ledit docteur Holmes. Madame Taché me dit à cette occasion que Monsieur Taché l'avait frappée d'un coup de poing dans le côté. Madame Taché réussit pourtant à faire le voyage d'aller et revenir seule avec le docteur Holmes et Monsieur Taché fit le voyage avec une des demoiselles O'Connor (qui a élevé le docteur Holmes) à Saint-Ours.

À cette époque et au plus tard à la mi-février, Joséphine est enceinte d'Herménie, qui naîtra au mois d'octobre suivant. Cette grossesse ne paraît pas solidifier les liens unissant Joséphine à son mari. D'autre part, dès le mois de mai, sans prendre de précautions particulières pour éviter d'être victimes de la clameur publique, les deux amants sont aperçus dans une posture équivoque. Un des documents du dossier du procès Holmes, conservé aux Archives nationales du Québec, à Québec, contient le témoignage d'un navigateur et agriculteur, Alexis Paul-Hus dit Cournoyer. Ce lève-tôt a vu George Holmes et Joséphine d'Estimauville, ensemble, aux premiers jours du mois de mai 1838:

J'ai vu, une nuit, entre une heure et deux heures (...) le docteur Holmes et Madame Taché, dans le coin d'une rue près de la maison de Madame Kelly, où demeurait Madame Achille Taché, dans l'attitude apparente de se lever. Ils n'étaient point debout car la clôture est trop basse. Je les aurais distingués au-dessus. Madame Taché avait une robe de chambre qui me parut blanche. Aussitôt qu'ils m'ont aperçu, ils se sont séparés et Madame Taché est entrée chez Madame Kelly.

Au milieu du mois de mai, Achille Taché s'apprête à retourner vivre à Kamouraska, auprès de sa mère, véritable administratrice de la seigneurie. La chronique est encore ici muette à propos des motifs inspirant cette deuxième séparation. Paul-Hus dit Cournoyer en sait peut-être plus long que celle-ci, Achille s'étant, semble-t-il, confié à lui avant son départ à bord du vapeur *St. George*:

Monsieur Achille m'a dit (...) qu'il n'aurait jamais voulu mettre le pied dans Sorel, ni connaître Sorel, parce qu'il perdait sa réputation; cela était avant d'avoir vu ce que je viens de déclarer.

Le 22 ou 23 mai, le même témoin, que le hasard paraît avoir transformé en observateur curieux, voit son attente récompensée:

En partant de chez moi entre 4 heures et demie et 5 heures du matin, j'ai vu le docteur Holmes et Madame Taché dans une talle de pins sur la terre de Monsieur Jones dans le bourg de William-Henry, dans l'attitude de se coucher. Ce qui attira beaucoup mon attention, les ayant déjà surpris auparavant. Je les ai observés particulièrement et je me suis convaincu qu'ils ont alors satisfait leurs passions, et se rasseoir ensuite. Je suis positif à dire que c'était le docteur Holmes et Madame Taché. (...) Ça passait dans Sorel parmi tout le monde généralement qu'il y avait un commerce criminel entre le docteur et Madame Taché.

Un élément en apparence anodin survient dans la vie d'Aurélie Prévost, à la veille de Pâques, le 15 avril 1838, soit quelques semaines avant le départ de Taché. Le vicaire de la paroisse refuse de l'admettre au sacrement de pénitence et, conséquemment, elle ne peut faire ses Pâques. Le motif invoqué par le prêtre indique les proportions prises par la rumeur dont parlait Alexis Paul-Hus: «Parce que je m'étais prêtée à servir Madame Taché et le docteur Holmes. C'est là la seule et unique objection que me fit le vicaire de Sorel pour ne pas me faire faire mes Pâques.» Ainsi donc, avant l'été, au su et au vu d'Achille Taché, la conduite de sa femme et de son ancien camarade de collège provoque des réactions. Curieusement, dès ce moment, les réactions auront toujours une incidence particulière sur Aurélie. Menteuse ou bouc émissaire?

Pendant que le vicaire reproche à la femme de chambre de porter les billets qu'échangent George et Joséphine, le médecin continue de pensionner chez le curé Kelly, où il prend tous ses repas. Nous ne savons pas précisément s'il vit au presbytère, mais il est certain que son bureau ne s'y trouve pas. On a prétendu que le prétexte des relations quotidiennes des deux amants était la santé. Or, un article paru dans l'*Ami du Peuple* du 22 février 1839 indique à quel type de patients il avait affaire:

> Les capitaines de volontaires avaient recommandé le docteur Holmes comme une personne capable de soigner les volontaires malades ici, et par cette recommandation, il avait été nommé avec une allocation de sept chelins et six deniers par jour.

Il est évidemment possible que sa clientèle se soit étendue, mais comment expliquer qu'à la veille de mettre au monde Herménie Joséphine aille rejoindre sa mère et s'établir dans la demeure du docteur Haller?

Mais, avant d'en arriver là, soit avant octobre, se nouent des relations plus soutenues, plus tendres, quotidiennes. Holmes fréquente assidûment la maison de Madame Kelly et il a l'occasion, parfois, de s'entretenir seul avec Joséphine, dans une chambre. Aurélie fait la navette entre le bureau du médecin et la maison, transmettant les messages, qu'elle appelle les «petits billets». Commissionnaire, elle l'était depuis longtemps, et ses inlassables allées et venues auraient quelquefois permis à Holmes de s'introduire dans la maison Kelly avant même le départ d'Achille pour Kamouraska.

Complice des tendres amours, Aurélie devient confidente. Joséphine lui dit regretter d'être mariée à un homme qui lui procure autant de désagréments et qu'«elle aurait été heureuse si elle eût connu le docteur Holmes avant lui, car, en ce cas, elle l'aurait peut-être eu pour époux et il aurait fait son bonheur».

Au cours de l'été, l'intervention de Jean-Baptiste Kelly force Joséphine à congédier Aurélie. Le curé de Sorel espère peut-être freiner les relations des amoureux en éliminant l'un de leurs moyens de correspondre. Il affirmera plus tard avoir été inspiré par la mauvaise réputation de la femme de chambre, dont la conduite n'était pas compatible avec la qualité de la maison de sa belle-soeur. C'est ainsi que, pour quelques semaines, sinon plus d'un mois, Aurélie entre au service de son oncle sorelois Jean-Baptiste Denis.

Son départ provoque-t-il la suspension des relations «criminelles»? La grossesse de Joséphine impose-t-elle un temps d'arrêt? Il est notoire, en tout cas, que l'été marque une pause. Des témoignages comme celui de Pierre Crédit dit Sorel, son domestique, font état le plus souvent de la saison chaude comme étant celle des ébats:

> Le docteur habite une partie ou un bout de maison dans Sorel. Je suis son seul domestique. J'ai connaissance que Madame Taché soit venue souvent chez le docteur Holmes dans le courant de l'été dernier; elle venait quelquefois seule, quelquefois avec la fille Aurélie Tremblay, et quelquefois avec un enfant. Quelquefois la fille partait avec l'enfant et elle restait seule avec le docteur. Dans ces occasions, j'allais droit à l'écurie ou chez nous, où je prenais ma pension. Quelquefois le docteur m'envoyait en message, c'était le matin vers 7 heures, ou plutôt c'était avant car il faisait presque toujours brun.

Peu après, George Van Ness, étudiant en médecine d'origine américaine, vient se joindre à Holmes, et les visites de Joséphine cessent tout à fait. Elles n'empêchent pas la rumeur de s'amplifier et de prétendre que les amants vivent «en concubinage». À la fin de l'été, Jean Holmes, frère de George, séjourne à Sorel. À cette époque, Van Ness a déjà pu cependant se convaincre qu'il y a ou qu'il y a eu «commerce charnel».Le prédicateur a, avec Van Ness, une conversation à ce sujet. Il s'inquiète et craint quelque chose de grave. George Holmes dira plus tard à son assistant qu'il a suggéré à son frère de se mêler de ses affaires.

Au mois d'août, et pour une raison que l'on ignore, Aurélie Prévost rentre au service de Joséphine. L'intimité entre les deux femmes se manifeste par des signes visibles, qu'observe silencieusement Sophie Langlade, employée au service de Joséphine «en qualité de servante». En octobre, c'est la naissance d'Herménie, fragile enfant que sa mère nourrit au sein dans l'espoir de lui transmettre un peu de vigueur. L'arrivée d'un troisième enfant fait sourire plusieurs Sorelois, qui en attribuent la paternité à George Holmes et qui s'étonnent peut-être de l'absence d'Achille Taché pour saluer cet événement.

Les faits jalonnant les semaines qui suivront octobre 1838 sont parmi les plus importants de la vie de George Holmes et de Joséphine. Cette dernière prétendra ne rien connaître des complots destinés à enlever la vie à son mari, complots dont le premier prend place à l'automne à une date indéterminée, mais que les documents de l'enquête menée en 1839 nous permettent de situer à l'époque de la naissance d'Herménie.

La première personne avec laquelle George Holmes prend contact est une femme aux moeurs légères, Bridget Early. Moyennant l'équivalent de 21$ en coupures diverses, elle promit de se rendre à Kamouraska, auprès d'Achille Taché, qui, amateur de femmes et d'alcool, devait inévitablement rechercher sa compagnie et ingurgiter, sans trop s'en rendre compte, un heureux mélange d'alcool et de poison. Mais Bridget, astucieuse, préféra s'offrir un peu de bon temps à Québec et n'enlever la vie à personne. De retour à Sorel, plus tard, elle prétendit s'être rendue à Kamouraska et n'avoir pu remplir sa mission, Achille ayant été confiné à sa maison par la maladie. Pour Bridget, l'affaire avait eu plusieurs bons aspects... La déception de Holmes fut, paraît-il, très grande, mais il ne pouvait, d'aucune façon, exiger de Bridget qu'elle lui rende des comptes!

Holmes voyait le temps lui filer entre les doigts, mais, plutôt que de s'estimer heureux de la relative facilité avec laquelle il pouvait à nouveau rencontrer Joséphine, il médita un nouveau plan. Cette fois, Aurélie allait être mise à contribution. Elle semblait en savoir déjà long sur les projets de Holmes:

> Lorsque Madame Taché a quitté la maison de Madame Kelly pour aller résider dans la maison du docteur Halair (sic), il a été à ma connaissance que le docteur Holmes et Madame Taché se sont entendus qu'il avait envoyé une certaine personne pour tâcher d'empoisonner Monsieur Taché, dans la dernière maladie de couche de Madame Taché, et Madame Taché est la personne qui m'a déclaré que le docteur Holmes lui avait dit qu'il avait envoyé une fille avec du poison (...) et me dit encore qu'elle serait flattée que ladite fille réussisse, car le docteur Holmes ferait son bonheur en se mariant avec lui, et Madame Taché s'est trouvée bien mortifiée à voir qu'au retour de ladite fille, qui avait été envoyée pour l'empoisonner (elle) n'avait pas réussi.

Après l'accouchement, retour de Joséphine chez sa tante Kelly. Au début du mois de décembre, un dimanche, la jeune femme demande à Aurélie de se rendre auprès du docteur Holmes:

> (Elle) me dit que le docteur Holmes voulait m'envoyer à Kamouraska pour ôter la vie de son mari, Achille Taché, par le moyen de poison liquide qu'il me donnerait pour lui administrer. Elle me dit alors d'aller voir le docteur Holmes; qu'il m'attendait. Je fus, sur-le-champ, chez le docteur Holmes, que je trouvai chez lui; il me fit entrer dans la grande chambre et, m'ayant fait asseoir sur un sofa, il me proposa d'aller à Kamouraska empoisonner ledit Achille Taché. Je m'y refusai d'abord, disant que je ne voulais point me rendre coupable d'un semblable crime; il me répliqua que je n'avais rien à craindre; que la chose ne serait jamais connue de personne; qu'il mêlerait du poison dans du brandy et que je n'aurais qu'à le lui faire prendre. Il me promit que, si je réussissais à l'empoi-

sonner, je ne travaillerais plus le reste de mes jours; qu'il me donnerait une terre bâtie ou une maison avec un ménage garni ou qu'il me payerait pension le reste de mes jours et m'habillerait comme je le voudrais, en gros de Naples, même, si cela me plaisait. Je consentis enfin de partir pour Kamouraska pour administrer le poison à Monsieur Taché.

Tel que promis, Aurélie, qui, tout le temps où elle avait vécu chez son oncle Jean-Baptiste Denis, avait continué à servir de courrier entre Joséphine et George, s'apprête à partir. Informée le dimanche, elle s'embarque le mardi suivant à bord du *St. George*, le même vapeur qui avait conduit Achille loin de Sorel au mois de mai précédent. Le temps est doux et la neige n'a pas encore fait son apparition. Aurélie dispose d'environ «vingt piastres» pour ses dépenses et, dans ses bagages, un curieux pourrait découvrir «deux fioles», dont l'une contient du brandy et l'autre, un liquide couleur de brandy dont la moitié seulement, lui a dit Holmes, suffira à faire mourir Achille. Aurélie débarque à Québec le mercredi:

> Je demeurai à Québec pendant cinq jours, et, ayant bien réfléchi sur le projet que j'avais entrepris, je me décidai à ne point me rendre à Kamouraska et pris mon passage à bord du bateau à vapeur *Le Canada*, pour retourner à Sorel, où j'arrivai le dimanche suivant à minuit, au meilleur de ma connaissance.

Le lendemain matin, Aurélie se rend auprès du docteur Holmes, auquel elle raconte n'avoir pu aller jusqu'à Kamouraska, faute d'une «occasion» pour l'y transporter. Le médecin, fort de l'empire qu'il exerce sur la pauvre fille, reprend la situation en mains. Sans demander à Aurélie si des scrupules l'ont empêchée d'accomplir sa mission, il lui recommande de ne s'engager nulle part, se chargeant lui-même de défrayer le coût de sa pension, en attendant le moment propice. Docile, Aurélie, surnommée «cheval marin», s'en va loger chez cet oncle où elle avait travaillé quelques semaines auparavant. Qu'attendent-ils donc? Simplement la venue de la neige et l'ouverture des chemins d'hiver permettant de circuler rapidement sur les routes et les rivières, à bord de voitures à lisses.

Il m'a dit: «Nous allons à présent espérer que la neige tombe, les glaces soient bonnes, et tu redescendras.» Alors, quand il a vu que les glaces étaient bonnes et assez de neige, il m'a dit: «Prépare-toi.»

Mais Aurélie cherche, naïvement, à éviter le voyage. À nouveau, elle représente à Holmes l'impact du geste sur sa réputation et sur celle de sa famille. Elle croit avoir trouvé un motif susceptible d'influencer Holmes:

> Je lui répondis que je ne voulais plus retourner, lui représentant que je manquais de vêtements, à quoi il m'a répondu: «Je vais te donner de l'argent pour t'acheter les hardes que tu peux avoir besoin.»

De son côté, aux dires d'Aurélie, Joséphine d'Estimauville multipliait les douceurs, les confidences empreintes à la fois de tristesse et d'espoir. Sophie Langlade, alors employée de Joséphine, est, comme Justine Latour, témoin d'un comportement étrange, peu usité entre une dame de la qualité de Joséphine et une fille du peuple. Pour justifier son premier déplacement, Aurélie avait prétexté un voyage à Lanoraie et, en attendant de repartir, elle rendait visite à son ancienne maîtresse:

> Au bout de quelques jours, déclara Sophie Langlade, ladite Auralie (sic) Prévost dite Tramblay (sic) est revenue chez Madame Taché et Madame Taché s'est assise sur ses genoux et lui a parlé en anglais.

> J'ai vu plusieurs fois Aurélie Tremblay prendre Madame Taché sur ses genoux et aussi Madame Taché s'y mettre de son chef, et les ai vues s'embrasser; elles parlaient toujours anglais. Justine Latour ajoute qu'elles allaient toutes deux souvent ensemble parler seules, et quand Madame d'Estimauville (mère de Joséphine) s'absentait et qu'elle restait seule, elle la faisait venir; elle paraissait beaucoup l'aimer et parlait souvent de l'emmener à Kamouraska.

Au cours des journées qui suivirent le retour d'Aurélie, George Holmes s'intéressa plus que de raison à la température, scrutant le ciel et souhaitant de considérables bordées de neige. Il continuait, par l'intermédiaire de la docile Aurélie, de recevoir et d'expédier de doux billets et de rencontrer Joséphine, qu'il visitait deux fois par jour, en présence de chaperons. Est-ce le simple désir de rendre service aux soeurs Drapeau qui le poussa à multiplier les petites attentions? Pierre Crédit dit Sorel, son serviteur, témoigne, sans en mesurer l'importance, d'une pensée toute spéciale qui a pu être une des causes des difficultés de communication d'Achille et de Joséphine, qui se reprocheront mutuellement de correspondre trop peu ou pas du tout. Holmes interceptait-il leur courrier?

J'avais ordre, déclara Crédit le 21 février 1839, de demander non seulement ses lettres, mais celles de Madame Taché, Madame Casault, Madame Kelly et Madame d'Estimauville, que je lui remettais. Quelquefois il m'envoyait les porter, mais c'était presque toujours lui qui les portait, excepté les gazettes, que je portais le plus souvent.

Après une quinzaine de jours, soit vers la mi-décembre, Aurélie est convoquée au bureau de Holmes: «Eh bien! Aurélie, lui dit-il, voilà la neige, il faut te préparer à partir.» Lui ayant répondu oui, elle prépara ses bagages, alla s'inscrire comme passagère chez le postillon Alexis Péloquin dit Félix, prit livraison de deux fioles, dont l'une contenait un nouveau poison, et d'un petit pistolet chargé à balles et à poudre. Holmes lui remit «trente piastres» et l'inonda de recommandations:

Il me dit de prendre mon temps à Kamouraska et d'y choisir ma... (mots illisibles) pour lui administrer le poison et même d'y rester deux mois s'il le fallait; il ajouta que si le poison ne réussissait point, de lui décharger le pistolet sur la tempe ou dans le côté gauche.

Le docteur Holmes me dit aussi de dire, si l'on s'informait du but de mon voyage, que j'étais en recherche d'un jeune homme qui m'avait trompée et séduite; ou que j'étais à la recherche d'un voleur qui avait volé un Monsieur qui m'avait donné une bonne somme d'argent pour en faire la poursuite.

Le docteur Holmes me chargea aussi de lui écrire sous le nom de «Georges Larivé» et de signer moi-même «Mary Smith». Il me dit aussi d'acheter un petit pot de fer-blanc pour faire prendre le poison à Monsieur Taché avec le brandy; mais que dans tous les cas il ne fallait pas lui en donner moins que la moitié.

Selon Aurélie, c'est Joséphine d'Estimauville elle-même qui lui procura le petit pot de fer-blanc, qu'elle lui remit en la remerciant, par anticipation, de son bonheur et de celui de Holmes, lui promettant de la garder ensuite avec eux «le reste de ma vie. En partant, elle m'embrassa, en me répétant de tâcher de réussir».

L'ex-femme de chambre part donc un mardi matin avec Joseph Lamoureux, engagé du postillon. Il la conduit jusqu'à La Baie, d'où un autre postillon la transporte à Trois-Rivières. C'est en diligence qu'elle parcourt ensuite la distance Trois-Rivières/Québec. Elle ne traîne pas dans la ville de Champlain, préférant traverser immédiatement à la Pointe-Lévis, où un certain Pierre Peltier la mène à Kamouraska. Chemin faisant, à Sainte-Anne-de-la-Pocatière, la fameuse «Mary Smith» rencontre Achille Taché, qui lui demande des nouvelles de sa famille. Ce hasard force Aurélie à adopter la plus farfelue des deux explications justifiant son séjour dans le bas du fleuve: celle où elle se prétend détective privé... Peltier est le premier habitant de Kamouraska à découvrir que la visiteuse se cache sous une fausse identité. Achille Taché, qui se dirige à ce moment vers Rivière-Ouelle, a tout de même le temps de lui recommander l'auberge de Jean-Baptiste Desjardins où elle descend le lendemain, après un arrêt d'une journée et demie dans la maison de son aimable conducteur.

Trois fois, Aurélie aura l'occasion de revoir Achille Taché et, trois fois, il lui sera impossible de boire avec lui ou de le faire boire. Réduite à l'inaction, confinée au cercle étroit de l'auberge paroissiale, Aurélie est l'objet de l'intérêt général. Les servantes de l'aubergiste se sont livrées à une indiscrète inspection de ses bagages, où ils ont découvert le pistolet et les bouteilles. Sa conduite, les raisons invoquées pour justifier sa présence à Kamouraska et son peu d'empressement à pour-

tuait pas une preuve, d'autant plus que les personnages de son genre produisaient des témoignages que l'on devait toujours considérer avec circonspection. Parfois même, on ne devait pas les croire. Dans l'affaire récente, puisque personne ne pouvait confirmer que du poison avait été administré à Achille Taché au début du mois de janvier 1839, le juge dit enfin, selon le rapport du *Canadien*, «que dans la présente cause la cour n'hésitait nullement à leur dire que la défenderesse devait être acquittée, mais que sur le tout, c'était à eux de décider. Les jurés, sans sortir de leur boîte rapportèrent un verdict de *non-coupable*».

Il est important de connaître le sort d'Aurélie à la suite du meurtre d'Achille Taché. Le résumé de son témoignage est, à ce chapitre, plus qu'éloquent:

Le témoin avoue qu'elle est détenue en prison sous sentence depuis six semaines, que lors de la mort de Monsieur Tasché (sic) elle a été arrêtée et mise en prison où elle est demeurée pendant 18 mois, qu'elle fut alors mise en liberté et que depuis elle a été arrêtée et mise en prison à quatre différentes époques pour vagabondage et mauvaise conduite et comme une fille publique et une prostituée.

suivre son enquête entretiennent la méfiance générale à son endroit. Les deux visites d'Achille Taché à l'auberge et les tentatives répétées d'Aurélie pour le faire boire en sa compagnie imposent aux autres habitants de la maison de Jean-Baptiste Roy dit Desjardins une réserve inaccoutumée. Un instituteur d'origine française, Charles Dolbigny, pensionnaire à l'auberge, observe «cette fille» qui, après les premiers jours passés à Kamouraska, «parut fort triste et pleura même, prétextant de l'ennui. Elle se fit donner une pipe et du tabac et fuma régulièrement tous les jours».

Dolbigny, invité à décrire la jeune femme, en fournira ce portrait coloré: «Cette fille était d'une taille d'environ cinq pieds un pouce anglais, son teint assez blanc, ses yeux gris-noir, ses cheveux châtain foncé, son nez gros et épaté, ses lèvres épaisses, une de ses dents ébréchée par le contact du tuyau de la pipe; sa gorge extrêmement volumineuse; son port droit et assuré; sa physionomie dure.»

Aurélie, malgré de longues marches du côté de la seigneurie, ne parvient pas à assurer le succès de sa mission. Désemparée par la proximité de sa proie et par la difficulté d'entrer en communication privée avec celle-ci, elle souffre bientôt d'un manque d'argent. Seul recours possible: George Holmes. Elle décide de lui écrire, mais, illettrée et incapable de signer autrement que d'une croix, elle demande la collaboration d'Honoré, le fils de son hôte:

> Elle m'a prié d'écrire pour elle à un nommé Georges Larivé, qu'elle disait être son oncle demeurant à Sorel; elle mandait à ce Georges Larivée qu'elle n'avait pas fini ses affaires, de lui faire savoir si elle devait monter ou demeurer plus longtemps. Elle reçut par la poste une réponse de Georges Larivée dans une lettre contenant un cinq piastres; il lui recommandait de prendre courage, qu'avec le temps et l'aide de Dieu (...) à réussir dans leur entreprise.

Enfin, dans la soirée du 3 janvier 1839, Aurélie est à un doigt du succès et, avec l'ingénuité la plus totale, elle raconta comment elle se rendit coupable d'une tentative de meurtre par empoisonnement. Trois fois au moins, elle relata les circonstances entourant sa quatrième rencontre avec Achille

1857

UNE FILLE À MARIER
L'affaire Anaïs Toussaint

«Monsieur, c'est mon mari! Son corps ne sera pas ouvert!» C'est par cette phrase, prononcée comme une leçon apprise, qu'Anaïs Toussaint accueillit le docteur Charles Frémont, invité par le coroner Jean-Antoine Panet à pratiquer une autopsie sur le corps de Joseph Bisson. Ce dernier est mort dans des circonstances étranges qui ont poussé les témoins de son agonie à agir de leur propre chef, dans l'intérêt de la loi.

L'affaire d'Anaïs Toussaint, l'empoisonneuse, débute à l'automne de 1856, saison choisie par la jeune fille de 17 ans pour se marier. Dans son esprit, avant Noël, elle sera Madame Quelque-Chose. Toutefois, au moment où elle fait part de cette décision à son père, le choix du futur n'est pas encore fait. Dans la maison de ses parents, François-Xavier Toussaint et Marie Barré, vivent plusieurs pensionnaires de sexe masculin sensibles au charme, à la beauté, à la vivacité et à l'esprit de la jeune fille. Il s'agit des frères Alfred et Joseph Gamache, de Joseph Fournier, François Saint-Amand et Augustin Tardif. Deux jeunes filles habitent également la maison du quartier Saint-Roch de Québec: Geneviève et Philomène Rancourt.

Anaïs, qui, à quelques reprises depuis deux ans, s'est engagée comme domestique, veut sans doute accomplir pour son bénéfice personnel des tâches lourdes et ordinairement peu lucratives. Pour le choix de son futur, elle agit sans prudence. Elle qui fréquentait en août le beau Fricot, elle l'abandonne au mois de septembre pour permettre à Augustin Tardif de tenter sa chance. La rupture d'Anaïs et de Fricot n'est pourtant pas spontanée, puisque le père de la jeune fille a cru bon d'intervenir après quelques semaines de fréquentations. Il dira lui-même avoir demandé à l'amoureux de «se déclarer» ou de ne plus mettre le pied dans sa maison: «Je ne voulais voir personne courir après ma fille.»

Pour Augustin Tardif, l'histoire d'amour prend fin après trois semaines, c'est-à-dire qu'il cesse de courtiser Anaïs, à la demande de celle-ci. Sans animosité apparente, le jeune homme, qui avait d'abord vu sa demande en mariage être agréée par la jeune fille, laisse le champ libre à un nouveau venu: Joseph Bisson. Boulanger de son état, Bisson est un prétendant de qualité qui plaît à François-Xavier Toussaint. Les semaines s'ajoutent aux semaines et, à la mi-octobre, Anaïs annonce à son père qu'elle est maintenant prête à se marier. Selon elle, le jeune homme de 26 ans est un bon parti. «Je n'avais pas d'objections. Je lui ai dit: "Prends-le si il te plaît, si tu le trouves de ton goût. Moi, je ne veux pas m'en mêler, je ne veux pas avoir de reproches."»

Joseph Bisson est effectivement un homme probe et bon. N'est-ce pas lui qui assume une partie de ce qu'il en coûte pour faire vivre ses parents? Tout, dans sa conduite, justifie la confiance générale: «Il travaillait fort et c'était un garçon d'église.»

Le mariage de celle que les registres de la paroisse Saint-Roch de Québec identifient comme étant «Praxède Toussaint» et de Joseph Bisson, fils de Joseph Bisson et de Marie-Anne Hamel, est célébré le mardi 18 novembre 1856. Aussitôt, à moins que la chronique des événements n'ait négligé ce détail, les jeunes mariés élisent domicile dans la famille Bisson sans préalablement s'offrir la joie d'une lune de miel. Bientôt, c'est l'évidence: les mariés ne sont pas heureux. Les causes de leur mésentente paraissent nombreuses. L'une concerne la charge financière du jeune boulanger, trop lourde pour ses seules épaules. L'autre semble être la jalousie qui trouble l'esprit de Bisson, que plusieurs personnes ont entendu dire et redire son inquiétude à propos du «beau Fricot». Bisson le voit partout et craint le pire. Une troisième cause de mésentente, voilée par le secret professionnel médical, aurait pu éclairer le public et faire comprendre pourquoi,

sitôt marié, Bisson perd confiance en lui au point d'acquérir la certitude que sa femme veut le quitter.

«Environ trois semaines après son mariage, dira le docteur Eusèbe Bardy, j'ai eu une conversation avec elle, à propos de son mari et de leur façon de vivre ensemble...»

Est-ce le désir de retrouver plus d'intimité qui pousse le couple à transporter ses pénates dans une maison voisine? La raison invoquée officiellement par Bisson est qu'il lui était impossible d'assumer plus longtemps le poids financier imposé par leur mode de vie. Vers le 15 décembre, ils deviennent donc les pensionnaires du charretier Joseph Huard et de sa femme, Luce Pèze. La première semaine s'écoule normalement. Bisson quitte la maison tôt le matin et il rentre dîner tous les jours. La jalousie qui l'anime est perceptible dans sa conversation la plus ordinaire, qu'il étaye d'allusions à Fricot. Anaïs-Praxède, tant bien que mal, le rassure en insistant sur le fait qu'elle avait le choix entre plusieurs prétendants et que, sans amour, il ne serait pas aujourd'hui son mari.

Mais un nombre de plus en plus grand de connaissances et d'amis remarquèrent l'absence d'harmonie du couple. Dans les salons et les cuisines du quartier, où les sujets de conversation faisaient parfois défaut, on en vint à méditer à haute voix sur l'avenir des jeunes gens. Ainsi, dans un salon où plusieurs personnes étaient présentes, Véronique Rancourt, pensionnaire chez les Toussaint, évoqua une conversation au cours de laquelle Anaïs lui aurait confié ses sentiments véritables à l'égard de Bisson. C'était quelques jours avant la noce. Anaïs aurait dit à Véronique que le «beau Fricot» avait été congédié par son père. La raison de l'intervention de François-Xavier Toussaint dans la vie de sa fille? Fricot n'était pas un bon parti: «Il m'a dit: "Si tu le maries, je te renierai comme ma fille."»

À Véronique qui voulait savoir pourquoi elle épousait Joseph Bisson sans l'aimer, Anaïs aurait fait valoir la possibilité de se débarrasser facilement d'un mari encombrant, «avec du poison», bien sûr... C'est ce que Véronique Rancourt raconta.

Après deux semaines de vie commune chez les Huard, les relations d'Anaïs et de Joseph se détériorent. En même temps, la santé du mari décline et, pour se distraire, sa femme

C'est dans l'église de la paroisse Saint-Roch, à Québec, qu'Anaïs Toussaint a épousé Joseph Bisson, le mardi 18 novembre 1856. Mariage précipité, bâclé, dans lequel l'amour semble n'avoir eu aucune part. Un élément de l'affaire est resté dans l'ombre: celui des problèmes d'ordre «physiques» rencontrés par le couple après le mariage. D'autre part, malgré un nombre étonnant de preuves dites circonstancielles, il demeurait un doute permettant de croire que Joseph Bisson, décédé moins de deux mois après son mariage, ait pu succomber à un mal naturel ou s'être suicidé. Ce doute sera utilisé au bénéfice d'Anaïs Toussaint.

se prend d'une irrésistible amitié pour Luce Campagna, une femme d'une quarantaine d'années, mariée à Jean Fortin. La complicité des deux femmes, leurs sorties fréquentes font également l'objet des conversations. Chacun s'interroge sur les raisons qui poussent Anaïs à être plus souvent hors de la maison Huard et à se tenir aussi loin de son mari. L'obsession de Joseph Bisson a son écho ailleurs que dans ses conversations privées. Vers le 20 décembre 1856, la plupart des personnes qui connaissent les jeunes gens ont une opinion personnelle sur les motifs de leur mésentente: Anaïs nourrit une passion secrète pour le «beau Fricot». Qu'importe si on ne les a pas vus ensemble, les soupçons et les accusations ouvertes de Bisson sont acceptées et adoptées comme de l'argent comptant!

Où allaient donc Luce Campagna et Anaïs Toussaint lorsqu'elles quittaient la maison Huard? Elles couraient les officines des pharmaciens et les bureaux de médecins dans l'espoir d'obtenir de l'arsenic destiné aux usages les plus divers. À la mi-décembre, quelques jours après leur installation chez les Huard, Anaïs réclame de Joseph Denis un peu d'arsenic pour un bras qui la fait souffrir. Le 23 ou le 24 décembre, elle accompagne Luce Campagna chez le docteur Pierre-Martial Bardy. C'est Luce qui désire de la poudre blanche pour anéantir quelques rats. Quatre ou cinq grains d'acide arsénieux leur sont délivrés sans autre formalité.

Hasard ou fatalité, on ne sait, mais, vers le 26 décembre, Bisson, qui jouissait jusqu'alors d'une excellente santé, donne les premiers signes d'une maladie du foie. Après les faiblesses de la mi-décembre, voici que son teint se modifie, que ses yeux sont injectés de sang. L'indice le plus évident de la souffrance qu'il subit silencieusement est peut-être contenu dans cette phrase glissée à l'oreille de son beau-père: «Si je n'avais pas tant besoin de gagner, je me ferais soigner par le docteur.»

François-Xavier Toussaint l'encourage à le faire. Qu'importe l'argent, il faut qu'il demeure prudent tout en n'allant pas s'endetter chez les médecins. Pour alléger le fardeau du malade, il lui propose même de s'établir chez lui. Mais Joseph Bisson endure un mal apparemment plus léger que le spectre du «beau Fricot» qui le hante toujours. Il ne supporte plus désormais que sa femme s'adresse à d'autres hommes. On se souviendra de ce dimanche 21 décembre 1856 où, observant

Anaïs en conversation avec Joseph Gamache, il avait trahi son inquiétude et elle, sa soif d'indépendance: «Qu'as-tu donc, es-tu fâchée contre moi? Tu ne me parles pas, tandis que tu parles bien aux autres. — C'est bien malheureux, avait-elle répondu, si je ne puis point parler aux autres!» Là-dessus, Joseph avait «mis son casque» et était parti mûrir aux vêpres ses idées sur la fidélité et l'obéissance des femmes dans le mariage.

Les fêtes de Noël passent sans qu'il soit vu par un médecin. Vers le 26 décembre, il se plaint de frissons. Lui qui avait déjà remarqué à quel point les poisons coûtaient cher, il exprime une certaine détresse dans une phrase que François-Xavier Toussaint est seul à entendre: «J'ai une chose sur l'estomac qui m'écrase. Si ça continue, je crois bien qu'un des deux mourra bien vite.» Pourquoi exprime-t-il ce découragement? N'a-t-il pas confiance dans le support de son beau-père, qui lui a promis, trois semaines après le mariage, de corriger lui-même sa fille si elle posait des gestes répréhensibles? «Ma fille est jeune; si elle manque d'esprit, ayez la bonté de m'en donner connaissance; je tâcherai de la reprendre du mieux qu'il sera possible.»

Le 29 décembre, un lundi, l'heure n'est plus aux épanchements. Appelé par François-Xavier Toussaint, le docteur François Dussault se rend au chevet du malade et diagnostique une maladie du foie. Les médicaments prescrits sont l'opium, le calomel et la rhubarbe. Il était 10 heures et Anaïs pleurait. Le spectacle était, en apparence, touchant. Son père, lui ayant demandé pourquoi elle versait tant de larmes, l'entendit répondre: «Joseph ne veut pas me laisser aller faire des commissions avec Madame Fortier...» Choqué, François-Xavier intime à sa fille l'ordre de demeurer auprès de son mari, mais Anaïs se rebiffe: «Donnez-lui des accoutumances encore! Je suis bien accoutumée d'avoir le dos large pour porter toutes les peines! Je n'écouterai ni père ni mère, ni Dieu, ni saints! Personne ne m'a encore domptée! Personne ne me domptera!»

Les 31 décembre, 2 et 4 janvier, le docteur Dussault se présente à nouveau au chevet de Bisson, dont l'état empire. Le 30 décembre, Luce Campagna, qui avait visité «toutes les pharmacies», se plaint de n'avoir pu trouver «rien de vif». Un

témoin s'empressera de conclure qu'elle était en quête d'arsenic pour empoisonner le moribond alors que Luce prétendra utiliser la poudre blanche dans la préparation d'une «solution» destinée à soigner un ulcère. Le 3 janvier, deux femmes que le docteur Édouard Rousseau se dira incapable d'identifier se rendent à son bureau afin d'obtenir de l'arsenic pour dératiser un lieu quelconque. Luce et Anaïs se seraient d'abord présentées à la pharmacie Brunet, rue du Pont, à Saint-Roch, où le commis, Roch Dugal, aurait refusé de les servir sans l'accord d'un médecin. Fortes de l'ordonnance suivante: «Vous pouvez donner de l'arsenic à la porteuse», les deux femmes reviennent à la pharmacie, où ni le commis Dugal ni un client, l'armurier George Cook, ne prêtent la plus petite attention. Comme le docteur Rousseau, ils ne seront pas en mesure de les reconnaître formellement. Elles emportent toutefois de six à huit grains d'arsenic.

Le 4 janvier, les souffrances de Bisson atteignent les limites du supportable. Les Huard profitent de ce dimanche pour se rendre à Lorette pendant que plusieurs amis et parents du malade se déplacent pour le voir. Madeleine Émond vient lui faire la barbe. Affaibli, Joseph Bisson s'évanouit trois fois. Seule avec son mari et Malvina Baribeau, une voisine âgée de neuf ans, Anaïs prépare une potion puis du gruau. Aussitôt absorbées, ces matières sont rejetées. Bisson se plaint: tout goûte mauvais et il a l'estomac en feu. Son père passe la journée auprès de lui. Il constate que le malade est tourmenté. Les Huard observent la même chose à leur retour, de même qu'Isaïe Lambert, Luce Campagna et d'autres. Pendant que le docteur Dussault s'attachera à son premier diagnostic, la rumeur d'un empoisonnement s'étend à travers Boisseauville qui deviendra plus tard le quartier Saint-Sauveur. À 4 heures du matin, dans la nuit du 4 au 5 janvier 1857, Joseph Bisson n'est plus.

Aussitôt, entre la veuve et son mari, s'interposent ceux et celles pour qui Anaïs est avant tout une empoisonneuse. Joseph Huard refuse que le corps de Bisson soit inhumé avant la tenue d'une enquête en bonne et due forme. Même réaction chez Isaïe Lambert. Selon lui, et il ne le cache pas à Anaïs, elle mérite la réputation qui est maintenant la sienne: celle d'avoir mis un terme aux jours de son mari. Même Luce Campagna, «la Fortier», comme la surnommeront la presse et la rumeur populaire, charge son ancienne amie. Cette dernière s'affaire aux préparatifs d'inhumation de son mari et, faisant sien l'avis de son beau-père, elle affirme qu'elle s'opposera à ce que le corps du défunt soit «ouvert». Pour Joseph Bisson père, l'autopsie pourrait avoir lieu si le défunt était mort subitement, mais, après une aussi longue maladie, elle ne s'impose pas. Les motifs inspirant à Anaïs sa détermination seraient, prétendent les uns et les autres, moins purs, moins simples.

Lorsque le docteur Charles Frémont, appelé par le coroner Panet, se présente à la maison des Huard, il fait donc face à l'opposition d'Anaïs.

L'autopsie est effectuée dans les pires conditions, le médecin et l'adjoint qu'il réclame, le docteur Alfred Jackson, négligeant de prendre toutes les précautions qui s'imposent. Des taches blanchâtres sur les parois de l'estomac, taches cristallisées, seront identifiées à l'arsenic, après avoir été soumises au test de Marsh et Reinsch. Les matières vomies au cours de la journée ne contiennent aucun arsenic et les viscères ne sont pas soumis à un examen.

Cependant, cette autopsie et la rumeur publique conduisent Anaïs devant les tribunaux. C'est d'abord l'enquête du coroner Panet, qui débute le 8, lendemain des funérailles de la victime. Les reporters se voient interdire de prendre des notes, mais le représentant du *Quebec Mercury*, profitant de quelque amitié, parvient à recueillir suffisamment de matière pour offrir un résumé de l'affaire à ses lecteurs. Devant le coroner, on a fait état de tous les éléments qui ont donné naissance à la rumeur. Les symptômes, observés par les témoins et par le docteur Dussault seulement, sont désormais associés à l'empoisonnement par l'arsenic. Quant à la course aux poisons, la quête ouverte d'une vingtaine de grains d'arsenic, elle a pour effet de conduire non seulement Anaïs Toussaint mais également Luce Campagna, femme de Jean Fortier, sur le banc. L'enquête prit fin à une heure du matin, dans la nuit du jeudi au vendredi, 8 et 9 janvier 1857. Le vendredi, le coroner rendait un verdict contre les deux femmes, qui étaient conduites à la prison commune en attendant leur procès devant la Cour du Banc de la Reine, présidée par les juges Jean-François-Joseph Duval et René-Édouard Caron.

90

Le 27 janvier, la cour commence à siéger. Andrew Stewart représente la Couronne pendant que G. Talbot et Charles Alleyn parlent au nom de l'accusée. Le jury est formé, puis on procède à l'examen des témoins de la Couronne. Comme il fallait s'y attendre, ils sont nombreux et bavards. Ils n'ont rien vu d'exceptionnel, sinon l'ombre du poison. Un témoin, ayant insinué que l'arsenic avait pu être introduit dans le gruau ordinairement servi à Joseph Bisson, avoua par ailleurs avoir mangé dans le même bol que le malade sans en avoir été incommodé... Les docteurs Charles Frémont et Alfred Jackson rediront leur certitude: la mort du malade est consécutive à l'absorption d'arsenic, opinion d'ailleurs confirmée par plusieurs autres disciples d'Esculape ayant en commun le mérite de n'avoir jamais vu Bisson, mort ou vivant, et de calquer leur opinion sur celle des médecins assignés à l'autopsie. Même le docteur Dussault, jusqu'alors persuadé que son malade était mort de la jaunisse, douta de lui: «Je suis maintenant persuadé, déclara-t-il le 29 janvier devant le tribunal, que les symptômes manifestés alors étaient ceux de l'empoisonnement à l'arsenic.»

Pour le principal témoin à charge, Joseph Huard, l'opinion du jury représentera une victoire ou une défaite personnelle. N'avait-il pas dit qu'il était prêt à parier «quatre piastres contre sa maison» qu'Anaïs serait reconnue coupable? N'avait-il pas déclaré que si elle était libérée il se considérerait désormais libre de tuer qui il voudrait? L'adresse du juge Duval au jury allait être décisive. Prenant la parole après l'avocat de la Couronne, il refait la lecture des témoignages et il les commente. Les jurés sont invités à conclure à une relation de cause à effet. Du poison a été acheté, un homme est mort, vraisemblablement empoisonné. S'est-il donné la mort? Il est rare que l'on se suicide en faisant durer le supplice pendant près de dix jours... Des témoins ayant vu Anaïs faire absorber du poison à Bisson, il n'y en a aucun, mais, rappelle le magistrat:

> Ceux qui commettent le crime ne le font pas en présence de témoins. C'est pourquoi on est le plus souvent obligé de décider d'après les circonstances qui précèdent et qui suivent l'exécution du crime, et c'est ce qu'il faut faire

dans le cas actuel. Comment aurait-on pu administrer du poison au défunt sans la participation de sa femme? Il était malade; elle soignait, préparait ses remèdes et ses aliments; il était en sa puissance.

Le jury se retira à 5 heures et demie et, à 6 heures et demie, le 29 janvier, la cour ajournait ses travaux. Le lendemain matin, avant 10 heures, le président du jury reconnaissait Anaïs Toussaint coupable du meurtre de son mari, Joseph Bisson. Un murmure d'excitation animait la foule, principalement composée de Canadiens français. Leur curiosité ne devait pas être satisfaite ce jour-là, puisque le magistrat remit au 2 février le prononcé de la sentence.

Ce matin-là, Anaïs pleura. Elle qui avait, sous son voile de deuil, maintenu une attitude stoïque, elle écoutait le seul sermon qui lui fût jamais consacré. Elle était, une fois pour toutes, «domptée».

Anaïs Bisson,

Au sein d'une population éminemment distinguée par la douceur de ses moeurs et par des sentiments profondément religieux; dans un pays où la présence du bon curé du village a, jusqu'à ce moment, suffi presque seule pour maintenir le respect de la loi et de l'ordre, vous, née dans ce pays et sortie à peine de l'enfance, vous vous êtes rendue coupable d'un crime des plus atroces.

Puis le juge retrace l'itinéraire moral ou plutôt amoral suivi par la jeune fille depuis sa rencontre avec Bisson et la mort de celui-ci. Sa décision, prise avant le mariage, de s'en débarrasser s'il cessait de lui plaire, le meurtre froid, prémédité, et la contemplation calme de l'agonie de sa victime... Quels ont pu être les motifs de ce grand crime? Le juge, ému, croit pouvoir les désigner:

Ce ne sont assurément pas les mauvais traitements que vous auriez éprouvés de sa part, car il vous a témoigné l'amour et le respect qu'une épouse a le droit d'attendre de son époux. Pendant le peu de jours que vous êtes demeurés ensemble, les torts ont été de votre côté. Incapable de plier vos passions au joug domestique et de res-

treindre votre amour à la couche nuptiale, chaque jour la légèreté de votre conduite renouvelait ses chagrins. Vainement en appelait-il à vos sentiments de femme pour lui épargner ces tristes moments de douleur profonde dont vous étiez journellement le témoin.

Si la rage meurtrière d'un homme est un mouvement compréhensible, le meurtre tramé par une épouse, «en silence et délibérément», est un fait si extraordinaire «qu'il faut pour y croire en avoir la preuve». Cette preuve ayant été faite et ayant emporté l'adhésion du jury, il restait au juge à prononcer la sentence de mort:

> Vous, Anaïs Toussaint, veuve de Joseph Bisson, soyez reconduite à la prison commune de ce district, d'où vous avez été extraite; et que le troisième jour d'avril prochain vous en soyez tirée à nouveau pour être conduite à la place ordinaire des exécutions, et là pendue par le cou jusqu'à ce que mort s'ensuive.

Ce scénario ne devait pas se réaliser ainsi. L'avocat de la jeune femme réclama un sursis parce que sa cliente attendait un enfant. Un «jury de matrones», constitué sur l'ordre du magistrat, confirma la grossesse et, le samedi 7 février, le juge Duval accordait le sursis, ordonnant que la prisonnière soit ramenée devant la cour au «premier jour de la session de juillet prochain pour savoir quel jour serait fixé pour son exécution».

Au mois de mai 1857, s'amorce une campagne de presse destinée à dénoncer l'iniquité des procédures et particulièrement le fait que le juge ait condamné une personne qui était peut-être innocente. Le coup d'envoi est donné par un éminent spécialiste des questions médico-légales, le docteur J.-Émery Coderre, qui, les 14 et 22 mai, fait une lecture publique devant les membres de l'Institut canadien. Pour l'homme de science, il importe de montrer où, quand et comment ses confrères et le juge ont erré.

Dans le cas des docteurs Frémont et Jackson, les fautes sont nombreuses. Elles vont de la façon dont l'autopsie a été pratiquée, jusqu'à leurs conclusions, en passant par l'absence de rigueur dans l'observation des viscères et l'analyse de ceux-ci. Dans le cas du juge, le docteur Coderre regrette qu'il ait accepté, sans les contredire, les conclusions lourdes de conséquence des deux médecins. Acceptons, affirme Coderre, le fait qu'il y ait eu, effectivement, achat d'arsenic. Cela acquis, rien dans les symptômes visibles chez Bisson ou dans les lésions observées dans son corps ne prouvait la présence d'arsenic:

> Les symptômes de l'empoisonnement par les poisons irritants (arsenic, bichlorure de mercure, etc.) sont ceux d'un grand nombre de maladies, telles que: inflammation de l'estomac, du foie, des intestins, et choléra, coliques nerveuses. (...) Quant aux symptômes exclusivement propres à l'empoisonnement, il n'y en a pas; une foule d'affections présentent les mêmes symptômes, et il faut pour établir la différence une habitude d'observation et des connaissances qui ne pouvaient se rencontrer chez les personnes qui ont décrit les symptômes de la maladie de Bisson.

Les «apparences morbides», l'analyse et la production d'arsenic en cour par les deux médecins ne sont pas des preuves. On découvre parfois, dans des corps, des substances «analogues» à des substances toxiques. Même les tests chimiques ne sont pas probants puisqu'ils auraient dû s'accompagner d'une recherche systématique de poisons, dans le foie particulièrement. Enfin, la «présence» d'arsenic cristallisé dans l'estomac et son «absence» dans les matières vomies soulèvent autant de questions que le fait que les viscères n'aient pas été conservés séparément dans des bocaux scellés et que les analyses n'aient pas fait l'objet de procès-verbaux détaillés et précis.

Sans prétendre qu'il n'y a pas eu de crime, le docteur Coderre reprocha aux médecins d'avoir endossé la thèse de meurtre suggérée par la rumeur publique et d'avoir négligé d'envisager la possibilité d'une mort naturelle, tout aussi plausible:

> Cependant, on a déposé que le défunt avait dit, en parlant de lui et de sa femme, qu'un des deux mourrait bien vite, si cela ne changeait point. Il était malade depuis dix

jours, et l'on a dit qu'il avait la jaunisse. S'il était véritablement tourmenté par la passion de la jalousie, il pouvait bien être malade depuis longtemps, et souffrir d'un dérangement des organes digestifs. Cette jaunisse était l'effet sans doute d'une gastro-hépatite (inflammation de l'estomac et du foie), ce qui arrive assez fréquemment sous l'empire des contrariétés domestiques.

Le 19 juin 1857, François-Xavier Toussaint et Madeleine Barré se jetaient aux pieds du gouverneur général, Sir Edmund Walker Head, lui demandant la grâce de leur fille. Selon le *National*, «le gouverneur a relevé avec émotion les deux pauvres vieillards et tout en regrettant de ne pouvoir exercer, au moment de son départ, la prérogative royale avant d'avoir pris l'avis de ses ministres, il a donné aux parents l'assurance qu'il recommanderait à son remplaçant en office d'accorder à la demande des requérants l'attention la plus favorable». Les Toussaint et leur avocat, Marc-Aurèle Plamondon, remirent au chef du gouvernement une requête portant plus de mille signatures.

Le 20 juillet, le procureur général du Bas-Canada faisait savoir que l'administrateur par intérim du gouvernement, Sir W. Eyre, commuait la peine imposée à Anaïs Toussaint en emprisonnement à perpétuité.

La presse et les opposants à la peine de mort n'avaient pas vainement «disputé cette victime au bourreau».

On vient de voir dans quelles saintes dispositions sont décédés les deux infortunés que la justice a fait exécuter. On n'aura pas manqué de remarquer quels soins charitables leur a prodigués la religion, par le zèle du Chapelain et autres Prêtres, et par la charité des sœurs que la Providence leur avait données pour Anges consolateurs. On aura sans doute été frappé des merveilles qu'a opérées la divine miséricorde, en faisant de ces deux coupables, des pénitents si contrits et si repentants.

Nos lecteurs désirent sans doute connaître à quelles sources ont été puisées des grâces si puissantes, et qui ont opéré un si merveilleux changement. Nous allons satisfaire leur louable curiosité en reproduisant ici la Lettre Pastorale et le Règlement Episcopal qui ont été publiés dans cette lugubre occasion ; parce que ces deux documents nous révèlent toute la tendresse de notre bonne mère, la Ste. Eglise Romaine, pour ceux de ses chers enfants qui ont eu le malheur de mériter la peine capitale.

Pour mieux comprendre la Lettre Pastorale, il est bon de remarquer ici qu'à Rome, c'est sous la protection de St. Jean Baptiste que se font toutes les exécutions à mort ; et que l'on n'y omet rien de ce qui peut contribuer d'un côté à sauver ceux qui sont exécutés, et d'un autre à inspirer une vive horreur des crimes qui conduisent à l'échafaud.

C'est ce que résume Mgr. l'Évêque de Montréal, dans cette Lettre Pastorale, qui vint fort à propos, pour rendre la fête de St. Jean Baptiste, qui se célébrait le jour même qu'elle fut publiée joyeuse et triste en même temps, et disposer toute la population catholique à passer doucement de la joie de cette fête nationale à la douleur de ce jour de deuil.

Hier, jeudi, c'était St. Jean Baptiste, remplissant son glorieux ministère de (Prophète et de plus que prophète), que l'on honorait, par les démonstrations religieuses et patriotiques les plus magnifiques. Aujourd'hui, vendredi, c'est St. Jean Baptiste décapité, pour soutenir l'honneur du mariage que l'on invoque, pour fortifier ceux qui montent à l'échafaud.

Tout ce qui s'observe dans cette lugubre solennité, nous met sous les yeux les religieuses pratiques de la ville sainte, quand il s'agit de conduire au ciel, par l'échafaud, ceux qui ont mérité le dernier supplice.

On en conclura facilement que des pratiques religieuses, qui apportent tant de consolations aux hommes qui sont sous le poids de la plus grande désolation, doivent être souverainement salutaires.

On se laissera donc attirer sans peine par les charmes d'une religion qui sait consoler si puissamment ses infortunés enfants dans des jours qui ont coutume d'être des jours de désespoir pour ceux qui n'ont pas le bonheur d'avoir la vraie foi, qui ne se trouve que dans la Ste. Eglise Romaine.

Taché. Sa déposition du 23 mars 1839 est la plus détaillée. Après avoir rencontré Achille le 3 janvier et lui avoir parlé d'un voyage qu'elle devait faire à Saint-Pascal le lendemain, elle le voit reparaître à l'auberge ce jour-là, s'offrant à l'y conduire:

> Nous y fûmes et revînmes chez Desjardins après avoir été au-delà des moulins de Saint-Pascal mais sans y arrêter. Monsieur Taché était pris de boisson et, en revenant, me demanda si j'avais de la boisson avec moi. Je lui dis que non, et je n'en avais point non plus, mais je lui dis que j'en avais dans ma valise chez Desjardins. Il me demanda alors si, après être rendu chez Desjardins, je voudrais sortir ma bouteille dehors, au moment de son départ, et lui en donner un coup, ce que je promis de faire.

Plus tard, après s'être réchauffé auprès du poêle et avoir fumé une pipe, Achille Taché, à qui l'aubergiste avait refusé de servir quoi que ce soit en raison d'une ébriété qu'il jugeait aux limites du tolérable, rappelait sa promesse à Aurélie. Celle-ci monte chercher ses fioles et son gobelet de fer-blanc:

> Je le suivis alors dehors, près de sa voiture, et vidai un peu de brandy dans le pot de fer-blanc. (...) Il insista que j'en boive avant lui, ce que je fis en effet. Lui présentant alors le pot, il me dit qu'il n'y avait point assez de brandy et m'en fit verser encore; je choisis ce moment pour y verser le poison, et en mêlai à peu près le contenu d'une cuillère à thé.

C'est évidemment trop peu, mais une quantité suffisante pour que le pauvre Achille soit aussitôt la proie d'un malaise qui va durer plusieurs jours. Vomissements, crampes et coliques, teint livide et terreux étaient les symptômes d'un mal indéterminé dont sa mère et les employés de la maison de la seigneuresse allaient être les seuls témoins. Achille, connaissant mieux que personne son penchant pour l'alcool et les défis quotidiens qu'il imposait à sa santé, ne songea pas à en tenir Aurélie responsable et il attribua au hasard la «maladie» dont il mit une semaine à se relever.

La scène au cours de laquelle Aurélie avait servi à boire à son ex-employeur avait été observée de l'intérieur de l'auberge, où elle avait fait scandale. Tôt le lendemain matin, profitant d'une occasion, c'est-à-dire du départ d'un habitant de Kamouraska pour Saint-Michel-de-Bellechasse, à 23 kilomètres de Lévis, Jean-Baptiste Roy dit Desjardins montra la porte à Aurélie!

«Cheval marin» sait qu'elle a mal travaillé. Rendue à Sorel, elle raconte qu'elle a fait absorber une partie du poison à Achille Taché, mais elle laisse planer le doute. Mourra-t-il, ne mourra-t-il pas? Cette question préoccupe moins Aurélie que Joséphine, inquiète de l'impact de l'insuccès possible sur George:

> Elle m'a dit: «Va donc à l'office et dire à ce cher enfant, en parlant du docteur Holmes, ce que tu viens de me dire.» Je me suis donc rendue à l'office. (...) Il m'a répondu: «Sacré chien! S'il n'est pas mort, je le ferai mourir, moi!» Et, de là, il s'est rendu chez Madame Taché.

Plus tard, dans une lettre, Julie Larue, mère d'Achille, annonce à Joséphine le rétablissement de son mari, rendu malade à la suite de récents excès. La bonne nouvelle, on le devine, fit grimacer l'amant impatient.

> Il a dit à Madame Taché qu'il allait aller lui-même le détruire, que ça ne serait pas avec du poison, mais avec le pistolet.

Après la réception de la missive, Holmes convoque Aurélie, qu'il interroge sur l'itinéraire, les chemins, l'emplacement de la demeure des Taché, etc. Sa décision, effectivement, est prise. Ainsi qu'il l'aurait confié à Aurélie, il prétexte une maladie de son père pour emprunter la carriole, très légère, de George Van Ness. Il lui faudra, prétend-il, une dizaine de jours pour se rendre au chevet du malade, à Lancaster et en revenir. Le 26 janvier, il se glisse dans le véhicule rouge vin auquel est attelé un fin cheval portant un collier de grelots. Holmes est entouré de peaux de carriole, appelées aussi robes de fourrure, épaisses couvertures de fourrure doublées de laine. Il porte des vêtements de voyage qui ne lui sont pas coutumiers, qui se veulent banals mais qu'on remarquera

toutefois. Sur un complet de monsieur, surnommé «habit à quatre poches», il a endossé un capot gris en étoffe du pays et enfilé par-dessus ce capot un manteau de pilote bleu garni d'un col en imitation de mouton. Il porte des guêtres grises ornées de boutons noirs aux côtés, et, sur la tête, un chapeau rond, bleu, ourlé d'une fourrure jaunie.

Son merveilleux cheval, un fringant coursier, dévore des kilomètres et des kilomètres, dispersant, à travers les campagnes, la joyeuse musique des grelots qui se répercute à travers l'air froid. Si l'on n'a pas interrogé les témoins de tout le parcours accompli par ce bel équipage, ceux qui l'ont vu descendre de Saint-Vallier à Kamouraska ont entendu, remarqué et admiré le voyageur, sa voiture unique en son genre, et son cheval, dont l'arrière des pattes était «blanc jusqu'aux boulets».

Le mardi 29, George Holmes s'arrête à Saint-Vallier-de-Bellechasse, à l'auberge de Michel-Eustache Letellier, où il passe la nuit. Là, comme à chacune de ses haltes, il prendra soin de ne pas révéler son identité. Le lendemain soir, à 19 heures, il descend à l'auberge de François Lemieux, sur le grand chemin du village, à l'Islet. À ses hôtes, il laisse entendre que des affaires l'appellent à Sainte-Anne-de-la-Pocatière. À 17 heures, le 31 janvier, il s'arrête à l'auberge de James Wood. Jean-Baptiste Caron, fils de Lambert, maître pilote sur le fleuve, observe cet étranger qui a eu l'impudence de solliciter des renseignements avec une certaine brusquerie:

> Il fit dételer son cheval à l'auberge et y demeura environ une heure et demie. Après avoir été quelque temps dans l'auberge, il en sortit et marcha vers l'église. C'était un homme d'une petite taille, bien fait, ayant le teint brun, animé, les yeux et favoris noirs. (...) Quelque temps après, je crus le voir revenir. La voiture fut attelée et il prit le côté d'en bas.

Il est alors 18 heures ou à peu près. Près de l'église, en face de la maison du docteur Horsman, il voit Louis Deblois, auquel il demande où se trouve la demeure des Taché. Quelques minutes plus tard, Achille Taché, conduit par Robert Dunham, son serviteur, croise la voiture de Holmes qui glissait alors sur le Chemin du Roi. Les deux hommes se reconnaissent et échangent immédiatement des propos amicaux. Dunham entend l'étranger dire à son maître qu'il est venu lui donner des nouvelles de sa femme et de ses enfants. Dans l'enthousiasme, Achille change de voiture et entreprend son dernier voyage.

Personne ne sait exactement ce qui se passa ensuite, sinon qu'entre 19 heures et 19 heures 30 quelqu'un revit la voiture de Holmes conduite par un homme qui chantait à tue-tête, couvrant à peine les grognements d'un autre que l'on crut ivre mort.

George Holmes avait accompli sa mission! Deux coups de revolver avaient eu raison de l'encombrant Achille. Holmes décampa immédiatement après avoir enfoui le corps dans l'anse de Kamouraska, à l'endroit appelé «le Pain court», en face d'un endroit jonché de fascines où la neige était particulièrement abondante. Le meurtrier avait bien failli ne jamais retrouver la route de Québec, car, dans l'anse, il lui fut impossible de s'orienter sans l'aide d'un villageois, auquel il demanda de lui servir de guide. L'homme fut étonné par l'attitude de cet étranger, qui lui refusa l'accès à sa voiture et l'obligea à le conduire en marchant devant l'équipage, dans la neige.

Entre 23 heures et minuit, le même soir, un étrange visiteur s'arrête vis-à-vis de l'église, à Sainte-Anne-de-la-Pocatière, et frappe à la porte de l'auberge tenue par Louis Clermont. Celui-ci hésite à ouvrir, puis il décide de recevoir Holmes. À peine entré, il réclame de l'eau chaude. Clermont pense que l'homme a eu froid et qu'il veut boire, mais la «bombe» est par terre, vide, froide. Holmes est excédé. Il veut de l'eau chaude en quantité. Immédiatement! À cette heure tardive, il n'a rien de plus urgent à faire que de laver sa carriole, remplie, dit-il, de «saloperies». L'aubergiste est incrédule:

> Je lui fis observer que dans ces chemins-ci il ne devait pas avoir attrapé grande saleté ou saloperie. Il me dit là-dessus qu'il avait (sic) entré dans une auberge, qu'on avait mis sa carriole dans une remise au-dessus de laquelle on avait fait boucherie et que le sang était tombé dans la carriole. Je lui dis: «Il faut que ces gens-là soient bien

Au cours des premiers mois de leur mariage, Achille
Taché et Joséphine d'Estimauville vivent au manoir de
Kamouraska. C'est aux environs de la demeure sei-
gneuriale que George Holmes aurait fait monter
Achille dans sa voiture pour l'assassiner peu après et
enfouir son corps dans la neige.

malpropres pour avoir «équipé» vos peaux et votre carriole de même. Ils auraient bien dû au moins la laver.»

L'incrédulité de Clermont fait vite place à la consternation et à un certain sentiment de pitié pour ce pauvre voyageur dont la voiture aurait pu être elle-même le théâtre de la
«boucherie». Partout le sang gelé, en plaques, en glaçons,
imprégnait les fourrures aussi bien que tous les éléments de la
belle carriole. La «bombe» est remplie d'eau et remise à chauf-
fer. Inlassablement, l'étranger éponge, frotte et rince. Rien n'y
fait. Même l'effort fourni par Clermont n'a pas raison des
souillures. Puisqu'il fallait malgré tout songer à dormir,
Holmes se coucha, demandant à être réveillé à 5 heures, mais
la fatigue força l'aubergiste à s'offrir involontairement les

deux heures de sommeil perdues au cours de la nuit. Holmes, déçu, n'eut pas d'autre alternative que de se remettre à la tâche. Il réclama de l'eau «vitement»:

> Il a pris la «bombe» qui était dans le fourneau et l'a mise dans le poêle. Il pouvait être entre 7 et 8 heures. Nous sommes sortis alors pour laver la carriole. Il versait l'eau avec la «bombe» et moi je frottais. On n'a pas pu faire partir tout; on a ôté le plus gros. (...) Un homme qui avait couché cette nuit chez nous près du poêle, qui était en train (ivre) le soir, paraissait l'occuper beaucoup. J'entendis cet homme, qui est un nommé Blanchet d'en bas, lui dire: «Sacredié! Je ne sais pas comment vous avez attrapé ça. Il faut que ce soit des gens bien cochons pour vous avoir autant "équipé".»

Peu après, devant l'impossibilité de faire mieux, Holmes reprend la route. À cette heure, seule Julie Larue-Taché s'inquiète un peu de l'absence de son fils, qui n'est pas rentré coucher. Connaissant ses habitudes, elle conclut qu'il a passé la nuit chez des amis. Le même jour, vendredi 1er février 1839, Holmes file jusqu'à l'Islet, où il s'arrête à 14 heures. François Lemieux, qui l'a hébergé le mercredi précédent, s'étonne d'un retour aussi précipité. Holmes se change, fait sa toilette, laissant derrière lui une eau teintée de rouge, effrayante. Six heures plus tard, son fidèle cheval courant jusqu'à s'éreinter, le médecin s'arrête à Saint-Vallier, chez Michel-Eustache Letellier. Aux mensonges, à sa mine défaite, au sang qui macule ses vêtements et sa voiture, il ajoute un geste qui scandalise l'aubergiste, en jetant au feu une vieille mais bonne ceinture de laine.

Il reprend sa route le 2 février au matin, filant sans qu'on puisse le suivre, jusqu'à Sorel. Ce matin-là, dans la maison de la seigneuresse, l'inquiétude est totale. Robert Dunham se souvient d'avoir quitté son maître au moment où celui-ci montait dans la voiture d'un étranger disant venir de Sorel. Élie Michaud, un cultivateur de Kamouraska qui s'était arrêté la veille à l'auberge de Louis Clermont et qui avait, lui aussi, remarqué le sang maculant la voiture d'un étranger, contribua, en racontant cela, à faire naître la crainte qu'A-chille ait pu être victime d'un assassin. La présence, dans le

village, le soir où Achille avait rencontré Holmes, d'une carriole conduite par l'étranger hurlant une quelconque chanson, donna plus de poids aux appréhensions. Quelqu'un avait d'ailleurs vu des traces de sang sur le chemin de l'anse... Les recherches aboutirent à cet endroit.

Le corps d'Achille fut transporté chez son oncle, le notaire Jean-Baptiste Taché, où une enquête sommaire conclut au meurtre par une arme à feu. De nombreuses contusions à la tête incitèrent à penser qu'Achille avait été achevé à coups de crosse de revolver. Jean-Baptiste Taché rédige alors une lettre à l'intention de Joséphine d'Estimauville, l'informant du drame, et il remet cette lettre à l'aubergiste James Wood, qu'il charge, avec Jean-Baptiste Caron, de partir à la recherche du meurtrier. Les deux hommes se mettent en route, mais, quelques heures plus tard, ils reviennent sur leurs pas pour se munir d'un mandat d'arrestation, sans lequel leur course sera bien inutile. Pendant qu'ils suivent les traces de Holmes, d'autres courriers prennent la direction de Québec afin d'en ramener le coroner et un médecin qui sera chargé de l'autopsie. Mardi le 5, au manoir des Taché, le coroner Charles Panet tient son enquête et conclut à l'assassinat par une personne inconnue. Le docteur James Douglas, invité à procéder à l'examen du corps, constate que deux coups de feu ont atteint la victime à la tête. Pas de suicide possible. Une balle avait été tirée à l'arrière de la tête et une autre par le côté, deux blessures mortelles entraînant théoriquement la mort instantanée. Sept coups d'une extrême violence furent également observés sur le crâne d'Achille. On ne croit pas qu'Achille soit mort immédiatement puisque les chercheurs l'ont découvert une main tendue hors de son tombeau de neige glacée.

Le jour où le jury du coroner rend son verdict, George Holmes arrive à Sorel. Il est 11 heures de l'avant-midi. Sa première visite est pour George Van Ness, auquel il donne des nouvelles de... son père, qui, décidément, ne va guère mieux. Manifestement dépressif, Holmes fait un effort pour paraître normal. Peu après, il rend visite à Joséphine. Celle-ci se trouve avec sa mère. Un quart d'heure plus tard, Aurélie arrive à son tour:

Je suis arrivée moi-même chez Madame Taché et, en me voyant, elle me dit: «Le docteur Holmes est arrivé de Kamouraska. Il l'a fait, son affaire. On l'a tué et enterré dans la neige. Ah! ce cher, qu'il est fatigué de la misère qu'il a endurée dans son voyage, et j'espère que s'il n'y a rien par la suite de funeste (...) bien vite fera notre bonheur à tous les deux», et elle m'a dit: «Chère enfant, tu resteras avec moi le restant de tes jours.»

On peut se demander comment il se fait que Jean-Baptiste Caron, l'un des poursuivants de l'assassin, entendit parler du docteur Holmes à un moment où il était encore fort loin de Sorel et de la région du Richelieu. La rumeur entourant ses relations avec Joséphine d'Estimauville avait-elle déjà couru? Le 6, alors que Holmes se trouve encore à Sorel, le *Canadien* de Québec annonce la nouvelle, le décrit d'une manière très approximative, indique qu'il est venu de Sorel mais ajoute: «On ne le nomme pas encore publiquement.» Alors que la petite ville est sur le point d'apprendre la mort de Taché, Holmes se rend chez Edmund Peel, à qui il avait emprunté le capot gris. Il y dîne et, à 20 heures, il rend visite à Joséphine.

À 20 heures 30, il est de retour chez lui. Quelques minutes plus tard, on lui porte un message de la jeune femme. On n'en connaît pas le contenu, sauf qu'à cette heure l'excitation a gagné l'entourage immédiat de Joséphine. À 23 heures, le curé Jean-Baptiste Kelly fait demander Holmes. Leur entretien ne dure que quelques minutes, mais il laisse des traces visibles sur le médecin, qui manifeste une nervosité exceptionnelle. Il se dévêt, veut se coucher, et se rhabille, puis il fait appeler George Van Ness, que Pierre Crédit va chercher en vitesse. Il n'est pas encore minuit:

En arrivant, j'ai demandé au docteur ce qu'il me voulait. Il m'a alors dit: «Venez dans l'autre pièce et je vais vous le dire.» Au moment où nous sommes entrés dans la pièce, le docteur a donné à son serviteur l'ordre d'atteler son cheval immédiatement, et, lorsque le garçon fut sorti, ledit docteur George Holmes m'a dit les mots suivants: «Je suis obligé de quitter la province pour ne plus jamais y revenir.» À ma question, à savoir pourquoi, il répondit:

«Je ne suis pas allé aux États, mais je suis allé à Kamouraska, où j'ai tiré sur Taché.» Nous sommes revenus dans son bureau et il me demanda de lui prêter ma carriole, la même qu'il avait lors de son voyage à Kamouraska. J'ai dit: «Certainement», et j'ai ordonné au serviteur d'aller la chercher.

George Van Ness ne comprend pas pourquoi Holmes n'a pas demandé conseil à ses amis. Holmes lui explique qu'il est ainsi. Lorsque la passion s'empare de lui, il ne sait plus ce qu'il fait. D'ailleurs, prétendra le meurtrier, Taché lui avait expédié un cartel, une invitation à une rencontre ou à un duel, et c'est au moment où il aurait pu lui-même être tué qu'il a tiré sur le jeune seigneur. Appuyé sur le mur, la tête sur un bras, Holmes pleurait doucement. Son agitation augmentait peu à peu. Puis il dit, en anglais, cette phrase que Van Ness est incapable de répéter textuellement: «C'est cette damnée femme, ou ces damnées femmes, qui m'a ruiné.»

Il partit ensuite en direction de Saint-Ours, où il vit Charlotte Marchand, une amie de toujours. C'est là qu'il changea de voiture et de cheval. On le vit passer à Saint-Jean, puis il gagna Burlington.

Le lendemain matin, 7 février 1839, Joséphine remet à Aurélie une lettre adressée à «feu son mari»... Encore une fois, c'est le témoignage de la confidente et femme de chambre qui nous guide à travers l'intimité de la veuve:

> Le matin en question, Madame Taché m'a remis une lettre pour porter au Bureau de poste, me disant qu'elle était adressée à feu son mari; qu'elle faisait cela pour que l'on ne la soupçonnât pas d'avoir eu connaissance du meurtre de feu Achille Taché, son mari, ajoutant qu'en voyant cette lettre-là les parents de son mari diraient: «Voyez donc cette pauvre enfant! Elle écrit à son mari et il est mort.»

Cette lettre fut immédiatement interceptée, lue et analysée en rapport, semble-t-il, avec l'absence de discrétion d'Aurélie, qui, sur-le-champ, dévoila des secrets qui conduisirent à son arrestation, le lendemain. Dans cette longue lettre, Joséphine règle ses comptes avec son mari. Pourquoi n'écrit-il pas plus souvent? Comment peut-il affirmer n'avoir reçu aucune lettre d'elle? Malade, elle aurait eu besoin de quelques mots. Du «chagrin qui la dévore», elle passe aux enfants, remis d'une grippe récente, et parle du petit Herménie qui commence à rire et à gazouiller. Puis elle aborde le sujet des tantes Drapeau, qu'Achille aurait soupçonnées d'ouvrir le courrier ou d'intercepter ses lettres: «Je puis t'assurer que si tu as écrit, tes lettres ne me sont pas parvenues du tout.» Viennent ensuite les considérations d'ordre moral. Le mauvais père que voilà!

> Mon cher Achille, tu te plains beaucoup dans ta lettre de tes peines. Oh! Achille qui des deux a le droit ou de celui qui est l'auteur de tant de meaux? ou de celle qui succombe sous le poids du chagrin dont elle est la triste victime! oh! Achille tu promets beaucoup dans ta lettre, tu exprimes bien des regrets sont-il vrai sont-ils sincères? tes résolutions les tiendras-tu? il est tant que les choses changent si tu ne veux pas perdre ton infortunée épouse si tu ne veux pas ajouter encore à l'horreur de tant de meaux le malheur de tes peauvres petits enfants! (...) Mon coeur se déchire quand je pense que mes petits enfants pourrois avoir le terrible de ta mauvaise conduite; et qu'elle pourrait influer sur eux. Mon Dieu dis-je dans ce moment détournez le malheur convertissez changez le coeur de mon époux rendez le a lui même a son Dieu épouse infortunée et à ces chers petits innocents.

> Que de compte? tu auras a rendre Achille si tu ne te hate pas de mettre a profit les avies que je te donne et qui sont guidez par l'intérait que je te porte. Oh! oui quoiqu'il en soit de toutes les peines que tu m'as fais endurées de toutes manière crois que constamment ta triste et malheureuse épouse forme des voeux pour ton bonheur rappelle moi a ta maman et fais mes amitiés a tes soeurs et n'oublie pas tous nos amis.

> Adieu cher Achille crois moi ta meilleure et sincère amie Ton épouse Joséphine D. Taché écris moi aussitôt que tu auras reçu cette lettre car tu peux penser si j'aime a avoir de tes nouvelles. (...)

Aurélie, arrêtée le 8 février, s'ouvre immédiatement, fournissant des descriptions, des détails, rapportant des conversations, des confidences incriminant Joséphine d'Estimauville autant qu'elle-même. Ces révélations inattendues, inopinées, bouleversent la probable mise en scène que le curé Jean-Baptiste Kelly aurait pu inspirer. Les événements nous apprendront qu'il a empêché Holmes de se suicider et qu'il l'a incité à fuir. D'une part, il lui évitait un procès immédiat, mais, en même temps, la fuite de Holmes rendait le même service à Joséphine. Les révélations d'Aurélie venaient mettre l'accent sur une tentative de meurtre par empoisonnement, fait jusqu'alors ignoré de tous et dont la justice saurait se servir, à son heure.

En attendant, à Sorel, tous sont pénétrés par l'horreur du seul événement parvenu à leur connaissance: le meurtre. Est-ce par hasard qu'immédiatement après son entrevue avec le curé Kelly George Holmes commence à parler d'un défi, d'une provocation ou d'une invitation à un duel, lancé par Achille Taché? Ce soi-disant défi n'aurait-il pas pour objectif d'anéantir la thèse de complicité dans le meurtre de son mari, qui risque de se transformer en accusation contre Joséphine? Il est difficile, sinon impossible, de l'affirmer, mais on peut admirer les talents du hasard, qui entraîne George Holmes, à Burlington, à écrire à George Van Ness une lettre datée du 8 février, contenant un message adressé à Van Ness et un autre adressé à Joséphine. Le premier est une confession du crime et des circonstances qui l'ont précédé. Le second est un message destiné à être remis secrètement à la femme de sa vie. Les deux lettres seront interceptées au moment où Van Ness les reçoit et déposées au dossier Holmes.

À son ami, le fugitif Holmes affirme que Joséphine n'a jamais entendu parler de son projet d'aller à Kamouraska; qu'il s'y est rendu pour convaincre Achille de la pureté de ses relations avec Joséphine et lui faire part de son refus de relever le défi lancé plus tôt par lettre. Taché n'aurait rien voulu entendre, se serait jeté sur Holmes, qui, pour se défendre, aurait tiré. Ignorant la faiblesse de caractère d'Aurélie et le fait qu'elle se soit rendue sans combattre, le jour même où il écrivait ses lettres à ses amis canadiens, le médecin recommandait d'utiliser les services de «Horse Marine» pour faire parvenir à Joséphine la lettre suivante:

> C'est donc aujourd'hui le jour de l'épreuve, combien j'ai été malheureux pour ne pas avoir mentionné a vous que j'allai en bas, vous me l'auriez empêché. Hélas le malheur est arrivé, mais ce n'est pas moi qui l'a fait c'est lui même mais puisqu'il y avait des soupçons contre moi, il fallait quitter la Province pour ne jamais y retourner,
>
> Écrivez moi Je vous prie et dites moi l'état de votre santé et celle des pauvres Petits Enfants et surtout prenez courage. Adressez votre lettre à George Fly Burlington V.
>
> Par la suite des temps vous laisserai le Canada n'est-ce pas dites moi cela seulement,
>
> Dite moi comment il faudra vous écrire. G.H.

Joséphine n'a jamais eu le loisir de lire cette lettre. Le 8, en compagnie de sa tante Adélaïde Drapeau, elle quittait Sorel à destination de Montréal, pour y rencontrer un avocat, Me Lafontaine, dont le prénom ne figure sur aucun des documents du dossier Holmes. Les deux femmes, profitant de l'amitié de l'avocat pour au moins un membre de leur famille, Léocadia, soeur de Joséphine, veulent lui demander conseil à propos du malheur qui vient de s'abattre sur elles. La rencontre avec l'avocat a lieu le jour même, à 13 heures. Une heure plus tard, les deux femmes reprenaient la route de Sorel, s'arrêtant pour passer la nuit à l'auberge de Cadieux, à Pointe-aux-Trembles. Le samedi 9 février, les deux femmes étaient arrêtées à Lavaltrie et Joséphine était conduite à la prison commune de Montréal.

La presse n'est pas tendre pour elle, parlant ouvertement d'amours illicites et de complot. Le *Canadien* se fait l'écho de toutes les rumeurs: il en publie les détails, puis il semonce ceux qui l'en ont informé:

> Le bruit que Madame Taché s'était empoisonnée, ne s'est pas confirmé. Nous remarquons que certains journaux s'écartent de la règle que la presse suit ordinairement vis-à-vis les prévenus les plus avilis. On a déjà jugé et condamné cette dame, en livrant à la publicité des

détails qu'on tient d'une personne sans aveu, et qui se serait elle-même rendue coupable de tentative d'empoisonnement.

Interrogée les 11, 14, 18 et 21 février, Joséphine d'Estimauville doit combattre chacun des faits rapportés par Aurélie et les nier. Elle n'a jamais utilisé cette fille pour faire circuler des billets. elle n'a pas été sa confidente et jamais ne lui a-t-elle demandé d'aller empoisonner son mari, qu'elle aimait et respectait. Quant à Holmes, il n'y a jamais eu entre eux d'autres rapports que ceux dictés par l'amitié et des questions de santé. Point. Aurélie, de son côté, est en butte au discrédit. À la suite des témoignages où elle incrimine le docteur Holmes et Joséphine Taché, tout en se présentant elle-même comme une meurtrière qui a failli à sa tâche, certaines personnes sont invitées à donner leur opinion sur sa réputation, son comportement, etc. Celle que l'on a laissée entrer dans les meilleures maisons pour y exécuter toutes les besognes, celle qui a joui de la confiance de nombreuses familles où elle était entrée en jouissant vraisemblablement d'élogieuses recommandations, devient une personne vulgaire, sans qualités, menteuse et en rien digne de confiance. Les seuls témoignages qui lui soient favorables sont ceux des gens de sa condition, qui la décrivent généralement comme étant une personne discrète et dévouée, honnête et fidèle.

Vers le 15 février, Holmes, qui circule impunément à Burlington, est arrêté. Le scandale provoqué par l'attitude des autorités de cet État, qui semblaient déterminées à le laisser errer à son gré et aller de la poste à son gîte temporaire, s'atténue. La *Gazette de Montréal* se fait l'écho de la thèse du duel que répand Holmes, à l'abri de l'autre côté des «lignes», thèse pourtant incompatible avec la nature des coups et blessures relevés sur le corps d'Achille. Le 21 février, le juge de paix P.-E. Leclerc, qui a mené la plupart des interrogatoires de Joséphine, ordonne l'internement de celle-ci, mais, le lendemain, prétextant des raisons de santé, Joséphine réclame sa libération en alléguant «qu'elle est de santé bien faible; que depuis son emprisonnement sa santé s'affaiblit considérablement de jour en jour, éprouvant un crachement de sang qui la fait beaucoup souffrir, et lui fait craindre malheureusement pour sa vie; que pour ces raisons et protestant de la fausseté de l'accusation portée contre elle, elle supplie sa mise en liberté».

Enregistrée par Amable Berthelot, la requête est accueillie favorablement par l'honorable juge George Pike, qui, le 26, accorde la libération de la jeune femme «sous caution de comparaître le 22 mars à Montréal». Le *Canadien* du 22 février et l'*Ami du peuple*, quelques jours auparavant, avaient pavé la voie à Joséphine en publiant un démenti formel de tous les faits et gestes qu'on lui avait reprochés au cours des jours précédents, de sorte que la libération ne provoqua ni remous ni scandale:

> Nous sommes heureux de pouvoir dire que d'après de nouvelles informations, que nous avons lieu de croire correctes, il paraît que Madame Taché est bien moins compromise dans le meurtre de son mari que nous l'avons d'abord annoncé sur la foi du bruit public et des autres journaux, ou plutôt qu'elle ne l'est nullement. Il paraît aussi très faux qu'elle ait jamais entretenu aucune liaison illicite avec le docteur Holmes. Nous regrettons que la presse de cette ville ait été trop précipitée dans ses réflexions à ce sujet; c'est, malheureusement, l'ordinaire en pareille circonstance.

À partir de cette date, Joséphine d'Estimauville abandonne la scène publique et rentre dans l'ombre, d'où elle ne sortira qu'au mois de septembre 1841. Aurélie Prévost est, quant à elle, emprisonnée sous le soupçon d'avoir attenté à la vie d'Achille Taché, au mois de décembre 1838.

Pendant ce temps, l'actualité judiciaire se nourrit du débat américano-canadien autour des questions d'extradition. Holmes n'est pas le seul fugitif qu'on voudrait voir revenir au Canada puisque, à Burlington et ailleurs, des dizaines de patriotes font l'objet de semblables négociations. Dans le cas de Holmes, né dans le New Hampshire, le problème se pose différemment car il est toujours considéré comme un enfant de la République. À la fin du mois de février 1839, le médecin, qui jouit d'un traitement de faveur et qui est logé «dans une chambre sur le devant de la prison», s'évade et, dans la poursuite, tente de se suicider. Il y gagne d'aller goûter

au cachot, qui est, aux dires du *Burlington Free Press*, «une honte pour la nation».

Début mars, il est évident que les procédures d'extradition traîneront en longueur. Le 7, le capitaine Brown, qui s'était rendu à Washington pour demander au président Martin Van Buren l'extradition de Holmes, revient bredouille, le chef de l'État ayant confié au gouverneur du Vermont, S.H. Jenison, la tâche de rendre une décision. Ulcéré par ces tergiversations, l'*Ami du Peuple* menace:

> Nous espérons que le gouverneur de l'État de Vermont comprendra qu'il est de son honneur autant que de son devoir, de livrer l'auteur d'un crime aussi atroce que le meurtre de Monsieur Taché; s'il le refusait, tous les honnêtes gens pourraient fuir d'une (sic) État devenu le réceptacle de tous les criminels.

Le 25 mars, on assiste à l'ouverture des travaux de la Cour du Banc de la Reine, encore appelée Cour du Banc du Roi malgré l'accession de Victoria au trône d'Angleterre. George Holmes, appelé à entendre la lecture de l'acte d'accusation porté contre lui, brille par son absence. Quant au procès de Joséphine, qui devait débuter aussitôt, il fait l'objet d'un premier report. Fin avril, la Cour suprême du Vermont est dans l'impossibilité de se prononcer en faveur ou contre l'extradition du médecin, parce que l'un des magistrats appelés à siéger doute de la compétence du tribunal dans cette affaire. S'étant vu offrir le choix d'un retour au Canada ou d'une nouvelle étude de son dossier à Montpelier, le 16 juillet suivant, Holmes opta, selon un loustic, «pour le voyage de Montpelier». C'était plus sûr!

Porté d'un tribunal à l'autre, le cas de George Holmes fut définitivement réglé au mois de janvier 1840 alors que la Cour suprême du Vermont, à nouveau réunie, optait pour sa libération. À son tour, mais d'une manière définitive dans son cas, Holmes cessait de faire parler de lui.

*　　*　　*

Au mois de mars 1841, on s'apprêtait à entendre la cause de Joséphine d'Estimauville, veuve Taché, qui vivait alors aux Éboulements. Comme il fallait s'y attendre, deux ans après le drame, le rassemblement des témoins pouvait s'avérer difficile. Selon une lettre échangée entre les juges de paix de Kamouraska et de Sorel, la plupart des personnes susceptibles de se souvenir avaient oublié ou encore étaient absentes. Une lettre du juge de paix sorelois R. Jones, citée par Sylvio Leblond, est révélatrice:

> Aurélie Prévost est à Québec. Aux dernières nouvelles elle pourrait être chez Madame Taché à Kamouraska. George Van Ness est retourné aux États-Unis. Mary Fletcher est devenue une prostituée à Montréal. Bridget Early a été tuée par un soldat du 66e Régiment qui a été condamné à mort. Léandre Fortier est au Département de Police à Montréal. Justine Latour fait du service à Montréal et Pierre Crédit est parti pour les États-Unis.

À Québec, le 21 septembre 1841, devant les juges James Stewart, Philippe Panet et Edmond Bowen, débute le procès de Joséphine Taché, accusée d'avoir comploté l'empoisonnement de son mari. Malgré l'intérêt que le public porte à la cause, peu de curieux se présentent. Le témoin principal dans cette affaire est, bien sûr, Aurélie Prévost dite Tremblay, qui, pour l'essentiel, répète ce qu'elle a déclaré lors des interrogatoires précédents. Elle est maintenant la seule personne à pouvoir relater les circonstances entourant son voyage à Kamouraska et la tentative d'empoisonnement. Comme l'avait prévu le juge de paix Jean-Baptiste Taché, oncle d'Achille, les deux autres témoins susceptibles de confirmer ces faits, le docteur Thomas Horsman et la servante Rose Morin, qui avaient soigné Achille dans sa dernière «maladie», étaient malades et incapables de se rendre à Québec. La Couronne ne fut guère active et la défense ne se démena pas davantage. Conscients de la simplicité de leur tâche, les avocats de Joséphine, Thomas Cushing Aylwin et Jean-François-Joseph Duval, appelèrent à la barre des témoins qui prétendirent qu'Aurélie avait déjà nié la participation de Madame Taché, et ils invitèrent Jean-Baptiste Kelly et le capitaine Jesse D. Armstrong à faire connaître leur opinion négative concernant Aurélie.

Le même jour, après l'audition des témoins, le juge en chef James Stewart s'adressa aux jurés, leur faisant remarquer que l'unique témoignage d'Aurélie Tremblay ne consti-

" On dit que le défunt vivait en désaccord avec sa femme et manifestait quelque jalousie de ce qu'elle voyait un jeune homme dont elle avait fait la connaissance avant son mariage. Bisson ne reçut de visites que celles du Dr. Dussault, douze heures avant sa mort. Ce médecin le traita comme atteint de la jaunisse, et, bien que des symptômes semblables à ceux d'un empoisonnement se manifestassent, aucun soupçon n'étant provoqué, il ne crut pas que la mort dût provenir d'un autre mal que celui dont le défunt, à sa connaissance, avait été atteint. Néanmoins, quelques amis de Bisson ayant entendu dire que, deux jours avant la mort de ce dernier, sa femme avait acheté de l'arsenic demandèrent au coroner d'ouvrir une enquête. Lorsque le jury se présenta pour visiter le cadavre, Mme Bisson se préparait à l'ensevelir. Les docteurs Frémont et Jackson firent l'autopsie du corps et trouvèrent environ vingt grains d'arsenic dans les intestins, après en avoir analysé le contenu.

" Il fut établi que, le samedi précédent, la veuve de Bisson avait acheté six ou huit drachmes d'arsenic à la pharmacie de M. Brunet, rue du Pont, en disant qu'elle voulait empoisonner des rats. Elle obtint ce poison au moyen d'un certificat du Dr. Rousseau, en ces termes: " Vous pouvez donner de l'arsenic à la porteuse." Il fut aussi prouvé que Mme. Fortier (Luce Compagna), qui était en intimité avec Mme. Bisson, s'était procuré, peu de temps auparavant, le même poison en petite quantité. Quand on l'interrogea sur l'usage qu'elle avait fait de ce poison, Mme. Fortier répondit qu'elle s'en était servie pour faire une lotion qu'elle appliquait à un mal dont elle souffrait à la jambe, et que cette lotion était contenue dans un bassin qu'elle indiqua. Le contenu de ce bassin ayant été soumis à l'analyse, on n'y trouva aucun arsenic. L'on soupçonne que le poison aura été lui-

1858

UN TISSU DE MENSONGES
L'affaire Crispin-Desforges

Au cours de la nuit du 18 janvier 1858, une femme âgée de 60 ans «exhalait son dernier soupir». La journée n'avait pas été facile. Un grand «barda» dont elle avait le secret ainsi qu'une lessive considérable qui l'avait forcée à «savonner» rapidement et efficacement pour le compte de bourgeois du voisinage l'avaient laissée épuisée. Catherine Desforges, qui se plaignait depuis longtemps de douleurs à la poitrine, était morte «de sa belle mort».

C'est ce qu'on a cru et ce qu'on aurait voulu croire si un invraisemblable tissu de mensonges et certains détails inusités n'avaient éveillé l'attention d'amis et de voisins, alors même que son corps était encore tiède. Aussi incroyable que cela puisse paraître, les langues ne se seraient pas déliées si la bonne Catherine était morte sans témoin, car on l'aimait et on la respectait assez pour ne pas évoquer à haute voix les malheurs qui, on le savait, avaient plu sur elle.

La nuit de sa mort fut donc désignée par le destin pour la faire entrer dans la petite histoire de Saint-Jérôme et dans la mémoire de ses habitants, parce que Marie-Anne Crispin-Gohier dite Bélisle et Jean-Baptiste Desforges avaient été témoins de sa fin.

Marie-Anne Crispin, mère de six enfants, âgée d'une quarantaine d'années, était depuis longtemps affligée d'une mauvaise réputation. Celle-ci, fondée sur la naissance, une trentaine d'années plus tôt, d'un fils «naturel», Isidore Legault, était indélébile. Marie-Anne, malgré un mariage fécond, n'avait pas été en mesure d'effacer la tache de ce péché de jeunesse. On parlait d'elle à Saint-Jérôme, même si elle habitait une ferme à quelques lieues de là. On en parla davantage encore lorsqu'en 1857 son tendre époux mourut dans des circonstances curieuses. Suivant de peu le décès d'une des filles Crispin-Gohier, ce deuil fit dire à plusieurs que la Crispin était bien débarrassée. La veuve joyeuse, ayant eu le malheur d'engendrer des ingrats, ne sut pas alors que ceux-là étaient à l'origine de la terrible rumeur. L'un d'eux avait été le premier à parler de poison. Pourquoi l'avait-il fait? Parce qu'il croyait sincèrement que sa mère avait balayé son mari du monde des vivants pour laisser la place à Antoine Desforges.

Antoine Desforges, le mari de Catherine, était un homme pieux, aimable, honnête. Cordonnier de son état, il exerçait ce métier dans la cuisine de sa maison située au coeur de la paroisse. L'établi voisinait avec la table de cuisine, les chaises, le poêle, et il était visible des trois chambres. C'est donc dire à quel point Catherine et Antoine formaient un couple uni... Une servante fort bien traitée complétait le tableau de cette vie de famille, et on remarqua que la fille travaillait souvent à proximité de la maison alors que Catherine allait traire les vaches, 10 ou 15 arpents plus loin. Les voisins trouvaient curieux le fait que les Desforges aient entretenu une servante alors que Catherine faisait les ménages chez les bourgeois de Saint-Jérôme. Même à l'église, les Desforges attiraient l'attention. Le curé lui-même s'étonnera de voir l'épouse «traîner les allées», pendant que Desforges et la servante occupaient le banc familial, dûment payé par le couple. On se demanda même si l'aide domestique n'avait pas transigé avec eux et acheté sa part du banc. Sait-on jamais? Cet homme mince et grand, au front large et proéminent, vivait un malheur personnel que rien ne pouvait faire oublier. Âgé d'une quarantaine d'années, il regrettait parfois publiquement d'être lié à une «vieille». Certains l'ont même déjà entendu dire qu'il avait bien hâte d'être veuf afin d'en épouser une jeune...

La rumeur voulait que cette femme plus jeune, mieux tournée et alerte, Desforges l'ait trouvée en 1856 ou 1857, dans la personne de Marie-Anne Crispin, alors elle-même mariée. Leur passion, révoltante aux yeux de plusieurs, trouvait sa justification dans les propos d'Antoine Desforges, qui aurait, à plusieurs reprises, fait état d'une déformation physique chez sa femme, une infirmité qui aurait empêché Catherine de se soumettre aux «conditions» du mariage. Antoine et Catherine n'avaient pas eu d'enfants, ce qui donnait plus de crédit à l'insinuation du mari.

Jean-Baptiste Desforges, frère d'Antoine, est un homme que le *Pays* décrira comme étant «petit, d'assez bonne figure, sans caractère physique distinct. Son visage est plein, encadré d'un collier de barbe châtaine, taillée en brosse». S'il n'est pas remarquable physiquement, comme l'est son frère, il n'est guère plus impressionnant sur le plan intellectuel. Sans volonté, privé d'esprit critique, il est par ailleurs doté d'une imagination furibonde dont il regrettera de ne pas s'être méfié. Marié, Jean-Baptiste Desforges est le père d'une fille et d'un garçon âgés respectivement de 10 et 9 ans.

L'élément qui excita la curiosité des amis de Catherine Desforges et les conduisit à soupçonner qu'elle «n'était pas morte seule» était donc la présence de ce Jean-Baptiste Desforges et de Marie-Anne Crispin. L'absence étonnante d'Antoine allait, elle aussi, beaucoup faire jaser, à tel point que c'est le public qui élabora la théorie du meurtre par empoisonnement, qui établit le mobile, décrivit les circonstances et réclama le châtiment.

Le dimanche 17 janvier 1858, veille du décès de sa femme, Antoine Desforges, qui devait servir de père au mariage de l'une des filles de Marie-Anne Crispin, mariage prévu pour le lundi 25 janvier, quitte Saint-Jérôme pour Chatham, puis pour Saint-Canut. Le but de ce voyage? Inviter Isidore Legault et sa femme à la cérémonie et à la noce. Le même jour, Isidore Legault se dirige vers la maison de sa mère «naturelle». Celle-ci lui transmet alors l'invitation. Le voyage d'Antoine sera donc inutile et, lui fait remarquer un de ses enfants, il est peut-être encore temps d'empêcher Desforges de partir. Marie-Anne s'oppose absolument à ce que l'on intervienne. Elle souligne qu'Antoine sera heureux de parcourir les 10 ou 11 lieues à l'aller et au retour, pour le seul plaisir de rencontrer Isidore. Enfin, au cas où il viendrait à découvrir qu'on l'a laissé partir sans motif, Marie-Anne insiste pour qu'on lui dise qu'elle «n'a pas pensé» à le faire prévenir. Isidore passe la nuit chez sa mère, puis, tôt le matin, il rentre à Chatham. Chemin faisant, il rencontre Desforges. Ce dernier s'était effectivement rendu chez les Legault, où il avait pris le repas du midi. Pressé de rentrer, le cordonnier s'arrêtera toutefois à Saint-Canut, chez François Caron, où il passera une nuit agitée, troublée et inquiète. Caron tient une maison de pension à la mode d'autrefois. Il restaure les chevaux, accueille complaisamment la confidence et offre l'hospitalité du pied du lit conjugal aux voyageurs qui s'enroulent dans une vieille robe de buffle! François Caron, après la veillée passée auprès du poêle, sait déjà que le pauvre Antoine, mal marié, attend un coup de pouce du destin pour convoler selon ses goûts.

Si la nuit d'Antoine Desforges est suffisamment troublée pour que son hôte le remarque, celle de sa femme ne l'est pas moins. Dans l'après-midi, Jean-Baptiste Desforges s'était présenté à la maison de Marie-Anne Crispin. Après quelques heures passées à converser et à cribler 13 minots d'avoine, l'homme et la femme quittaient la maison en annonçant leur intention d'aller passer la nuit auprès de la pauvre Catherine laissée seule par Antoine. Curieusement, Marie-Anne posa aux grands enfants qu'elle laissait derrière elle l'unique question dont elle aurait dû s'abstenir: «Si Madame Desforges mourait cette semaine, pensez-vous qu'Antoine Desforges viendrait aux noces?» Ce à quoi sa bru répondit qu'elle ne croyait pas la chose possible, puisque cela n'aurait pas «bonne mine». Le malheur voulant que Marie-Anne s'enlise sur ce terrain, elle ajouta, tout bonnement et absolument hors de propos, le commentaire suivant: «Pour dire la vérité, il ne l'aime pas bien fort, sa femme.» Puis ils sont partis, glissant sur la neige, à bord de la *sleigh* à laquelle avait été attelée une jument connue de tout le voisinage.

Enfin, pour une raison qui devait échapper à la compréhension générale, Jean-Baptiste et Marie-Anne firent semblant de ne pas s'être vus. Ainsi, l'homme descendit du véhicule avant d'entrer dans le village, empruntant un chemin de pied et se dirigeant vers la maison de son frère. Par la route ordinaire, Marie-Anne fit de même. Croyant agir à l'abri des regards, Jean-Baptiste détela la voiture, entra dans la maison à la suite de sa compagne, y passa de courtes minutes, puis il

100

se dirigea vers la demeure de la famille Urbain dite Foucault, où il força presque la porte pour jouer aux cartes.

Desforges est arrivé vers 6 heures et demie. Il m'a demandé à jouer aux cartes. Je lui ai dit que c'était impossible, que nous avions de l'ouvrage. Puis j'ai dit: «Nous jouerons aux cartes et je ferai mon ouvrage après.» Il y avait là J. Gravel, ma nièce, ma femme et moi. Pendant que nous jouions, ma femme est sortie pour aller chez Monsieur Desforges voir l'heure qu'il était.

Jean-Baptiste n'est pas conscient du fait que Madame Foucault soit sortie et revenue. Aussi ses considérations sur la santé de sa belle-soeur et l'inquiétude inopinée qu'il manifeste à son propos paraîtront-elles curieuses. D'autant plus étranges qu'aux yeux de tous ceux qui l'ont vue Catherine ne semblait pas se porter trop mal, ni être de nature plaignarde ou souffreteuse. À part ses maux de poitrine ou d'estomac, elle paraissait être le 18 la femme qu'elle était le 17! Pourtant, plein de sollicitude, Jean-Baptiste abat ses cartes comme le plus mauvais des joueurs: «Je suis inquiet de Catherine. Elle n'est pas bien! Elle a l'air bien fatiguée.» Puis: «Catherine n'a pas pour deux mois de vie, pas un mois de vie, pas quinze jours peut-être, c'est son dernier barda qu'elle a fait...» En partant, il redit toute son inquiétude et l'impérieux désir qu'il avait d'aller la visiter, ce qu'il avait prétendu ne pas avoir fait avant d'entrer chez les Foucault. D'ailleurs, disait-il, la pauvre était seule et Antoine avait insisté pour qu'il passe faire un tour. Jean-Baptiste avait-il l'intention de dormir là? Jamais, prétendit-il. Et, premier mensonge stupide mais évident, il se rendait chez Catherine uniquement pour y reprendre le surtout qu'il avait laissé en arrivant!

Je suis allée chez Madame Desforges pendant qu'ils jouaient aux cartes. J'ai trouvé Madame Bélisle (Marie-Anne Crispin-Gohier dite Bélisle) chez Madame Desforges, assises l'une en face de l'autre à deux pieds de distance. Madame Desforges m'a grondée en me disant: «Madame Urbain, vous ne devriez pas sortir comme cela sans rien mettre sur vos épaules.» Madame Bélisle m'a dit alors: «Y a des gens qui connaissent pas ça, le fret.» J'ai répondu: «Madame, je ne suis pas larde, je connais le fret et le chaud!» En revenant, je me mis à travailler. À 9 heures et demie, J.-B. Desforges s'est levé pour partir. Il a dit alors: «Je m'en vais parce que Catherine est malade.» Je lui ai dit: «Ne craignez rien, elle a de la visite. — Qui? a-t-il demandé. — Madame Bélisle, ai-je dit. — Je ne vous crois pas, m'a-t-il dit. — Croyez-moi ou non, elle y est.» Il dit: «Qui est-ce qui aurait dételé?» J'ai répondu: «Ce n'est pas moi.» Il a ajouté: «Elle peut dételer ici comme chez eux.» Ensuite, j'ai demandé s'il couchait chez Madame Desforges; il a répondu que non, puisque Madame Bélisle y était, mais qu'il y entrerait pour prendre son surtout. Il me dit que le dimanche au soir, à l'heure de la prière de l'archiconfrérie, il était revenu de la prière avec son frère, qui lui aurait dit en lui montrant sa femme couchée sur le dos et dormant sur le grabat: «Crois-tu qu'elle a l'air d'une morte?»

Jean-Baptiste Desforges partit et les Urbain dits Foucault s'endormirent jusqu'à minuit, alors que le cri de «Catherine se meurt!» les tira du lit. Elle était, en fait, déjà rayée du monde des vivants. À la tête du lit, une chandelle à la main, Marie-Anne Crispin contemplait la pauvre femme. Elle cria à Rosalie Urbain dite Foucault d'apporter un miroir. «Si elle n'est pas morte, on verra des sueurs.» Aucune buée ne vint auréoler le nez de la défunte qui se mirait une dernière fois.

Les premiers témoins acquirent la certitude que Catherine était morte de sa belle mort. Nulle trace de violence n'inquiétait ces bonnes gens. Seule question troublant l'atmosphère: que faisaient ici Jean-Baptiste Desforges et Marie-Anne Crispin? Pour le premier, nulle réponse ne venait naturellement à l'esprit. Père de famille vivant à Saint-Jérôme, rien ne l'obligeait à passer la nuit sur un «sofa» à quelques centimètres du lit de la défunte. Quant à la présence de Marie-Anne, elle frisait l'indécence!

Mais, pendant que celle-ci entreprend la description de l'agonie de Catherine, dans l'une des nombreuses versions qui seront contredites par les faits, Jean-Baptiste, qui ne perd pas le nord, mène les choses rondement. Il court chez Adélaïde Fortier-Quevillon, sage-femme.

Le lundi, vers minuit et demi, Monsieur J.-B. Desforges est venu frapper à ma porte et m'a demandé de venir chez son frère Antoine pour ensevelir sa femme qui était morte. «Comment, ai-je dit, elle est morte?»

Adélaïde Fortier, scandalisée par la présence de Marie-Anne, choquée d'apprendre qu'Antoine Desforges aurait demandé à cette étrangère de venir «coucher avec sa femme tandis qu'il a de bons voisins qui pourraient l'aider», refuse de toucher au corps.

Parce qu'ils avaient une mauvaise réputation, et je me suis dit: «Mon Dieu, ne serait-elle pas morte entre leurs mains?»

L'inquiétude de la sage-femme est partagée par un nombre de plus en plus grand de personnes, qui réagissent ainsi aux faits relatés par Marie-Anne. Elle prétend avoir été couchée aux côtés de Catherine lorsque celle-ci, prise de douleurs et de crampes, se raidit brusquement, étouffant quelques «bâilles» et mourant à bout de souffle. Pourtant, Rosalie avait noté l'invraisemblance de cette version. Le lit n'avait été occupé qu'à la place où gisait le corps, dont les yeux étaient fermés et la bouche entrouverte. Les draps et la paillasse étaient «bouleversés» à la hauteur des coudes de Catherine. Des deux côtés du cou, les curieux avaient remarqué des taches noires, semblables à une autre marque visible près du nez.

Un peu plus tard, dans la nuit, Marie-Anne Crispin, qui n'entend pas être chargée de l'ensevelissement, c'est-à-dire de la toilette funèbre de Catherine, veut rentrer chez elle:

Nous avons insisté pour qu'elle restât. Elle a dit ensuite: «Plusieurs ont des doutances contre moi, je veux attendre Monsieur Desforges pour lui demander quelque chose.»

Après 8 heures, alors que le juge de paix William Scott est sur le point d'arriver à la maison, Antoine Desforges fait lui-même son entrée.

103

Il est entré dans la chambre, est allé voir sa femme, et a dit en sortant (...): «Si j'étais resté ici, ma femme ne serait pas morte.» Il l'a dit deux fois. Il s'est assis contre le poêle, vis-à-vis de la porte de la salle. Madame Bélisle (Marie-Anne Crispin) lui dit: «Ne m'avez-vous pas demandé pour venir coucher avec votre femme?» Il répliqua: «Non, je ne vous ai pas demandé.» Il a fait cette réponse d'un air brusque et paraissant mécontent. (...) Elle a dit: «Monsieur Desforges, vous ne vous en souvenez pas. Jonglez donc; vous savez bien que vous m'avez demandé de venir coucher avec votre femme. — Si je vous ai demandé, je ne m'en rappelle pas.»

Ce n'est qu'après une longue et mûre réflexion, après avoir passé, seul, plusieurs minutes avec sa femme, qu'il revint dire qu'en effet il se souvenait d'avoir demandé le secours de Marie-Anne Crispin.

Pendant ce temps, William Scott avait ordonné la formation d'un jury chargé d'examiner les circonstances du décès. À 10 heures et demie, Louis-Georges Loranger, Robert Guilmour, Jean-Marie Collarie, Léon Champagne, Clément Gauthier et Charles Mathieu entreprenaient cette tâche qui allait être suivie d'une visite médicale et d'une autopsie, qui est pratiquée le 19 janvier. Rien, dans les viscères examinés superficiellement, ne permet de déceler les traces de poison, mais, conscients de l'insuffisance de leurs moyens, les médecins font certains prélèvements qui seront expédiés à Montréal et examinés là-bas.

Les «doutances» suffisent pour que les trois personnes soupçonnées d'avoir attenté aux jours de Catherine Desforges soient emprisonnées, à Saint-Jérôme d'abord, puis à Montréal. Il est à noter que le mois de février s'écoule sans qu'aucun rapport médico-légal ne vienne confirmer les doutes. Pour les prisonniers, pour Marie-Anne Crispin surtout, le temps est long. Ses enfants, sa tendre progéniture, viennent de faire pour elle ce qu'ils n'auraient sans doute pas osé faire à un ennemi. Jean-Baptiste, celui qui partageait la maison paternelle avec sa femme, Vitaline Hébert, aurait éveillé l'attention du public en parlant des morts étranges de son père et de sa soeur, survenues l'année précédente. La rumeur publique attribue à son désir d'être seul maître de la ferme cette attitude ainsi commentée dans le *Pays* du 30 janvier:

> Quel que puisse être le dénouement de cette triste cause, nous ne pouvons nous empêcher de déplorer la conduite des enfants de la veuve Bélisle dont les dépositions contre elle sont si violentes qu'on les croirait dictées par la haine et l'intérêt privé, plutôt que par l'amour de la vérité.

Le 6 mars, alors qu'Antoine et Jean-Baptiste Desforges et leur présumée complice sont encore écroués, on annonce l'exhumation récente du corps de Catherine, de même que de ceux de Gohier dit Bélisle et de *deux* enfants de Marie-Anne Crispin. L'examen, commandé par le coroner Joseph Jones, complète les analyses déjà effectuées au cours du mois précédent et elles ne révèlent la présence d'aucun poison.

Il est difficile de savoir par quelle route tortueuse les confidences de Marie-Anne à ses enfants entrèrent à leur tour dans la matière colportée à propos de l'affaire. Ces propos d'une femme cherchant à se blanchir en chargeant les autres étaient-ils dignes de foi? Ils allaient pourtant entraîner l'enquête dans une autre voie: celle de la mort par étouffement. Marie-Anne avait été précise:

> Qu'ils hésitent tant qu'ils voudront, ils ne trouveront pas plus de poison que dans ma main, parce qu'il n'y en a pas. (...) C'est vrai qu'elle n'est pas morte toute seule; je suis claire de cette affaire-là. Ce n'est pas moi qui l'ai fait mourir. C'est Jean-Baptiste Desforges qui l'a fait mourir. J'étais couchée avec elle dans la ruelle (du lit), il lui a mis un oreiller de plume sur la tête et s'est mis dessus.

C'est ainsi qu'après avoir emprunté une direction qui n'avait mené nulle part la Justice venait, grâce à la délation, de se voir ouvrir une voie nouvelle. Les trois présumés complices seraient accusés d'avoir étouffé Catherine Desforges! Cependant, une théorie ébauchée grâce à l'absence d'Antoine sur les lieux où le crime aurait été perpétré permettra à ce dernier d'être blanchi de toute accusation. Selon cette version populaire des faits, version étayée par aucun aveu ni aucune preuve, Marie-Anne Crispin aurait tramé un plan visant à faire mourir Catherine Desforges à l'insu d'Antoine. Complice complaisant... n'ayant aucun intérêt personnel à agir de la sorte, Jean-Baptiste Desforges aurait accepté d'utiliser ses mains pour rendre ce service hors du commun.

Le mercredi 31 mars, les accusés se présentaient devant le juge Thomas Cushing Aylwin, siégeant à la Cour du Banc de la Reine, et enregistraient un plaidoyer de non-culpabilité aux chefs d'accusation suivants:

1) Marie-Anne Crispin et Antoine Desforges, pour le meurtre du mari de l'accusée, elle comme présumée meurtrière et lui comme complice.

2) Marie-Anne Crispin, Antoine et Jean-Baptiste Desforges pour le meurtre de Catherine Desforges.

Fixé au lundi 5 avril suivant, le procès ne débuta toutefois que le jeudi 15 avril 1858 et l'accusation d'avoir tué Jean-Baptiste Gohier dit Bélisle était alors retirée. Marie-Anne Crispin et Jean-Baptiste Desforges voyaient peser sur leurs épaules l'accusation d'avoir assassiné Catherine Desforges, pendant qu'Antoine était invité à répondre de l'accusation d'avoir «félonieusement aidé, conseillé et assisté» les deux autres à commettre le méfait.

À ce procès, on convia les médecins à se prononcer sur les causes du décès. Pour le docteur Jules-Édouard Prévost, de Saint-Jérôme, ni le poison ni une maladie pulmonaire n'ont provoqué cette mort «subite». Le docteur R. Craig, de l'Hôpital général de Montréal, appelé à examiner les viscères de la défunte, n'y trouva aucune trace de poison. Quant aux examens effectués au mois de mars, afin d'étudier la possibilité de mort par étouffement, ils ne donnèrent aucun résultat de nature à confirmer ou à infirmer les «aveux» de Marie-Anne à ses enfants. D'ailleurs, précisa le médecin, «il y a des cas où l'examen le plus minutieux ne laisse pas percevoir les causes de la mort». Un troisième médecin, Louis Boyer, est invité à analyser l'opinion de ses confrères. L'hypothèse d'un décès consécutif au passage d'une pierre hors de la vésicule biliaire, hypothèse émise par le docteur Prévost, fut balayée par le praticien: «Je n'ai jamais vu aucun cas de passage de calcul biliaire causer la mort.» Quant aux congestions pulmonaire et cervicale observées par le docteur Prévost, elles auraient pu être provoquées par une «cause subite.» «Par une cause subite, j'entends par une cause venant du dehors de la maladie.» Invité à préciser sa pensée, le médecin, qui n'avait pas lui-même procédé à l'examen du corps de la défunte, déclara: «D'après l'examen du cadavre tel que décrit, je suis d'opinion que la mort est due à une cause violente d'asphyxie. Je ne vois rien dans l'intérieur qui ait pu causer l'asphyxie et il faut que ça ait été une cause extérieure.»

Après ce témoignage, les avocats des accusés, Smith et Cassidy, plaidaient en faveur de leurs clients et présentaient ensuite les «témoins à décharge» qui, avec leur bonne opinion du caractère ou de la conduite de Marie-Anne, Antoine ou Jean-Baptiste, ne firent pas pencher la balance. L'avocat de la Couronne, Samuel Cornwallis Monk, un des grands criminalistes de son époque, parla à son tour, et il fut suivi par le juge Aylwin, qui retint l'attention du jury pendant près de quatre heures. Dans son édition du 24 avril, le *Pays* décrit ainsi l'opinion du magistrat:

> M. le juge Aylwin, après avoir écarté la complicité d'A. Desforges dans le meurtre de sa femme, a jeté tout l'odieux du crime sur la veuve Bélisle qu'il a flétrie avec une vigueur d'expression écrasante. Il s'est en même temps attaché à faire retomber tout le poids de la condamnation sur cette grande coupable et à pallier, jusqu'à un certain point, la nature des inculpations contre J.-B. Desforges.

> Cette charge produit un grand effet sur les nombreux auditeurs qui encombrent la salle d'audience.

À 7 heures, le 19 avril, le jury se retire pour délibérer et, deux heures plus tard, il revient prendre place auprès du juge. Le verdict de culpabilité rendu contre Marie-Anne Crispin et Jean-Baptiste Desforges n'est pas immédiatement suivi de la sentence, que le juge Aylwin réserve pour le lendemain. Même si les deux accusés ont été recommandés à la clémence du tribunal, ils n'auront droit à aucun traitement de faveur. Antoine Desforges, acquitté de ce crime mais encore sous le coup d'une accusation d'empoisonnement relativement au décès de Jean-Baptiste Gohier dit Bélisle, n'est pas libéré.

Quant à son frère et à sa complice, ils seront pendus le vendredi 25 juin suivant, à la prison du Pied-du-Courant, à Montréal.

Ce verdict fait l'effet d'une bombe et, aussitôt, partisans et adversaires de la peine de mort s'affrontent. Pour les premiers, le gibet élevé pour les exécutions simultanées de Marie-Anne et de Jean-Baptiste ne pourra produire qu'un effet salutaire. Pour les seconds, persuadés de l'iniquité de la sentence, il n'est pas possible qu'on assiste à cette exécution publique le 25 juin, lendemain de la fête patronale des Canadiens français. Antoine-Aimé Dorion demande à George Étienne Cartier d'intervenir en faveur des condamnés, ainsi que le réclamaient de nombreux pétitionnaires. À cette requête d'un sursis, Cartier riposta par un refus, alléguant que le shérif Boston «avait reçu l'ordre d'apprêter le gibet». Le *Pays*, quelques jours après l'exécution, s'interrogea publiquement:

> Sans M. Cartier, probablement, le gouverneur eût mitigé la peine des deux coupables; car des crimes aussi odieux et plus nombreux que ceux de Saint-Jérôme ont été, maintes fois, commis dans le Haut-Canada et toujours, depuis que Sir Edmund Head occupe le siège gubernatorial, la sentence de mort prononcée contre les assassins a été changée en un emprisonnement (...).

Le jeudi 24 juin 1858, l'évêque de Montréal, Ignace Bourget, publiait une lettre pastorale destinée à mettre un terme à la lutte en faveur des deux condamnés. Rangeant parmi les impies le journaliste qui déniait au gouvernement le droit d'ôter la vie, parce que «c'est Dieu qui a donné au gouvernement le droit de vie et de mort sur ses sujets», l'évêque soulignait que cette délégation de pouvoirs était essentielle au «bonheur des peuples». Exhortant ses ouailles à vivre en «bons chrétiens», à «éviter le péché» et à «pratiquer la vertu», Ignace Bourget déposait aux pieds de saint Jean-Baptiste cette lettre pastorale, «afin, priait-il, que vous lui fassiez produire son fruit spécial, qui est une vive horreur de la débauche».

La «fête triste et lugubre, à la vérité, mais souverainement salutaire», attira trente mille personnes. Préparés à mourir, Marie-Anne et Jean-Baptiste avaient, après des mois passés à crier leur innocence, consenti à faire des «aveux spontanés». Leur conversion, opérée grâce à la présence permanente de représentants du clergé et des soeurs de la Providence, avait produit un repentir exemplaire. À la limite, les deux condamnés aspiraient à rencontrer leur Souverain Juge. Selon Messire H. Beaudry, prêtre et auteur d'un «Précis historique» de leur exécution, Marie-Anne s'écriait souvent: «Oh! qu'il me tarde de mourir pour aller au ciel!», pendant que Jean-Baptiste réclamait le même sort, mais en d'autres termes: «Oui, je suis content de mourir; après le crime que j'ai commis, je ne suis pas digne de vivre; cependant, j'espère que Dieu dans sa miséricorde me recevra au ciel.»

Pour que la «punition» du crime, l'«expiation» et la «leçon morale» atteignent leurs objectifs, on donna au gibet une dimension exceptionnelle. Haut de 13,80 mètres, muni de deux trappes et de deux potences, il fallait, pour accéder à son sommet, gravir 84 marches. Même animés du désir de mourir, et même si «les prisonniers paraissaient déjà avoir pris congé de la terre et de toute pensée terrestre», l'expédition fut pénible et l'exécution ne le fut pas moins.

Rendus sur l'échafaud, relate le «Précis historique», au moment d'être lancés dans l'éternité, après que le bourreau eut ajusté la corde autour de leur cou, quand toute espérance d'échapper à la mort se fut évanouie, ils avouèrent leur crime, se dirent repentants, se recommandèrent à la miséricorde de Dieu et implorèrent le secours des saints.

Selon la *Minerve* du lendemain, c'est cet instant que choisirent deux navires à vapeur qui, «par hasard ou autrement, arrivaient vis-à-vis de la potence et stationnaient dans le chenal resserré entre l'île Sainte-Hélène et l'île de Montréal». Puis le prêtre chargé de communiquer aux condamnés le courage nécessaire pour affronter les dernières minutes prit la parole:

«Mes frères, les deux condamnés me chargent de vous dire qu'ils se reconnaissent coupables et qu'ils sont résignés à leur châtiment, l'offrant avec courage, en expia-

PRÉCIS HISTORIQUE

DE L'EXÉCUTION DE

JEAN-BAPT. DESFORGES

ET DE

MARIE-ANNE CRISPIN,

Veuve Jean-Baptiste Gohier dit Belisle,

MEURTRIERS

DE

CATHERINE PREVOST,

FEMME D'ANTOINE DESFORGES,

25 JUIN 1858.

PAR MR. H. BEAUDRY, PRÊTRE,
Curé de St. Jean-Chrysostome.

2e EDITION.

MONTREAL:
IMPRIMÉ PAR LOUIS PERRAULT & CIE,
RUE SAINT VINCENT.

Lorsqu'une affaire criminelle et judiciaire porte en elle suffisamment d'éléments dignes d'intéresser les lecteurs, des auteurs, généralement anonymes, se chargent d'en publier le récit. Plus souvent qu'autrement, ces textes, empreints d'interventions moralisantes, veulent illustrer l'inutilité du crime et le vain espoir de rencontrer le bonheur après l'avoir commis. L'amour adultère de Marie-Anne Crispin et d'Antoine Desforges entraînera une double exécution des présumés coupables même si le doute d'une mort naturelle subsistait. Pour que l'horrible gibet ne fût pas élevé dans le village de Saint-Jérôme, où le présumé crime avait eu lieu, Marie-Anne Crispin et le frère de son amant, Jean-Baptiste Desforges, ont été exécutés publiquement devant la prison du Pied-du-Courant, à Montréal.

tion de leurs crimes. Ils se recommandent à vos prières. Ainsi donc, je demande à tous les catholiques ici présents de se mettre à genoux et de réciter avec moi, pour eux, le Pater et l'Ave.»

À cette parole, poursuit la *Minerve*, nous pouvons le dire avec bonheur, toute cette multitude s'agenouille et des milliers de voix prononcent ensemble avec gravité et avec piété les paroles toutes-puissantes de la prière.

Pendant cinq trop longues minutes, les condamnés durent attendre que le bourreau se sente capable d'agir. À 10 heures 25, les trappes s'ouvrirent et, après une longue agonie, Marie-Anne Crispin et Jean-Baptiste Desforges rendaient l'âme.

Au cours de l'après-midi, on procéda à l'autopsie des corps. Plus tard, dans la soirée, ceux-ci étaient inhumés dans le cimetière de la paroisse Notre-Dame de Montréal et, le 26, dans l'église de la Providence, un service solennel eut lieu pour le repos des âmes des «deux exécutés de la veille».

L'exécution de demain.

—

Demain, dans nos murs, un homme
doit monter sur l'échafaud, pour expier
le crime du meurtre d'un de ses semblables. La société, par le ministère de ses
agents autorisés, a le droit de mettre à
mort, parcequ'elle a mission de punir les
coupables, et elle doit, quand elle le croit
nécessaire, exercer ce droit, parcequ'elle
a mission de se défendre elle-même et de
protéger ses membres. C'est un devoir
pour tout citoyen d'affirmer ce droit,
même en face du supplice et d i suppli-
cié ; mais à coté de ce devoir pénible, il
est un devoir plus consolant pour le
chrétien, c'est celui de travailler, dans la
mesure qui lui est faite, au salut de l'âme
de celui que la société retranche ainsi de
son sein.

Aux yeux de la nature, au contact de
la sensibilité ou de la sentimentalité,
c'est quelque chose de pénible, de révol-
tant même que de songer à une exécution ; mais aux yeux de la grâce ; mais
au contact de la véritable lumière, c'est

1863

MEURTRE
À L'HÔTEL LAWLOR
L'affaire John Meehan

Ce mardi saint, 22 mars 1864, une quinzaine de personnes se frayent un chemin à travers la foule massée devant la prison de Québec. Elles y sont exceptionnellement admises pour entendre la messe que le Révérend Père Maher dira, dans quelques minutes, pour John Meehan. Il est 6 heures du matin.

Depuis 10 jours, le jeune homme de 26 ans n'entretient plus l'espoir de conserver la vie, et son directeur spirituel l'a incité à puiser sa force dans l'existence du Christ. Meehan est exécuté au cours de la semaine sainte et c'est sans doute cette raison qui poussa le juge à choisir un autre jour que le vendredi pour l'exécution.

Pendant qu'hommes et femmes se rassemblent sur les rues Saint-Jean, Dauphine, Saint-Stanislas et Sainte-Anne, entraînant parfois leurs enfants auxquels ils veulent donner l'exemple d'une implacable répression du crime, la prison est silencieuse. La mère du condamné, sa soeur, trois de ses frères et quelques parents, des officiers de justice, des médecins et des religieuses entrent dans la chapelle où, au moment de la communion, on offrira à Meehan le «pain des forts». À 7 heures et demie, la cérémonie religieuse prend fin, et seuls les proches du condamné sont autorisés à demeurer auprès de lui. Entre 8 heures et 9 heures, on invite ces personnes à faire leurs adieux au prisonnier.

Pendant que tous éclataient en sanglots, rapporte le *Canadien* du 23 mars, seul Meehan contint sa douleur et conserva son assurance. On dut emporter sa soeur évanouie.

Avant les derniers adieux, M. McLaren, le geôlier de la prison, ayant apporté un verre de vin au prisonnier, Meehan prit le verre et le passa immédiatement à sa mère désolée en lui disant: «Ma mère, vous en avez plus besoin que moi.»

Au cours des derniers jours, la mère du condamné avait joint sa voix à toutes celles qui avaient sollicité la clémence du gouverneur général, le vicomte C.S. Monck. Celui-ci était resté inflexible. Meehan avait tué et rien ne pouvait justifier la commutation. Le curé de la paroisse St. Patrick était intervenu le 20 mars, le jour où le maire et les membres du conseil municipal de la ville de Québec faisaient de même. Si des raisons humaines motivaient la démarche des édiles, ils n'étaient pas insensibles au fait que, pour la première fois depuis 1836, le bourreau allait procéder à une exécution. La publicité négative qui ne manquerait pas de rejaillir sur leur ville était de nature à leur déplaire et une résolution du conseil municipal du vendredi 18 mars les avait conduits à faire l'ultime démarche. Pour le public, il en allait autrement puisque, dès le samedi matin, alors que les ouvriers posaient le dernier clou à la charpente de l'échafaud, «les abords de la prison étaient envahis par une foule attirée par la nouveauté du spectacle». À l'intérieur de la prison, Meehan, qui avait pu assister à la construction de la potence sur laquelle il allait mourir, se concentrait dans la prière et la lecture de *L'Âme au pied du Calvaire*.

L'aventure qui avait conduit John Meehan à un pas de la potence avait débuté en 1862. Au cours d'une nuit printanière où les enfants n'ont guère l'esprit au sommeil, Patrick Pearl, âgé d'une quinzaine d'années, et ses frères auraient «emprunté» les chevaux de John Meehan pour s'offrir une ranconnée à travers les terres de Sainte-Catherine-de-Fossambault, où vivaient les deux familles apparentées, les Meehan et les Pearl. Pour John Meehan, dont le père était décédé l'année précédente et qui se trouvait désormais le chef de la famille, composée de sa mère et de cinq enfants, l'expédition nocturne était une injure à son autorité. Ce qu'il interpréta comme un manque de respect le poussa à demander une compensation en argent et des excuses. Les deux lui furent péremptoirement refusées, Pearl père alléguant que Meehan s'était largement remboursé en ébruitant l'affaire. Meehan est humilié. Il sait que Pearl a mis en doute la participation de ses enfants à la «farce» et il sait ce qu'il lui en a coûté d'avoir retrouvé ses chevaux fourbus.

L'affaire paraît prendre fin au cours des mois suivants lorsque la mère de John vend la ferme et la maison de Sainte-Catherine et vient s'établir à Québec. Le jeune fermier, qui avait peut-être rêvé de succéder définitivement à son père sur la propriété familiale, l'une des plus riches de la paroisse, choisit le métier de charretier. Celui que l'on a décrit comme ayant été «élevé à la campagne sous la surveillance de parents pieux et respectables» avait été «tenu à l'abri des dangers qui menacent la jeunesse dans une cité populeuse». À Québec, il fréquente d'autres charretiers, des cochers, et il prend bientôt l'habitude d'aller passer quelques heures dans les hôtels. En 1863, il n'est plus admis à l'hôtel de Michael Lawlor.

Le 11 septembre 1863, soit plus d'une année après la sortie forcée des chevaux, Patrick Pearl et son père se rendent au marché de Québec pour y écouler leur récolte de pommes de terre. Fidèles à leur habitude, ils descendent à l'hôtel Lawlor. Entre 10 heures et 11 heures, Meehan se rend à l'hôtel, où il presse John Clear, un ami commun des deux familles, de demander au jeune Pearl s'il ne se chargerait pas d'une «commission» pour Sainte-Catherine. Comme Patrick est absent, Clear lui promet de le prévenir. Vers midi, la rencontre des deux hommes a lieu devant l'hôtel. Ni l'un ni l'autre ne semble belliqueux. Pearl est amical et Meehan semble l'être aussi. Meehan entraîne son interlocuteur vers la ville, passant devant le magasin de Paquet et s'engageant dans une impasse non loin de laquelle des ouvriers, maçons et charpentiers travaillent à la construction d'une maison.

Une livraison de marchandises chez Paquet empêche les témoins d'assister au début de la bagarre. Y a-t-il eu provocation? Meehan avait-il prémédité l'attaque dont Pearl est victime? Personne ne pourra le dire puisque, lorsque l'on réalise enfin que Meehan saute à pieds joints sur la poitrine de Patrick, il est trop tard pour comprendre. La femme de l'hôtelier Lawlor sera la seule à intervenir avec autorité, empêchant Meehan de continuer à frapper à coups de poing. S'interposant entre Meehan et sa victime, elle n'a pu empêcher le cocher James Crotty de frapper brutalement Pearl à la tête avec le manche de son fouet. Pearl se relève et, guidé par l'hôtelière, il entre dans la cuisine. Madame Lawlor bloque la porte avec une fourche, invitant Meehan à venir se faire transpercer s'il prétend toujours être un homme. Meehan ne demande pas mieux, insistant pour achever Pearl: «Qu'il meure! l'entendit-on crier, j'en subirai les conséquences!»

Quelques minutes plus tard, Pearl mourait. Meehan et celui qu'on allait présenter comme son complice, James Crotty, prenaient la fuite séparément. Avant 14 heures, le 11 septembre 1863, John Meehan était arrêté par le policier Joseph Marcotte. Ayant repris ses sens, Meehan n'était pas allé plus loin que la rue Saint-Ours, où il semblait attendre d'être pris.

Le lendemain, à 10 heures, le coroner C.-Eugène Panet ouvrait son enquête. Les résultats de celle-ci ne surprirent personne, d'autant plus que les docteurs James Sewell et Larue affirmèrent que les coups et les blessures subis par Patrick Pearl avaient entraîné sa mort. Le verdict du jury du coroner en fut donc un de meurtre prémédité, commis par Crotty et Meehan. Quatre jours plus tard, le cocher d'une vingtaine d'années était arrêté à Sainte-Anne-de-Beaupré.

La mise en accusation des deux hommes eut lieu le 24 janvier suivant, et le procès de John Meehan débuta le samedi 6 février, après avoir été remis à trois reprises en raison de l'absence de certains témoins.

John O'Farrell représente l'accusé pendant que O'Kill Stuart parle au nom de la poursuite. Pour le premier, il ne s'agit pas de nier qu'il y a eu homicide, mais de démontrer l'absence de préméditation, car si le jury s'engage dans la voie qui lui est ouverte par les témoins, par l'avocat de la Couronne et par le verdict du jury du coroner et admet la théorie de préméditation, il est certain qu'une sentence de mort suivra l'audition des témoignages. Pour l'avocat de la Couronne, la préméditation est d'autant plus évidente que Meehan s'était présenté devant Patrick Pearl en compagnie d'un comparse

Le procès de John Meehan a lieu au Palais de Justice de Québec au début du mois de février 1863. Malgré la présence et l'intervention d'un deuxième agresseur, James Crotty, Meehan est le seul à avoir été exécuté. Sa pendaison, le 22 mars de l'année suivante, est considérée comme ayant été la dernière exécution publique à avoir eu Québec pour cadre.

qui l'encouragea à la violence et qui participa lui-même à la commission du crime. L'enjeu est de taille.

La journée du mardi 11 février est décisive. Pendant l'adresse de l'avocat de la poursuite, on remet au juge Charles Mondelet une lettre anonyme dont le contenu scandalise le tribunal. Selon le *Canadien*, le message tendait à «établir qu'un des témoins de la Couronne avait été convaincu d'une offense il y a quelques années devant les tribunaux». Le magistrat réclama une recherche immédiate de l'auteur de cette tentative pour influencer le cours de la justice. La recherche fut inutile. Le juge prit la parole à son tour, invitant le jury à mettre de côté toute idée préconçue et à n'appuyer son verdict que sur les témoignages entendus en cour. Il souligna la différence existant entre un meurtre prémédité et l'homicide involontaire, invitant en même temps le jury à faire bénéficier l'accusé du doute, si doute il y avait. En terminant son adresse au jury, le magistrat déclara «qu'il désirait pouvoir dire au jury, dans ce procès, que les témoignages étaient d'une nature assez douteuse pour déterminer l'acquittement du prisonnier; mais il avait un devoir à remplir envers Dieu et sa conscience et il regrettait de ne pouvoir dire qu'il y eût des doutes sérieux dans cette affaire».

L'opinion du juge eut-elle une influence sur la décision du jury? L'avocat de la défense le crut. Craignant que les jurés aient mal interprété les remarques du juge, il demanda vainement qu'ils fussent rappelés pour être mieux renseignés. La Cour rejeta sa requête et ajourna avant 17 heures.

Le jury ayant exprimé le désir d'avoir le temps d'examiner l'affaire complètement fut en conséquence placé sous la garde des constables pour la nuit.

Le lendemain matin, les douze citoyens, par la voix de leur président, étaient invités à faire connaître leur opinion. Pour eux, l'accusé était coupable de meurtre prémédité, mais ils le recommandaient à la clémence du tribunal. Le juge pria alors John Meehan de se mettre en paix avec Dieu et de n'entretenir aucun espoir de commutation, puisque ce n'était pas du côté des hommes qu'il pouvait trouver la grâce. Faisant abstraction de la recommandation du jury, il le condamna à mourir le mardi 22 mars suivant, devant la prison de Québec.

Le procès de James Crotty, qui devait débuter le 15 février, fut remis au prochain terme des assises criminelles. Le 12 mars, dix jours avant l'exécution de son client, John O'Farrell voyait sa requête en appel être rejetée par les juges Jean-François-Joseph Duval et Thomas Drummond. Le seul espoir résidait donc dans une commutation, qui ne fut pas accordée. Le public suivit avec intérêt toutes les étapes du procès. L'impression d'une trop grande sévérité de la part du tribunal donna naissance à la rumeur selon laquelle Meehan serait arraché des lieux de l'exécution par une troupe de justiciers opérant à la dernière minute...

Les sermons du dimanche traduisirent l'inquiétude générale. À la cathédrale, le curé de Québec, Joseph Auclair, invita les catholiques à s'abstenir d'assister au «grand acte de justice» dont tout le monde parlait.

Je viens vous supplier aujourd'hui de ne point vous laisser dominer par une barbare curiosité, en assistant à une pareille scène d'horreur sans autre raison que le besoin d'émotions qu'on ne saurait expliquer chez des coeurs bien faits. Sans doute c'est un malheur nécessaire que l'exécution d'un criminel, en présence de certains caractères, de certaines natures qu'il est bon de frapper d'épouvante en leur montrant les châtiments réservés à la perversité des malheurs publics. Mais ce n'est pas à dire que tout le monde doive se faire une espèce de jouissance d'aller contempler l'agonie d'un être humain, comme cela s'est vu souvent ailleurs en pareille circonstance.

Entre 9 heures et 10 heures, Meehan était demeuré seul avec son confesseur, qui l'accompagna dans la «chambre des liens».

Calme, le condamné s'était soumis à l'examen médical des docteurs P.-O. Tessier et O. Robitaille et il avait bu lentement une dernière tasse de café.

À 10 heures précises, selon le *Courrier du Canada*, la porte de la cellule s'ouvrit et le condamné sortit, appuyé sur le bras du Révérend Père Maher. Il franchit d'un pas ferme et assuré le corridor qui conduit à la petite chambre donnant sur l'échafaud. En apercevant la fatale trappe, par la porte entrouverte, il eut un tressaillement musculaire involontaire, mais il recouvra bientôt son calme. Il livra ses bras aux bourreaux qui les lui lièrent au corps avec une forte courroie, puis la porte s'ouvrit et il parut sur l'échafaud, accompagné du Révérend Père Maher. Un murmure de pitié s'éleva de cette foule pressée au pied de la palissade qui entourait l'échafaud.

Pendant que le Père Maher s'apprête à parler à la foule, Meehan peut contempler ceux qui assisteront au dernier spectacle du genre à avoir lieu à Québec:

Le mur et la clôture de l'église méthodiste étaient couverts de curieux, de même que le toit de l'école Saint-André, la clôture de la résidence du Révérend docteur Cook; les arbres qui étaient dans la cour du Révérend ministre disparaissaient entièrement sous des grappes d'hommes qui s'y tenaient obstinément cramponnés. Des branches cédant sous le poids énorme qu'elles portaient, furent brisées et jetées à terre avec ceux qui y étaient fixés.

Dans cette foule avide de voir une exécution capitale, on remarquait, ajoutait le *Canadien* du 23 mars, un assez bon nombre de femmes. La multitude se composait à peu près également de personnes d'origine anglaise et française.

Maher prit la parole en invitant les personnes présentes à écouter attentivement ce que le condamné allait leur dire en anglais et en français, puis il recommanda de se disperser avant l'exécution. Meehan s'avança alors et il parla d'une voix forte et posée. Privé de l'usage de ses mains, il fut incapable de gesticuler, ce qui ajouta à l'intensité du moment:

Messieurs, dit-il, je vais faire quelques remarques et j'espère que vous voudrez bien m'écouter, car je suis un infortuné destiné à une triste mort.

Prenez exemple sur moi et tâchez d'éviter ce qui m'arrive; car je suis un exemple pour vous tous. Gardez-vous des mauvaises compagnies, des maisons mal famées, des sorties nocturnes, car cela conduit à une triste fin. Surtout, hommes, gardez-vous de suivre les mauvais conseils qui portent à la haine et à la vengeance. Ce sont ces mauvais conseils qui m'amènent ici aujourd'hui. Je n'ai plus maintenant aucune espérance pour cette vie, il ne me reste plus qu'à espérer en la bonté du Dieu tout-puissant qui, j'espère, voudra bien me recevoir bientôt dans son sein. Je puis paraître un meurtrier aux yeux des hommes, mais je suis sûr que je ne le suis pas aux yeux de Dieu; parce que, je le déclare, je n'ai point eu l'intention d'ôter la vie à ce pauvre jeune homme lors de ce malheureux jour, que ça n'a pas été non plus l'intention de l'autre pauvre jeune homme qui était avec moi [James Crotty], et j'espère, Messieurs, que vous voudrez bien prendre cela en considération, quand il subira son procès; et que cet exemple que je donne aujourd'hui devra être trouvé suffisant.

Puis, évoquant le fait qu'une exécution capitale n'ait pas eu lieu à Québec depuis fort longtemps, Meehan demande pardon à ceux qu'il aurait pu, involontairement, offenser. Demandant ensuite que les siens soient traités charitablement, Meehan dit:

Il n'y a rien à dire contre ma pauvre mère, qui a vécu dans le même lieu pendant 22 ans, et qui a élevé honnêtement et pieusement sa nombreuse famille. J'espère et prie Dieu pour qu'elle continue toujours ainsi. Maintenant, je souhaite que le Dieu tout-puissant répande sur vous sa bénédiction au nom du Père, du Fils et du Saint-Esprit.

John Meehan, qui a d'abord parlé en anglais, répète le même discours en français. Brisé, affaibli par l'émotion, particulièrement là où il parle de ses proches, il se penche vers le Père Maher, qui lui dit quelques mots. Meehan reprend la parole. Cette fois, il s'adresse à ceux qui, dans la foule, seraient venus là dans l'intention de le soustraire à l'attention des bourreaux:

S'il se trouve ici de mes amis, ou des personnes qui ont des sympathies pour moi, qu'ils ne songent nullement à tirer vengeance de ceux qui m'ont poursuivi; il ne pourrait s'ensuivre rien de bon. Pardonnez-leur comme je leur pardonne du fond de mon coeur. Maintenant, je laisse la vie. Adieu et que Dieu vous bénisse tous.

Rassemblés autour de la palissade de planches qui s'élève presque à la hauteur de la plate-forme, les soldats se ressèrent, puis «les deux exécuteurs, la tête et le corps couverts par un vêtement noir, apparurent sur l'échafaud, placèrent le prisonnier sur la trappe fatale, lui ajustèrent la corde autour du cou et lui mirent le bonnet blanc sur la tête. Le

Révérend Père Maher lui présenta ensuite le crucifix à baiser et, embrassant lui-même le prisonnier sur la joue, il rentra dans la prison visiblement ému».

Les soldats mirent la foule en joue et, à 10 heures 20 minutes, la trappe s'ouvrit. Au même instant, la foule tomba à genoux, priant pour le repos de l'âme du pauvre Meehan, dont l'agonie dura de 10 à 13 minutes.

Le jour même, la population chantait, sur l'air du *Quatorze de juillet*, la complainte du condamné:

Adieu donc mes amis, jeunes gens du village,
Recevez de Meehan les adieux pour toujours;
Pardonnez ma fureur qui fit naître ma rage
Causant mon déshonneur, je le crois, sans retour.

Pearl, écoute-moi donc,
Toi qui fus ma victime.
Je regrette mon crime,
Donne-moi mon pardon.
Je fus ton meurtrier,
J'invoque ta clémence,
Je ferai pénitence,
Pardon au prisonnier!

Le vingt-deux de ce mois, je dois quitter la vie;
Car aux yeux des humains, Meehan est un criminel.
Je le sens bien, mon sort n'est pas digne d'envie,
Car, jugé des humains, que dira l'éternel?

Venez, monde étonné, regardez la potence;
Ce fatal instrument va déchirer mon coeur;
Je n'attends plus de vous un regard de clémence,
Je le sais, j'ai péché, j'ai mon crime en horreur.

Vous qui m'avez jugé de justes représailles,
Vous vous croyez le droit d'arbitrer sur mon sort;
En Dieu vous ordonnez mon jour de funérailles,
En préparant pour moi mon triste jour de mort!

Un triste bonnet blanc va couvrir ma figure,
Je ne verrai plus rien, le fait est entendu,
Ici-bas, j'ai vécu d'une vie trop impure,
Il faut tout oublier, pour moi tout est perdu.

Adieu, mère adorée, de qui j'eus la lumière,
Je ne mérite pas qu'on m'ait donné le jour;
Pardonnez le regret que je cause à mon père,
C'est mon dernier adieu, chers parents, pour toujours.

James Crotty, vraisemblablement responsable du coup
à la tête, coup qui aurait été fatal à Patrick Pearl, subit son
procès, à l'issue duquel il fut condamné à une peine d'emprisonnement de sept ans. La dernière prière du condamné avait
été exaucée.

Nous publions ci-dessous la requête qui circule depuis quelques jours à Montréal pour demander la commutation de la peine prononcée contre Barreau. Tout en manifestant une fois de plus notre horreur pour les crimes abominables de cet homme, nous serions heureux de voir Son Excellence faire droit à la pétition qui lui sera présentée. Nous ne voulons pas l'impunité du crime, comme l'insinue un de nos confrères. Non, qu'on punisse les coupables, mais qu'on le fasse d'une façon qui profite au coupable comme à la société. Que celle-ci n'outrepasse point ses pouvoirs, que la multitude n'aille point se dégrader au pied d'un échafaud, que le criminel ait le temps de se repentir et qu'il devienne impuissant à commettre le mal, c'est tout ce que nous demandons. Qu'on enferme pour la vie l'être dangereux qui a outragé la société, qu'on le séquestre, qu'on lui inflige le supplice du remords, et l'on aura donné un exemple plus salutaire que celui qui descendrait d'un gibet.

Voici la pétition, qui se couvre de signatures, nous assure-t-on :

A Son Excellence Sir John Michel, Administrateur du Gouvernement du Canada.

LE VOLEUR MEURTRIER
L'affaire Stanislas Barreau

En 1865, l'attention du public est sollicitée par un crime jusqu'alors inédit dans les annales judiciaires du XIXe siècle. La vengeance meurtrière ou la folie qui anime Stanislas Barreau le conduit à assassiner une jeune femme et un enfant. La réaction populaire, sociale et religieuse fait du jeune homme de 22 ou 23 ans un être isolé dans sa cellule, isolé pendant le procès, et dont le «salut» indiffère. Son sort sera au centre d'une nouvelle polémique entourant la peine de mort. Puisque, ici, la culpabilité ne fait aucun doute et que ni la pitié ni la commisération ni la crainte d'une erreur judiciaire n'anime le débat, celui-ci se situe au niveau des principes, les intervenants prenant la peine de dire, chaque fois, l'horreur que leur inspire le crime de Barreau.

La tragédie a eu lieu à Laprairie, dans une riche maison de pierres de la côte des Prairies, appartenant à l'agriculteur Alexis Moquin. Ce dernier entretient dans sa maison deux engagés, Charles Hétu et Médore Sorel; deux servantes, Marie-Louise Sauvage, âgée d'une trentaine d'années, et Délima Duquet, 14 ans. Alexis Moquin et sa femme ont également ouvert la porte de leur maison à leur fils Casimir, à leur bru et nièce Louise Brossard, de même qu'aux deux enfants du jeune couple, Marie-Délima et Marie-Justina.

Le dimanche 28 mai 1865, les deux couples se rendent à l'église paroissiale de Laprairie pour entendre la grand-messe. À 8 heures 45, ils ont quitté la maison en voiture. À la même heure, un homme qui, depuis deux ou trois jours, rôdait dans les bois, chassant et faisant de petits feux de bois, sort de la grange où il a dormi, s'éloigne de la maison, puis revient vers celle-ci, de façon à être vu et à donner l'impression d'arriver à l'improviste. Mais, jusqu'ici, rien n'a été improvisé.

Marie-Louise Sauvage, la servante, le voit venir, le reconnaît et elle l'identifie à haute voix. Stanislas Barreau est le bienvenu. Connu de tous les habitants de la maison depuis une dizaine d'années au moins, il a bénéficié de la bonté générale et profité des largesses du maître des lieux. Le visiteur, entré par la porte avant, demande à manger. Refusant le jambon en prétextant être «en remèdes» depuis un incident survenu à Washington, il accepte toutefois de manger du pain, du beurre, et de boire du thé. Délima Duquet, témoin de la scène, la décrira ainsi:

> Il a demandé pour aller au jardin. Marie-Louise Sauvage lui a dit qu'il n'était pas bien propre, que les allées étaient sales. Ils sont allés au jardin. Ils y sont restés quelques minutes. Ils sont ensuite revenus dans la maison. Marie-Louise a haché ses herbes pour la soupe. Le prisonnier a été pour mettre son fusil sur le bois, et il lui a demandé si elle avait besoin de prendre du bois. Elle lui a dit de mettre son fusil derrière la porte, que ce serait mieux. Ensuite, il se leva pour partir. Marie-Louise lui dit: «Reste donc. Monsieur Moquin va arriver, il aimerait à te voir et à parler avec toi.»

Barreau commence par refuser de rester, prétextant la saleté de ses vêtements, la malpropreté de ses bottes de chasseur, mais il se laisse convaincre et il accompagne la jeune femme lorsqu'elle monte à l'étage, préparer un lit pour lui. Ils redescendent et, alors que tout semble normal:

> Il alla s'asseoir sur le lavoir. La fille lui dit de prendre garde à son fusil, qu'il allait tomber. Il répondit: «Je suis le maître ici.»

Armé d'une carabine, d'un pistolet et d'un couteau, le jeune homme oublie la carabine, s'empare du pistolet et tire un premier coup en direction de Marie-Louise. Elle fuit en courant, suivie par la petite Marie-Justina, un an et dix mois, complètement terrorisée. Barreau, animé d'une fureur incroyable, pourchasse la servante, sur laquelle il tire au moins trois coups. Trois balles, dont chacune aurait pu causer la mort, seront retirées de son corps au cours de l'autopsie qui sera pratiquée le lendemain. Une autre balle atteint l'enfant en plein visage. Quant à Délima Duquet, légèrement blessée à un bras, elle se cache sous une table, recouvrant l'autre enfant et faisant la morte. Barreau lui touche un bras, la secoue, mais, la voyant inerte, il conclut qu'elle est une troisième victime.

J'ai vu Stanislas Barreau jeter des couvertures sur les pieds de Marie-Louise Sauvage, aller prendre une allumette et mettre le feu à la paillasse. Le feu a brûlé un peu, puis j'ai vu une grosse flamme. Le prisonnier m'a ensuite renfermée dans la chambre en poussant la porte qui conduit à la cuisine.

Apeurée, Délima Duquet entend d'autres coups de feu, puis c'est le silence. Il lui faut un quart d'heure pour oser sortir de son refuge. Elle découvre l'incendie et court jusqu'au «premier voisin», Damase Sorel. En quelques minutes, les voisins se rassemblent, seaux en mains, tentant de circonscrire les flammes. La découverte des corps est une surprise pour tous. Pendant ce temps, Stanislas Barreau fuit à travers les bois, emportant avec lui le riche butin qu'il convoitait. Dans un coffre de bois dont il a fait sauter la serrure, il a trouvé un coffret également fermé par une serrure et contenant une fortune: cinquante louis d'or, un écu américain, dix piastres françaises, un écu espagnol, quinze rouleaux de «trente sous», un anneau d'or, une montre en argent et le produit de la vente d'un cheval. La présence de cet argent n'était un mystère pour personne et Barreau, autrefois familier des Moquin, en avait certainement entendu parler puisque, sans effort particulier, sans avoir eu à faire parler Marie-Louise ou Délima, il avait pu le découvrir.

Barreau fuit. Il laisse d'abord tomber son fusil. Il se déleste ensuite d'une partie de l'argent au profit d'une plus grande agilité. Dans les heures qui suivent le crime, il se terre, échappant ainsi aux recherches menées par une patrouille de volontaires. Plus de trois cents personnes, a-t-on dit, rassemblées par les soins du maire de Laprairie, le docteur Casimir-Richard Dufresne, ratissent les bois. Mais déjà, alors que les Moquin découvraient l'étendue du malheur qui les frappait, Barreau semblait doué d'ubiquité. On l'avait vu marchant vers Chambly. D'autres le croyaient parti dans une direction opposée, après s'être emparé d'un cheval à la porte de l'église paroissiale. En réalité, caché près du fleuve, il attendait la tombée du jour pour s'emparer d'une barque et ramer jusqu'à l'île Saint-Paul (île des Soeurs), où il passa la nuit. Tôt le matin, il traversa jusqu'à la rivière Saint-Pierre et, de là, il se rendit à Pointe-Saint-Charles. La journée de lundi en est une d'errance.

Alors qu'il croit que les témoins de son crime ont rendu l'âme, Délima Duquette raconte les péripéties par lesquelles elle vient de passer. Elle identifie clairement Barreau. L'un des premiers gestes des policiers, parmi lesquels se trouve un fin limier, le sergent Charles Coallier, de la police de Montréal, est de se rendre au 225 de la rue de la Visitation, à Montréal. Dans cette maison habitée par Elmire Montreuil, femme de Barreau, et par leur enfant, les enquêteurs s'emparent d'une photographie qui sera exposée à la station de police de la rue Mignonne. Ils annoncent à la très jeune femme l'invraisemblable nouvelle, puis, patrouillant le secteur de la ferme Logan, des rues Panet et de la Visitation, ils réservent un chaud accueil au criminel qui, espèrent-ils, reviendra chez lui.

Effectivement, croyant en l'impunité du geste qu'il vient d'accomplir, Barreau fait son entrée rue de la Visitation où, déjà, tout le monde parle du crime de Laprairie et de la fortune d'Alexis Moquin. Le criminel doit jouer la comédie de l'homme ivre pour passer, incognito, à travers la foule rassemblée pour parler du sujet du jour: le plus horrible crime jamais commis au pays! Lui qui tenait plus que tout à voir Elmire et son enfant, il en est quitte pour demander l'aumône d'un verre d'eau, tendu par une personne qui préférerait n'avoir pas à lui rendre ce petit service. Peu après, Barreau traverse la ferme Logan, peuplée de ce qu'on appelle à l'époque «les déchets de la société». Il se sera fait raser et sourira en apprenant que la photo trouvée chez lui, oeuvre de M. Bazinet, servira aux recherches, puisque, avec ou sans moustaches, il n'existe pas de réelle ressemblance entre le modèle et la photographie. Un charretier, généreusement rétribué pour

ce petit service, conduira Barreau à une maison de rendez-vous. Dans cette maison de la rue Saint-Nicolas-Tolentin, havre connu sous le nom de «Chez French Louise» et tenu par Louise Loiseau, il passe la nuit. Pour ces quelques heures passées à l'abri des regards indiscrets, il paiera rubis sur l'ongle avec l'une de ces vieilles pièces de monnaie frappées entre 1804 et 1812 et, pour la plupart, marquées par la corrosion consécutive au séjour sous terre subi au cours des troubles de l'automne de 1837.

Avant de quitter la demeure hospitalière de la «French Louise», Stanislas Barreau réprime quelques larmes. On vient, en effet, de lui lire le compte rendu de la journée de la veille, tel que paru dans la *Minerve* du matin, et le récit des atrocités commises par le meurtrier de Laprairie l'a ému! Stanislas Barreau sait qu'il doit fuir. À pied, il se dirige vers le nord de l'île de Montréal, traversant le pont Janveau, puis celui de Saint-Eustache. Il se rend probablement jusqu'à Oka. En *horse-boat*, il traverse le lac des Deux-Montagnes. Il marche ensuite jusqu'à Lancaster, et, enfin, un charretier qui le fait monter non loin de Kingston le conduit à une maison de rendez-vous, celle de James L. Hibbard. La présence d'un Canadien français dépensant sans compter et payant largement les services qu'on lui rend attire l'attention du tenancier et celle des clients et, le 5 juin 1865, il est mis aux arrêts par le chef de la police de Kingston, Robert Shannonhouse.

La nouvelle de l'arrestation parvient à Montréal par message télégraphique et sème la consternation. On croyait Barreau terré quelque part sur l'île. La montagne faisait encore l'objet d'une surveillance particulière, de même que le territoire environnant la rue de la Visitation. Deux représentants de la police gouvernementale prennent alors la relève, remplaçant le sergent Coallier et ses hommes, confinés au territoire montréalais. Adolphe Bissonnette, appelé à devenir célèbre au cours des prochaines années, grand connétable pour le district de Montréal, et le sergent Jean de Beaufort se rendent à Kingston le jour même. Avant même d'avoir rejoint sa cellule, Stanislas Barreau est passé aux aveux. Découvert dans la garde-robe de sa chambre, chez Hibbard, il a d'abord menti pour justifier la présence d'autant d'argent entre ses mains, mais la perspective d'un laborieux exercice de mensonge l'a fait capituler.

S'il ignore pourquoi il a tiré sur Marie-Louise Sauvage et sur l'enfant qui la suivait, il avoue s'être rendu chez Alexis Moquin dans le but de rentrer en possession de l'équivalent de l'argent que celui-ci lui devait en compensation de travaux accomplis quelques années auparavant. On se bouscule à la porte de la prison de Kingston pour voir la tête d'un aussi vil meurtrier. Les journaux, renseignés par le *Kingston News*, affirment, comme le fait le *Pays* du 8 juin, que «l'apparence de Barreau n'indique pas l'existence d'un coeur aux passions noires et meurtrières comme celles qui l'ont poussé au crime qu'il vient de commettre». Mais il faut voir Barreau pour le croire et rien n'arrête la curiosité populaire:

Il a été visité aujourd'hui par tous ceux qui ont pu obtenir une passe des commissaires de police. Il a toujours eu une humeur douce, et il s'est souvent abandonné aux pleurs.

Avant de quitter Kingston en compagnie des deux policiers du Québec, Barreau consent, on ne sait dans quel état d'esprit, à laisser derrière lui l'empreinte de son crâne. Cet événement est ainsi rapporté par la *Minerve* du 8 juin:

Avant qu'il quitte la prison de Kingston, le docteur Fowler, le fameux phrénologiste, a pris le moule de la tête de Barreau, sur plâtre. On peut s'attendre à voir dans un mois, la conformation du crâne de Barreau étalée, étudiée et commentée dans l'*American Phrenological Journal*.

Le 6, Stanislas Barreau revient à Montréal. Pour les milliers de personnes qui se sont déplacées jusqu'à la gare Bonaventure, c'est la déception. Rusés, déterminés à soustraire leur prisonnier à la curiosité publique, Bissonnette et de Beaufort sont descendus à la station Blue Bonnets, utilisant un autre moyen de transport pour rejoindre la prison de Montréal. C'est là que diverses confrontations, les unes avec Délima Duquette, Alexis et Casimir Moquin, compléteront l'enquête du coroner qui avait eu lieu le lendemain du crime, sur les lieux mêmes où celui-ci avait été perpétré. Aucun doute ne peut subsister: Stanislas Barreau est bel et bien l'homme qui a causé la mort des deux victimes du 28 mai.

À qui ira la récompense, les quatre cents dollars offerts par la proclamation du gouverneur général? Sans doute à ces résidents de Kingston et des environs qui ont découvert Barreau et vu à ce qu'il soit, conformément aux conditions stipulées dans ce texte largement diffusé, appréhendé et renfermé «dans aucune de Nos prisons de Notre dite Province du Canada, ou dans aucune des prisons de Nos Possessions de l'Amérique du Nord, ou qui appréhendera ou fera appréhender lui, ledit Stanislas Barreau, et le détiendra ou le fera détenir dans aucune prison d'aucun des États-Unis d'Amérique, de manière à pouvoir faire son extradition (...)».

Le texte du gouverneur général fait allusion à une fuite possible de Barreau aux États-Unis. C'est évidemment routinier, à cause des frontières communes aux deux pays, mais également parce que le jeune homme aurait pu être tenté de retourner s'établir dans ce pays. Barreau avait passé en effet quelques années dans l'armée américaine, où certaines actions d'éclat auraient succédé à deux désertions et réengagements successifs provoqués par l'appât du gain, c'est-à-dire de la prime offerte aux mercenaires volontaires. Selon la *Minerve:*

> Barreau s'est distingué dans la guerre américaine, où il était sous-lieutenant dans un des régiments organisés à New York. Dans la conversation, en venant de Kingston, le prisonnier dit qu'il a enlevé à l'armée du Sud un drapeau appartenant au régiment de l'Alabama, et que ce trophée qui porte son nom «Barreau», se trouve actuellement à Washington.

Divers documents et le fait que le meurtrier se soit trouvé «en remèdes» lors du crime du 28 mai semblent confirmer le fait qu'il ait été blessé et traité par un médecin de Washington, peu avant de revenir à Montréal quelques mois plus tôt.

Le 17 juin, un fait divers sans lien apparent avec les antécédents de Barreau dans l'armée américaine vient surprendre le public: c'est le vol commis le samedi précédent chez Elmire Montreuil-Barreau. Près de 60$, provenant de la vente d'articles ménagers, ainsi qu'une broche auraient été dérobés par le frère de l'accusé, Charles Barreau. Ce dernier aurait été arrêté le jour même à la gare Bonaventure au moment où il achetait un billet pour New York. La justification de ce vol viendra plus tard mais, pour une raison que l'on ignore, elle ne sera prise au sérieux par personne. Barreau aurait lui-même demandé à son frère Charles de se rendre chez lui et d'y prendre tout l'argent qu'il y trouverait, dans le but de se rendre à New York ou à Washington et d'aller chercher un certificat médical du médecin qui l'avait traité après le geste glorieux accompli au bénéfice des États-Unis. Mais Charles Barreau n'a jamais pu partir et, lorsqu'il comparaîtra devant le tribunal, au cours de la première semaine d'octobre 1865, ce sera pour y être condamné à une peine de deux ans d'emprisonnement!

Le 25 septembre, Stanislas Barreau comparaît devant le juge Thomas Cushing Aylwin, plaidant non coupable aux accusations portées contre lui. Sa présence en cour attire le public et les journalistes, qui observent son apparente froideur et cette assurance d'un homme «au-dessus de toute crainte». Défendu par Henry J. Clarke, il s'apprête à entendre des témoignages qui ne recevront aucune contradiction. En effet, contre toute attente, la défense ne présente aucun témoin, et le moins que l'on puisse dire à propos de l'avocat de Barreau est que son absence de combativité, de dynamisme et d'esprit critique, en contre-interrogatoire comme lors de son plaidoyer final, sera perçue comme un aveu. La poursuite utilisera les silences de l'avocat au profit de sa thèse voulant que le vol *et* les meurtres aient été prémédités.

Quelques heures avant la fin du procès, le 30 septembre, le procureur général du Bas-Canada, l'honorable George Étienne Cartier, fait son entrée dans la cour où siège le juge Aylwin. Malheureusement peu loquaces et avares de détails, les journaux n'expliquent pas le motif de cette intervention qui conduit le magistrat et l'honorable Louis-Antoine Dessaules à converser en aparté... Quelques instants plus tard, la cour ajourne ses travaux pendant une demi-heure, afin de permettre aux jurés de se restaurer. En fin d'après-midi, après avoir entendu les arguments de la défense et ceux de la poursuite, les jurés sont invités par le juge Aylwin à rendre leur verdict. Pour ce dernier, la culpabilité de Barreau, la préméditation incluse, ne fait aucun doute car, dit-il, «jamais depuis que j'ai été appelé à agir comme juge dans les Cours criminelles, soit ici ou à Québec, je n'ai rencontré dans une cause un enchaînement de preuves aussi fortes contre un prisonnier».

À 21 heures, le jury, représenté par Victor Mallette, rend son verdict à travers le dialogue suivant:

«Nous recommandons le prisonnier à la clémence de la Cour.
— Pour quelle raison?

— Quoique nous ayons trouvé le prisonnier coupable, on doit toujours avoir pitié de son semblable.

— C'est bien», répondit le juge.

Le sort de Barreau ne faisait aucun doute. Invité à parler avant que la sentence ne soit rendue contre lui, il se jeta à genoux et demanda que la lettre qu'il avait écrite soit lue au tribunal. Trois points ressortent de ce document: l'intérêt pour Barreau de voir lever l'accusation de larcin pesant sur son frère, l'isolement dans lequel il a été confiné depuis son retour à Montréal et la générosité de son défenseur.

Votre Honneur,

Permettez-moi, avant que vous prononciez votre sentence contre moi, de déclarer avec respect que mon frère, Charles Barreau, accusé de larcin, est complètement innocent de l'accusation qui pèse sur lui. Je l'ai autorisé à prendre sur l'argent que j'avais laissé à ma maison, qui était ma propriété, la somme de sept louis dix chelins, ainsi qu'une épinglette qui m'appartenait aussi en propre, afin de lui procurer les moyens de se rendre à Washington, dans le but d'obtenir un certificat du docteur qui m'avait donné ses soins pendant ma maladie à l'hôpital Harwood dans cette dernière ville.

Je dois ajouter que depuis mon incarcération, j'ai été complètement abandonné de tous: de mes parents, de mes amis, de mon épouse et du clergé; je n'ai reçu de consolation de personne.

C'est un devoir pour moi, cependant, de déclarer que mon défenseur, M. J.H. Clark (sic), est le seul dont les visites aient adouci un peu la tristesse de ma situation. Il a sacrifié bien des moments de son temps précieux à la préparation de ma défense, et ceci sans rémunération aucune et sans y être poussé par mes amis, mais de son propre mouvement et animé par la générosité de ses sentiments.

Ayant entendu le greffier lire ce message qui se terminait sur la demande de Barreau voulant que tous ses «effets sans exception, qui sont maintenant sous les soins du Grand

Aperçu de la prison de Montréal «Au Pied du Courant» (1837-1838).

Connétable, soient livrés» à son avocat, le juge prend à son tour la parole. À l'instant où il s'apprête à prononcer la sentence de mort contre celui dont le nom sera «en horreur longtemps», Barreau, une deuxième fois, tombe à genoux. On le relève car c'est debout qu'un condamné doit apprendre le jour et l'heure de sa mort. De la galerie des dames jusqu'au groupe compact des hommes qui avaient envahi la cour, un murmure s'éleva en entendant dire que Stanislas Barreau mourrait le vendredi 17 novembre suivant.

Quelques jours plus tard, une requête réclamant la commutation de la peine de Stanislas Barreau commence à circuler à Montréal, adressée à l'administrateur général Sir John Michel. Loin d'excuser l'acte commis par Barreau, les signataires de la requête réclament pour le condamné le temps que seule la vie peut lui donner. Ce temps, espèrent-ils, lui permettra «d'expier son crime sur la terre» et, par le «remords et une bonne condition future, de se régénérer avant le moment terrible où il doit paraître devant son créateur».

Cette requête raviva le débat sur la peine de mort, mais ne fit rien pour Barreau. Le 14 novembre, trois jours avant l'exécution, la *Minerve* faisait état du dernier échec de Stanislas Barreau et d'une nouvelle intervention de George Étienne Cartier:

> Le secrétaire Seward a prié le représentant de l'Angleterre à Washington, Sir F. Bruce, de demander au gouvernement canadien un sursis à l'exécution du criminel Barreau, afin qu'on eût le temps d'examiner si la requête envoyée par le condamné au président Johnson avait des motifs sérieux. Le Conseil exécutif a délibéré sur cette demande, et l'honorable M. Cartier a envoyé au gouvernement américain une réponse soigneusement élaborée refusant d'accéder à cette demande. En conséquence, Barreau, pour qui l'échafaud achève d'être complété, sera pendu vendredi de cette semaine.

Devant quinze mille personnes rassemblées en face de la prison tôt le matin du 17 novembre, Barreau parut. Il avait refusé de porter le bonnet du condamné, mais il dut supporter la corde que le bourreau lui avait mise autour du cou avant de quitter la prison. C'est donc tenu en laisse qu'il vit le jour pour la dernière fois. Il était 10 heures et 16 minutes. L'air était doux et le fleuve calme. Ainsi qu'il l'avait demandé, il ne resta sur la trappe que quelques secondes. La foule ne tomba pas en prières, mais elle contempla pendant une heure le corps de Barreau suspendu sous la potence.

En guise d'éloge funèbre, les journaux évoquèrent la vie étrange de Barreau. Le *Herald*, citant des sources peut-être plus près de la légende que de la vérité, affirma:

> Son père et son oncle tenaient une auberge d'un mauvais renom entre Laprairie et Châteauguay. Plusieurs voyageurs disparurent mystérieusement, après avoir été vus une dernière fois à cette auberge. Mais comme c'était des hommes de *cage* (draveurs), on n'en faisait pas beaucoup de cas et leurs cadavres furent trouvés dans la suite dans

le fleuve. Le père de Barreau fut tué par son oncle, lorsqu'ils étaient à la chasse. On dit que c'était par accident. L'oncle fut poignardé à mort dans une querelle d'ivrognes et il y a deux de ses frères au pénitencier.

Le journal *Le Pays*, ajoutant au mystère, y alla d'une quasi-légende:

Nous avons souvent entendu parler de la bande des quarante brigands entre Laprairie et Châteauguay. Nous ne savons si l'auberge de Barreau était le rendez-vous de ces brigands. Cela expliquerait sans doute bien des mystères dans la vie de Barreau.

Sous la potence,
de curieux spectateurs...

L'affaire Stanislas Barreau ranima un feu jamais éteint, opposant les partisans de l'abolition de la peine de mort à ceux qui prônent depuis toujours le maintien de celle-ci. L'«effet salutaire» de l'exécution publique est mis en doute par le journal libéral *Le Pays*. Profitant de la suggestion de son confrère *L'Ordre*, réclamant le huis-clos des exécutions, auxquelles n'assisteraient que de rares et essentiels témoins, *Le Pays* du 23 novembre 1865 riposte, traçant l'un des premiers portraits du véritable public se déplaçant pour assister au pénible spectacle. Apparemment réaliste, ce portrait contraste avec celui, plus traditionnel, des parents entraînant leurs enfants pour les amener à réfléchir sur les avantages de pratiquer la vertu...

«Pour plusieurs raisons, nous demandons que la potence ne s'étale plus au grand jour, devant les regards de milliers de curieux qui vont lui demander, non pas un salutaire exemple, mais la satisfaction d'un barbare sentiment. D'abord, les propos obcènes, les remarques dégoûtantes, les hideuses plaisanteries qui naissent immanquablement au pied du gibet; les êtres dégradés qui vont chercher dans la foule des aventures; les infâmes métiers qui s'alimentent en face de la mort; les voleurs qui espèrent faire des victimes; les pères de famille qui perdent un temps précieux; — tout cela cessera, tout cela disparaîtra.

«Ensuite, si les exécutions ne se font plus en public, la prétendue utilité de la peine de mort recevra une blessure dangereuse. Du moment que le public ne sera plus appelé au spectacle dégradant du gibet, l'on ne pourra plus invoquer l'impression qu'il met dans l'âme des spectateurs, le *salutaire exemple* qu'il donne à la société. Nous admettons que de tous les arguments des partisans du châtiment capital, celui qui s'appuie sur la terreur qu'inspire l'échafaud est le plus précieux. L'expérience a démontré néanmoins sa faiblesse. L'observateur s'est convaincu que l'application de la peine de mort est une semence de crimes.

«Que cette barbare coutume disparaîtrait bientôt, si l'on connaissait mieux ce qui se passe chez les spectateurs pendant qu'un criminel agonise sous le genou de fer de la société! Il faut s'être mêlé aux groupes qui environnent l'échafaud, il faut avoir entendu leurs paroles de haine, leurs souhaits atroces, leurs infâmes jeux de mots, leurs inconvenants propos; il faut avoir saisi dans l'oeil de la populace l'impression de joie brutale qui s'y reflète; il faut, d'un autre côté, avoir contemplé la stupide indifférence d'un grand nombre de spectateurs, avoir vu ces femmes déclassées étaler leur impudence, ces filous exercer leur industrie; — il faut avoir vu et entendu tout cela pour apprécier la profonde immoralité du gibet. (...)

«Les exécutions cessant d'être publiques, tout le monde y gagnera. Et nous aurons alors tout lieu d'espérer la prochaine abolition de la peine de mort, cette suprême mutilation qui n'a plus raison d'être.»

Présidence du Juge Lafontaine.

—

Mercredi, 23 Janv. 1867.

Le prisonnier, le Révd. M. Babin, est appelé à la barre sous l'accusation du meurtre de sa sœur. M. T J. Walsh, de Montréal, représente la Couronne, et MM. Devlin et Parkins, de Montréal, sont assis au Banc de la défense.

La Cour est littéralement remplie d'une foule avide de voir le prisonnier et l'on remarque plusieurs dames.

M. Devlin trouvant que l'on entretenait de fortes préventions dans le district à l'égard de l'accusé croyait devoir demander le dessaisissement de la juridiction pour Montréal, mais il a depuis abandonné ce projet.

1865

LE PASTEUR IMPUNI
L'affaire Jeremiah Babin

Au mois de juillet 1866, le public canadien entend l'écho d'une invraisemblable histoire judiciaire mettant en scène un pasteur de l'Église d'Angleterre et sa soeur infirme. Un enchevêtrement de circonstances étranges et peu crédibles allait faire de Jeremiah Babin le plus coupable des innocents... ou la victime d'un imprévisible enchaînement de coïncidences que le public ne lui pardonnera pas.

L'affaire remontait au 25 juin précédent, alors que Benjamin Pinard, également appelé Minore par la presse anglophone, découvrait le corps d'une femme noyée. Pris entre des billots de bois, le corps n'avait pas descendu la petite chute de la Lièvre, à la hauteur de Buckingham. L'événement en lui-même offrait peu d'intérêt. Il ne manquait personne à Buckingham, et le fait que le corps de la femme ait été découvert à une quarantaine de mètres de la rive n'intrigua pas le coroner outre mesure. Ce dernier, G.W. Stacey, ordonna que le corps soit transporté sur la rive. Un examen rapide amena les personnes présentes à conclure à la mort accidentelle, par noyade, d'une femme inconnue. Stacey ordonna donc l'inhumation au cimetière catholique. Les ouvriers firent construire un cercueil et agirent conformément aux ordres du coroner, auquel ils remirent une note de frais, ce dernier s'étant engagé à les assumer.

Le même jour, une rumeur commença à circuler dans le petit village. Mary Ann Carson, qui avait été employée à la maison du pasteur anglican, se souvint tout à coup de l'existence d'une jeune infirme âgée d'environ 25 ans, Mary Aglaé

Babin. Ayant travaillé de novembre 1865 à juin 1866 au sein de la famille Babin, elle en savait suffisamment long pour échafauder une hypothèse qui, en moins de 24 heures, rencontra l'adhésion générale.

C'était au mois de janvier ou de février 1866. Un soir, entre 10 heures et 11 heures, on frappa à la porte du presbytère et Joseph Babin demanda à parler à son frère. Dehors, pendant ce temps, le charretier Baptiste Valiquette combattait le froid le mieux possible. Anxieuse, assise dans son fauteuil roulant, frissonnant après un voyage l'ayant conduite d'Ottawa à Buckingham en sept heures, Mary Aglaé Babin attendait que son frère lui ouvre sa porte. L'accueil fut plutôt froid: «Je t'ai dit de ne pas l'emmener! Je ne veux pas vous voir. Ni elle, ni toi!» Les deux hommes ayant parlementé, à la satisfaction de Joseph Babin, la jeune femme fut introduite dans la maison. Elle emportait toute sa richesse, c'est-à-dire un coffre de bois peint, sa chaise et sa couchette. Aussitôt, elle fut conduite dans une chambre de l'étage supérieur. Valiquette et Joseph Babin reprirent la route d'Ottawa après avoir été respectueusement salués par le pasteur, qui recommanda à son frère d'aller le plus loin possible avec son charretier afin qu'il n'ait plus le plaisir de lui voir le visage.

Pour Mary Aglaé Babin, les mois suivants furent ternes. Confinée à sa chambre, elle y mangeait toujours seule. Les plats qui lui étaient montés par Mary Ann Carson étaient les mêmes que ceux servis à la table du pasteur. Des conversations avec des visiteurs, la jeune femme en avait peu, la plupart de ceux qui se rendaient au presbytère ignorant son existence. De temps à autre, Madame Abbott, belle-mère de Jeremiah Babin, surmontait le préjugé commun et montait tricoter, coudre ou parler avec Mary Aglaé. Celle-ci, malgré des pieds difformes, parvenait à se mouvoir seule, à se mettre au lit sans aide et à faire sa toilette comme n'importe quelle personne autonome. Intelligente, s'exprimant clairement, elle devait sa solitude extrême aux proportions démesurées de sa tête.

Ni son frère ni la femme de celui-ci ne lui témoignaient le moindre intérêt.

Vers la mi-avril, le 12 plus exactement, Mary Ann Carson reçut de Madame Babin une requête banale qui ne souleva chez elle aucune méfiance. Désirant obtenir de l'élastique, elle chargeait la domestique de lui en procurer. En même temps, elle lui donna congé, de 19 heures jusqu'au lendemain matin. Mary Ann s'acquitta consciencieusement des corvées ordinaires jusqu'à l'heure de son départ. Elle servit le souper à la famille du pasteur et elle fit de même pour Mary Aglaé. Un peu avant sept heures, elle retourna à l'étage pour desservir la table de l'infirme, qu'elle trouva déchaussée et prête à se mettre au lit. En fait, elle vit la pauvre fille approcher sa chaise roulante de sa couchette et glisser de l'une à l'autre comme elle avait l'habitude de le faire.

Le lendemain matin, Mary Ann Carson, qui avait passé la nuit chez l'une de ses tantes habitant non loin de là, reprit ses fonctions. La première personne qu'elle rencontra fut la belle-soeur de l'infirme, qui lui annonça que cette dernière les avait quittés au cours de la soirée précédente. Dans la chambre, rien ne témoignait plus de la présence toute récente de Mary Aglaé Babin. Le coffre de bois peint était disparu, de même que les vêtements et les menus objets lui ayant appartenu. À compter de ce jour, dans la maison du pasteur, il ne fut plus question de l'infirme.

Le 19 ou le 20 avril 1866, les glaces cédèrent et suivirent le cours de l'eau. Le printemps s'annonçait agréable et le doux soleil avait accompli, à cette date, une oeuvre plus importante qu'il n'y paraissait à première vue.

Voilà en substance ce que Mary Ann Carson, ancienne élève de l'école du dimanche du pasteur Jeremiah Babin, raconta et que se répétèrent ceux et celles qu'intriguait la présence d'un corps découvert, non pas sur la berge, mais assez loin sur la rivière la Lièvre. L'anecdote parvint aux oreilles du coroner, dont l'intuition, jusqu'ici, n'avait pas été fulgurante. Le lendemain, les hommes qui s'étaient chargés de l'inhumation étaient requis de se tenir à la disposition du coroner, afin de procéder à l'exhumation du corps. Plusieurs témoins avaient été assignés sur les lieux. Parmi ceux-là, le pasteur, son ancienne employée et deux médecins. S'y trouvaient également de nombreux curieux. Sans trahir le moindre trouble, sans hésiter, Jeremiah Babin reconnut sa soeur. Mary Ann Carson, peut-être la seule personne étrangère à la famille

Babin à connaître l'existence et la présence de Mary Aglaé à Buckingham, n'hésita pas davantage.

Puis vinrent les explications...

Jeremiah Babin, âgé de 35 à 40 ans, raconta une histoire rocambolesque dont voici la substance. Au cours du mois de février, désireux de trouver à sa soeur une pension où elle puisse jouir des bontés de l'existence, il se rendit à Ottawa. S'arrêtant à l'hôtel Matthew, il s'ouvrit de son intention et, au moment où il s'y attendait le moins, un homme d'apparence louche s'adressa à lui en lui demandant s'il était bien ce pasteur de Buckingham à la recherche d'une maison de pension pour sa soeur malade. Bien servi par le destin, Babin s'identifia et une entente intervint immédiatement entre les deux hommes. Babin prétend, en racontant cette histoire, avoir été mû par un profond sentiment humain et n'avoir été guidé que par l'intérêt de sa soeur. Même si son interlocuteur semble avoir été éduqué sur le parvis d'une prison, Babin lui donne toute sa confiance. Visite-t-il la maison de pension avant d'engager les prochaines années de sa soeur? Il est imprécis à ce chapitre, laissant entendre, en tout cas, que tout semblait parfait.

La suite de l'histoire a lieu, effectivement, le 12 avril suivant. Jeremiah Babin ne va pas contredire Mary Ann Carson. Il est, au contraire, entièrement d'accord avec les faits qu'elle a portés à la connaissance du coroner. Ainsi, dans la soirée du 12 avril, en pleine noirceur, Moïse Ledoux, l'hôte de la mystérieuse maison de pension Ledoux, à Ottawa, frappe au presbytère, annonçant son intention de repartir illico pour la capitale. Son cheval est sans doute l'un des plus vigoureux dont l'histoire ait enregistré l'existence, puisque c'est une course d'au moins 14 heures que lui imposa l'improbable Moïse Ledoux. Quoi qu'il en soit, sur le pas de la porte, se règlent les derniers détails de l'affaire. En effet, à cet homme dont il ne pouvait distinguer les traits en raison de la clarté diffuse de la lune, il remit 50$ et le sort de sa soeur. Selon Jeremiah Babin encore, il faut croire que le filou, le «rufian» envoyé par le destin, entreprit immédiatement de mettre un terme aux jours de Mary Aglaé et de l'occire en plein Buckingham pour aller ensuite, en *sleigh* bien entendu, déposer le corps dans l'eau de la Lièvre. Ne craignant pas d'être vu à l'arrière de la maison du pasteur, Moïse Ledoux aurait fait preuve d'un esprit de déduction propre aux gens de son espèce en se dirigeant droit vers l'un des points de la rivière où le remous provoqué par les chutes empêchait la glace d'offrir une solide résistance.

Babin le charitable, Babin le probe, Babin le pur, heureux d'avoir confié sa soeur à un étranger, se replongea dans la vie quotidienne d'un pasteur diligent et offrit à ses ouailles l'image d'un homme heureux. Sa femme attendait un enfant, et, sa vie personnelle étant comblée, il en oublia complètement l'existence de Mary Aglaé. Pas une fois, il ne lui rendit visite à Ottawa. Il ne s'enquit pas davantage de sa santé, du moins d'après la version qu'il donna au coroner et au jury rassemblé pour prendre connaissance des faits.

Pour le coroner Stacey, rien n'est plus urgent que de mettre la main sur le meurtrier, en l'occurrence Moïse Ledoux. À cette fin, il émet donc un mandat d'amener au nom de Ledoux, puis il désigne le constable J.K. Johnson pour accompagner Babin à Ottawa, à la maison de pension. Stephen B. Pierce conduit les deux hommes à travers la capitale, d'où ils reviennent bredouilles. En route, à l'occasion d'un arrêt à Burbank's, Babin aurait toutefois demandé conseil à Johnson sur l'à-propos d'une confession aux autorités. De retour à Buckingham le 27, le pasteur s'adresse à son confrère de North Wakefield, le Révérend J. Scaman, auquel il révèle la précarité de sa position. Incapable de démontrer son innocence, ne disposant d'aucune preuve susceptible d'appuyer sa version des faits, et la pension Ledoux n'existant apparemment pas ailleurs que dans son imagination, Babin ne s'avoue pas battu. Il songe à sa défense et, de ce côté, il peut compter sur le support de l'évêque anglican de Québec, qui verra lui-même au choix de deux avocats talentueux, John Perkins et Charles Devlin.

Pendant que Babin, Johnson et Pierce exploraient Ottawa et particulièrement les quartiers ouvriers, les médecins appelés pour l'autopsie reportaient d'une journée l'exécution de leur tâche. Le 27, ils enduisirent le corps d'une solution destinée à raffermir les chairs et, le 28, ils étaient en mesure d'affirmer que la jeune infirme était vivante au moment où elle avait été immergée. Un élément devait frapper l'imagination générale: vêtue chaudement, la tête enfouie sous un châle noir, Mary Aglaé, que ses pieds faisaient souffrir, aurait quitté la maison de son frère sans ses bottes! D'une part, la malade, dont la tenue vestimentaire indiquait qu'elle s'était préparée à voyager, n'aurait pas envisagé un parcours de plusieurs dizaines de kilomètres sans chaussures et, d'autre part, ayant à coeur comme il prétendait l'avoir le bien-être de sa soeur, Jeremiah Babin n'aurait pas pu la laisser partir pieds nus.

Le procès pouvait maintenant venir. Le public était sur les dents! Il était à ce point monté contre le pasteur anglican que les avocats de la défense demandèrent qu'il ait lieu à Montréal, ce qui fut refusé. Le mercredi 23 janvier, à Aylmer, le procès débuta par la formation du jury. La défense récusa nombre d'aspirants jurés, qui s'étaient formé une opinion à propos de la culpabilité de l'accusé. T.J. Walsh, un jeune avocat montréalais, ex-associé de Thomas d'Arcy McGee, parla ensuite au nom de la Couronne, exposant les motifs ayant inspiré la mise en accusation du pasteur. Tout au long de ce discours aux jurés, comme d'ailleurs dans la plupart des exposés qui seront entendus au cours du procès, il sera fait peu d'allusions à la situation sociale de l'accusé, qui a d'ailleurs été remplacé dans l'exercice de ses fonctions, à Buckingham, par le Révérend Strong.

Après Walsh, dont les journaux salueront avec admiration la tolérance, la rectitude et la pondération des propos, Benjamin Pinard ou Minore est appelé. C'est à lui de décrire la découverte du corps, le transport de celui-ci sur la rive, l'inhumation, l'exhumation, etc. La défense intervient pendant le premier quart du témoignage de l'ouvrier afin de permettre à l'évêque anglican de Québec de parler. Ce témoignage, n'ayant que peu de rapports avec la cause proprement dite, est accepté sans discussion par le juge Aimé Lafontaine et sans opposition par l'avocat de la Couronne, même s'il constitue une entorse au déroulement habituel des travaux de la cour. Il est d'ailleurs à peu près certain qu'aucun témoin de la défense, s'il avait été ouvrier, agriculteur ou domestique, n'aurait eu droit à un traitement pareil. L'évêque James William Williams s'amène donc à la barre pour y évoquer un passé récent alors que, recteur «of the junior department» du collège Bishop, à Lennoxville, il a connu Jeremiah Babin. Ce dernier, n'ayant pas encore décroché ses diplômes, brillait déjà à cette époque, 1859, par une douceur de caractère, des moeurs irréprochables et une disponibilité exemplaire dans l'accomplissement de tâches ne relevant pas nécessairement de ses attributions d'aspirant pasteur. Ces qualités incitèrent l'évêque à recourir à Babin en plusieurs occasions et à lui confier enfin le poste de pasteur à Buckingham. En terminant, l'évêque appuya sur le fait que ce qu'il venait de déclarer plaidait suffisamment en faveur de Babin et indiquait le respect et la considération entourant ce dernier. Après quoi l'évêque rentra précipitamment à Québec. Il avait accompli un premier devoir.

Benjamin Pinard reprit ensuite sa place à la barre, puis le public, nombreux, assista à la relation des événements tels qu'apparus à la lumière du témoignage de Mary Ann Carson devant le coroner. On s'intéressa à la rupture des glaces sur la Lièvre, aux recherches inutiles menées dans l'espoir de retrouver Moïse Ledoux, et il fallut bien admettre qu'il s'était volatilisé et que seul Jeremiah Babin pouvait témoigner de son existence. Le jeudi 24, la Couronne ayant terminé la présentation de ses témoins, les avocats de la défense réclamèrent un ajournement d'une heure environ afin d'étudier le mode de défense qui allait être utilisé au profit de leur client. Contre toute attente, ils revinrent devant le tribunal en tentant de démontrer que la poursuite avait failli à sa tâche et qu'elle n'avait pas été en mesure d'illustrer le bien-fondé d'un procès et d'une accusation de meurtre envers Jeremiah Babin. Quelques soupçons par-ci, par-là, quelques rumeurs, le bris d'une voiture, des cris entendus par un témoin font-ils une preuve?

La Couronne riposta en posant ce qu'elle considérait être l'unique question à solutionner. Mary Aglaé Babin, handicapée comme elle l'était, n'avait pas pu, le 12 avril 1866, quitter seule la maison de son frère. Elle était vivante lorsqu'elle fut immergée. Qui donc l'avait plongée dans l'eau de la Lièvre sinon Jeremiah Babin, puisque à toutes fins utiles il était évident que Moïse Ledoux n'existait pas? Après avoir entendu les deux avocats, Devlin et Walsh, défendre leur point de vue, le juge Lafontaine demanda à la défense de faire entendre ses témoins. Le procès continuait.

À 14 heures 40, l'après-midi même, le juge Armstrong venait prendre place sur le banc, aux côtés de son confrère le juge Lafontaine. Les témoins de la défense allaient se faire entendre. La plupart d'entre eux, confrères du pasteur, s'évertuèrent à ressusciter le passé exempt de tache de l'accusé. On parla de son enfance et de sa vie de jeune adulte. Une quinzaine d'années plus tôt, sa mère était décédée et, quelques mois après, son père s'était remarié, quittant le Canada pour les États-Unis, laissant à son fils aîné, Jeremiah, la charge de ses jeunes frères et soeur. On affirma qu'il s'était toujours conduit en frère tendre et aimant, disposé à tout faire pour alléger le fardeau pesant sur les épaules de sa pauvre soeur. On se ressouvint, fort à propos, d'un récent projet du pasteur, qui s'était montré disposé à dépenser 100$ pour assurer la pension de sa soeur. Son frère Joseph et même Job, âgé de 17 ans, auraient été sollicités et invités à faire comme lui.

Ces témoignages, manifestement destinés à créer une impression favorable sur le jury, s'accompagnèrent d'une tentative destinée à donner au fameux Moïse Ledoux une apparence moins fantomatique. On y parvint en évoquant un échange de correspondance entre le pasteur et Stephen B. Pierce, qu'on avait vu aller à Ottawa en compagnie de Babin et du constable J.K. Johnson, au mois d'avril précédent. Cette correspondance lue au jury, ainsi que le témoignage de Pierce, donnèrent enfin à Ledoux le corps qui lui faisait si cruellement défaut. Essentiellement, Babin convainquit Pierce d'aller à la découverte de pièces à conviction, c'est-à-dire de partir à la recherche de fragments de lettres qu'il avait peut-être lancés aux quatre vents, peu après le départ de sa soeur. Comme il s'était engagé à le faire, Pierce, sa fille de quatre ou cinq ans, ainsi que le Révérend Strong et une jeune femme, collaborèrent à l'exploration des environs, où ils découvrirent enfin de petits morceaux de papier.

Sur ceux-là, que Pierce disposa artistement entre deux plaques de verre qu'il scella, il put lire les mots et les lettres suivants: «Ottawa, Avril 18», «her mons», «nous», «ace», «rrive», «est», «Ile», «a», «t» et «y». Ce charabia, malheureusement détruit dans l'incendie de la demeure de Pierce une semaine avant le procès, correspondait à une lettre reconstituée de mémoire par Babin dans un message adressé à Pierce le 20 août:

> I have been thinking a great deal about Ledoux's letter, and, as far as I can remember, it ran thus:
> *Cher Mons, — Nous sommes arrivee sans accident. Votre soeurs est en bonne sante, elle aime la place et est contante, nous terminons en vous faisant de nos amities.*
> *Votre tres humble et tres*
> *Devoue serviteur,*
> *Moise Ledoux*

Le jury, invité à délibérer le 26, allait montrer, par sa conclusion, à quel point ce document fictif l'avait rassuré. La charge du juge au jury n'était pas une invitation à l'analyse critique, et les journaux, dont l'*Ottawa Citizen* du 5 février, allaient sévèrement réagir au verdict de non-culpabilité et à la libération de Jeremiah Babin. Ce journal, traitant de l'adresse du juge, espérait que les générations futures puissent la citer et l'utiliser comme étant «the most incomplete and deficient charge ever made from a Canadian bench»!

En général, la presse canadienne n'accorda aucune valeur à ce jugement, allant jusqu'à mettre en doute l'intelligence des citoyens les jurés, qui s'étaient attachés à une fable plutôt qu'aux faits. La ronde des «si» amusa la presse, qui posa une dizaine de questions qui étaient autant de commentaires sur l'issue du procès, une attitude, il faut le dire, très exceptionnelle au Canada. Pourquoi Ledoux aurait-il commis son crime à Buckingham, demanda l'*Ottawa Citizen* du 29 janvier? Comment, si Mary Aglaé a été tuée en arrivant à Ottawa, son corps a-t-il pu remonter les chutes de la Lièvre et aller se coincer entre les billots de bois, tout près de la maison de Babin? L'*Ottawa Times* du lendemain, guère plus enclin à admettre l'innocence du pasteur, tenta d'illustrer l'iniquité du verdict. Le même journal demanda en outre au gouvernement d'agir logiquement en publiant au plus tôt une proclamation réclamant l'arrestation de Moïse Ledoux. Si Babin est innocent, Ledoux est coupable. Si la justice n'a pas erré, elle doit se hâter de rechercher le coupable et de venger la société. La *Gazette* de Montréal adopta le même point de vue, réclamant du gouvernement une action immédiate dans le but d'obtenir l'extradition de Ledoux, qui, d'après certains témoins, aurait trouvé refuge aux États-Unis. Le *Telegraph* de Montréal, affirmant qu'il n'existait aucune présomption d'innocence en faveur de Babin, prétendit qu'il était directement ou indirectement responsable de la mort de sa soeur et qu'à ce titre il avait à répondre de la sécurité de celle-ci devant la loi.

Le 4 février, l'*Ottawa Citizen* revenait à la charge en écrivant que «d'ici à ce qu'une preuve dans le sens contraire lui soit fournie, il devrait considérer le Révérend Jeremiah Babin comme moralement responsable de la mort de sa soeur, quoiqu'il ait été légalement acquitté».

Au cours des jours suivants, le feu animant la presse se calma, Jeremiah Babin ayant fait savoir qu'il poursuivrait en libelle diffamatoire ceux qui continueraient à mettre publiquement en doute son innocence.

Le point final fut inscrit au terme de cette histoire par le prélat de l'Église d'Angleterre, qui releva son ancien serviteur des titres et fonctions qui avaient été les siens pendant de courtes années. Ce geste fut le second et le dernier accompli par l'évêque de Québec dans le cadre de cette affaire. Il en disait long sur l'estime et la considération dont jouissait Jeremiah Babin parmi ses confrères et ses supérieurs, moins d'un an après le décès de sa soeur.

*   *   *

Au cours du mois de septembre suivant, lors de l'enquête menée pour trouver le coupable du meurtre commis sur la personne de Thomas d'Arcy McGee, parut Jean-Baptiste Lacroix. Témoin de la Couronne, il chargea plus que de raison l'accusé James Patrick Whelan. Le *Canadien* du 7 septembre, parlant de ce témoin vedette, écrivit:

> On rapporte que la défense va essayer de prouver que le témoin Lacroix n'est rien autre que Moyse Ledoux (sic) qu'on a présenté dans le procès de Babin, aux assises d'Aylmer, en 1867, comme ayant causé la mort d'Aglaé Babin, fille infirme que l'on a trouvée noyée.

On ne sait toujours pas si Moïse Ledoux a vraiment existé.

1888

LE MORT VIVANT
L'affaire Rémi
et Léda Lamontagne

Le terrible attentat commis au cours de la nuit du 18 au 19 juillet 1888 à Wolfestown, dans le district judiciaire de Saint-François, n'avait ni queue ni tête. Incroyable, invraisemblable et inimaginable! Pourquoi autant de violence? Pourquoi, vers 23 heures et demie, Napoléon Michel avait-il été victime d'une attaque sauvage? Un coup de feu l'avait atteint et la lame d'un rasoir lui avait tranché le larynx et le pharynx. Pourtant, le jeune homme, fortement constitué, devait survivre. Après de longues minutes au cours desquelles il avait sombré dans l'inconscience, d'interminables minutes qui avaient permis à son assaillant de le coucher sur une paillasse enflammée et de le recouvrir d'un second matelas également enflammé, Napoléon Michel s'était sauvé. Contre toute attente, il allait, péniblement, relater les faits et mettre en lumière une histoire de moeurs dont les détails scandaliseront. Incriminant sa femme et le frère de celle-ci, la victime indiquera à la rumeur publique la voie à suivre pour découvrir le seul mobile plausible de cette tentative de meurtre et d'incendiat. Vingt-neuf jours après l'événement, c'est à une double accusation de meurtre prémédité et d'incendiat qu'auront à répondre Léda et Rémi Lamontagne. Les racines du mal, telles qu'observées par parents, amis, voisins et connaissances de Rémi et Léda, longtemps avant le 18 juillet 1888, n'avaient pas encore été inscrites au rang des crimes. L'inceste allait y prendre place lors des travaux de la session d'automne 1890 des parlementaires canadiens.

Comment les relations particulières du frère et de la soeur avaient-elles débuté? Bien malin qui pourrait le dire, mais il est certain que l'extrême beauté, la blondeur et la fragilité de Léda avaient opéré sur Rémi. Elle devait avoir tout au plus 16 ans lorsque, approchant la trentaine, il commença à se comporter en amoureux avec sa soeur. Indubitablement, l'un et l'autre trouvaient plaisir à être ensemble, mais leurs gestes quotidiens n'ont pas immédiatement frappé l'imagination de leur entourage, ni éveillé, semble-t-il, la méfiance de leurs parents.

En 1887, alors que Rémi vient d'épouser une veuve, Philomène Sévigny, mère d'un enfant âgé d'une douzaine d'années, les langues se délient. L'attitude du frère et de la soeur frise alors la provocation. L'été a entraîné Rémi chez son père, qu'il aide dans l'accomplissement des travaux saisonniers. Les prétextes à leur solitude sont nombreux. Ils vont d'abord aux fraises, ils iront aux cerises et aux bleuets. Ils vont danser, fréquentent les hôtels, et on chuchote qu'ils ont passé la nuit ensemble chez Félix Garneau. À Coleraine, l'hôtelier Pierre Roberge et sa femme les accueillent pour une nuit alors qu'ils se rendent à Sherbrooke visiter l'exposition agricole. Léda et Rémi Lamontagne profiteront de ce séjour dans la «capitale» de la région pour visiter la prison du district. Lorsqu'ils sont avec d'autres, ils se réservent des instants qui leur permettent de poursuivre une relation de complicité et d'intimité. Léda tire son frère aux cartes et ce plaisir les retient dans des conversations à voix basse d'où sont exclus tous les autres.

Après son mariage, qui le force à quitter sa soeur, Rémi convainc sa femme d'engager Léda à titre d'aide domestique et de lui verser un salaire mensuel de trois dollars. Au terme d'un mois et quelques semaines, elle rendit son tablier, inspirée dans ce geste par sa belle-soeur, mécontente des services rendus. On raconta, à propos du séjour de Léda dans la nouvelle famille de son frère, qu'il provoqua la jalousie de Philomène et de nombreuses explosions de colère. La belle Léda, dans la splendeur de ses 17 ans, retourna donc chez son père, pendant que Rémi s'occupait à lui trouver un mari. La rumeur, toujours active à ces choses-là, s'appliqua à démontrer que Léda se trouvait déjà dans un «état intéressant» et que l'arrivée prochaine d'un héritier indésiré rendait urgente la découverte d'un jeune homme susceptible de consentir à camoufler la chose.

C'est ainsi que, le 13 février 1888, à Wolfestown ou Saint-Julien-de-Wolfe, on assista au double mariage unissant, d'un côté, Napoléon Michel et Léda Lamontagne, et, de l'autre, Démérise Allaire et Elzéar Laflamme. Les deux femmes avaient eu l'occasion de parler de l'événement destiné à transformer leur vie. Démérise se souviendrait longtemps de l'air désabusé et de l'absence d'enthousiasme de Léda, toutefois «bien contente de se marier» parce qu'elle était «obligée de le faire». Démérise, heureuse de contracter un mariage d'inclination, gardant la tête froide malgré ses perspectives personnelles de bonheur, consentit à mettre un peu d'ombre sur celui-ci en philosophant: «Comme de raison, c'est toujours un coup de dés!»

On prétendit que Rémi Lamontagne avait payé Napoléon pour qu'il marie sa soeur et que ce «don» permit au nouveau marié de devenir le propriétaire de la terre paternelle. L'acte de donation, assorti d'une rente viagère, détermina Isaac Michel à quitter le Canada pour aller s'établir à Biddeford, en Nouvelle-Angleterre. En revanche, Léda Lamontagne Michel allait trouver peu de plaisir à l'obligation de végéter sur une terre puisque, à l'image des jeunes de sa génération, c'est aux «États» qu'elle souhaite aller vivre.

L'étonnement des personnes amenées à fréquenter le couple Michel, après le mois de février 1888, naît de petites choses. Plusieurs ont été involontairement témoins des relations liant Rémi à Léda. Car le mariage ne les a pas éloignés. Si, le matin des noces, le frère et la soeur ont passé plus d'une demi-heure ensemble, seuls dans la chambre de Léda, il faut convenir que personne n'a vu quoi que ce soit. À la limite, le soulignera quelqu'un, ils auraient pu réciter le rosaire. Le lendemain du mariage, c'est Rémi encore qui trouve le moyen de passer quelque temps seul avec Léda, dans la chambre nuptiale. La femme de Rémi n'aurait pas apprécié cette évasion et aurait expédié Suzalie Houde dans la chambre pour inviter le mari inconséquent à rejoindre sa femme dans une autre pièce de la maison de Pierre Lamontagne, père.

La rumeur a voulu, longtemps avant le drame survenu dans la nuit du 18 au 19 juillet 1888, que Napoléon Michel se soit marié sans amour... On disait qu'il avait accepté, de la part de Rémi Lamontagne, juste assez d'argent pour se taire et pour «couvrir» les amours incestueuses du beau Rémi et de la soeur de celui-ci, la blonde Léda Lamontagne. Devant les faits révélés au procès, les mauvaises langues durent se taire et admettre que ni la victime ni son assaillant n'étaient assez riches ou fourbes pour consentir, d'un commun accord, à un pareil marché.

Le Progrès de l'Est, 10 octobre 1890

Les mois qui suivront fournissent d'autres détails. Au printemps, à l'époque des semailles, Rémi devient plus assidu encore, survenant parfois à l'improviste dans la vie de sa soeur et de son mari. D'un commun élan, Léda et Rémi réussissent à expédier le pauvre Napoléon aux quatre coins de la ferme pendant qu'eux-mêmes jouissent du plaisir d'être deux. À vrai dire, les observateurs sont les témoins de peu de chose. L'un les a vus s'étreindre autrement que ne le font ordinairement frères et soeurs. Un autre a observé plus d'une fois Rémi et Léda s'embrassant tendrement. Un matin, une femme a vu Léda se lever pour aller rejoindre son frère qui avait dormi dans une autre chambre. À l'aller, son corsage était déboutonné. Au retour, de longues minutes plus tard, il était pudiquement refermé. Une jeune fille, venue donner un coup de main à Léda, fut expédiée aux champs pour y «planter» de l'ail et des citrouilles, mais, à son retour, elle trouva Rémi étendu sur un lit, sa soeur Léda assise à ses côtés, les jambes hors du lit. Tous deux étaient habillés.

C'est de cela et de rien d'autre que s'était nourrie la rumeur.

Dans la réalité, il en était autrement puisque Napoléon Michel semblait tout ignorer des relations de sa femme et de Rémi Lamontagne, du moins jusqu'à ce que ses soeurs, d'autres parents et des voisins lui mettent la puce à l'oreille. Michel pouvait d'ailleurs témoigner d'un fait que les étrangers ignoraient: sa femme n'était pas enceinte au moment de leur mariage. Par ailleurs, il était troublé par l'assiduité de son beau-frère, et les racontars avaient fini par l'assombrir et le rendre jaloux. Cette jalousie et un vent d'insatisfaction éloignèrent Léda de Napoléon. Assoiffée de liberté, elle fit savoir crûment qu'elle était déterminée à agir selon son inclination et à ne pas s'en laisser imposer. Déçue par la vie à Saint-Julien-de-Wolfe, elle parlait déjà, en juin 1888, de l'envie qu'elle avait de quitter ce coin de pays pour aller vivre au-delà des frontières. Se sachant liée par le contrat de donation intervenu entre son mari et Isaac Michel, elle avoua candidement être capable de partir sans lui, s'il tenait à respecter ses engagements... Au début de juillet, Léda et Rémi auraient réussi à «aller aux fraises» sans le pauvre Napoléon, qui alla ronger son frein chez les Gosselin avant d'aller piquer un somme dans le foin! Ce jour-là, pourtant, Léda et Rémi se conduisirent ainsi que l'exigeaient les bonnes manières et la morale, entourés d'autres excursionnistes qui pourraient un jour en témoigner.

Les choses en étaient là dans la soirée du 18 juillet 1888. Léda et son mari, qui attendaient la livraison d'une faucheuse, dormaient. Selon elle, tous les deux s'étaient couchés «en travers du lit», habillés et chaussés. Selon lui, ils n'étaient tous deux vêtus que d'une chemise de nuit et ils étaient nu-pieds. À 11 heures et demie, ils sont éveillés par des coups frappés à la porte. Napoléon se lève:

> Rémi Lamontagne est venu chez moi. Il était seul. Il avait laissé son cheval au chemin; mais je n'ai pas vu sa

voiture, c'est lui qui me l'a dit. J'étais couché avec ma femme. Rémi est arrivé et a demandé la porte, c'est moi qui lui ai ouvert la porte. Il m'a donné la main, et il m'a demandé si mon chien, qui était dans la maison, était mauvais. Ensuite, il m'a demandé si mon père était arrivé des États. Je lui ai répondu qu'il n'était pas arrivé; mais que j'avais eu une lettre et que dans sa lettre il me disait qu'il avait vu son frère Pierre.

Rémi avait apporté une bouteille de whisky et nous en avons pris deux ou trois coups. Ma femme s'est levée en même temps que moi lorsque je suis allé ouvrir la porte. Je me suis habillé, c'est-à-dire que j'ai mis mes pantalons et mes chaussons après que Rémi fut entré. Ma femme a mis sa robe, mais je ne me rappelle pas si elle s'est chaussée. Nous nous sommes assis tous ensemble pour causer dans la cuisine.

J'avais allumé une lampe. Rémi a demandé à ma femme si elle voulait tirer aux cartes pour lui, pour voir s'il aurait de la peine. Ma femme l'a tiré aux cartes et elle lui a dit qu'il n'aurait pas de peine. Après cela, nous avons pris un autre coup. Rémi est ensuite sorti. (...) Il a été quelques minutes dehors. Lorsque je l'ai entendu revenir, je suis allé ouvrir la porte. Rémi a fait un pas ou deux en entrant, et je me trouvais à ses côtés, il me semble, et j'ai entendu une détonation d'arme à feu et je me suis senti frappé derrière l'oreille. Ma femme était alors dans la cuisine. Je me rappelle m'être sauvé dehors en allant vers mon champ. Avant de sortir, cependant, j'ai entendu deux autres coups dans la maison. En sortant, je cherchais à me sauver en courant. À une vingtaine de pieds de la maison, je suis tombé et je me suis senti saisi à la gorge et étouffé. J'ai alors perdu connaissance. La première chose que je me rappelle ensuite, j'étais étendu sur le plancher de la cuisine dans ma maison. Peu d'instants après, j'ai senti le feu à la paillasse qui était sur moi. Je me suis tiré de dessous la paillasse, et levé debout. Il n'y avait pas d'autre feu dans la cuisine à ma connaissance. J'ai enfoncé le châssis d'une chambre et je suis sorti dehors. Avant de sortir, je n'ai pas vu personne dans la

Contrairement à toutes les prévisions, Napoléon Michel, blessé et brûlé à la mi-juillet 1888, vivote pendant près d'un mois avant de mourir, le 16 août. Il a eu le temps de désigner Rémi Lamontagne comme étant son assassin, tâche que la rumeur avait eu le temps d'accomplir dès le lendemain de l'assaut. Rémi Lamontagne, accusé par le mort-vivant, n'avait qu'une chance d'échapper au châtiment: s'enfuir aux États-Unis. Il ne l'a pas fait, volontairement, préférant rester caché dans les bois des Cantons de l'Est. Le fait qu'il se soit volontairement livré à la Justice a été interprété, par ses amis et parents, de même que par certaines personnes ayant suivi l'affaire, comme un élément plaidant en faveur de son innocence.

Le Progrès de l'Est, 10 octobre 1890

maison. Rendu dehors, je me suis en allé chez mon beau-frère Arcade Boucher à travers les champs et le bois, la distance d'environ un demi-mille. Arrivé chez Boucher, je me suis couché.

Malgré ses blessures et brûlures, Napoléon Michel a donc survécu. Celui qui aurait dû mourir en emportant le secret du crime dont il avait été la victime s'était relevé pour désigner son assassin. Des indices notés ultérieurement dans d'autres versions du drame feront jouer à Léda le rôle de complice. Mais à une heure du matin, le 19 juillet 1888, ceux qui seront désignés comme témoins principaux du drame ignorent que leur victime (si, bien entendu, ils sont les assaillants) est encore vivante.

C'est ainsi que Léda, effrayée par le bruit des coups de feu, s'enfuit à toute vitesse, trouve refuge chez les premiers voisins, auxquels elle raconte le drame, dont elle donne une version différente. Elle n'aurait pas vu l'assaillant, ne se serait levée que pour fuir tout en ayant eu connaissance de l'horrible sort de son mari, qu'elle évoque brûlant dans les flammes. On s'interroge sur un simple détail, premier d'une longue série d'omissions ou de mensonges. Si elle s'est levée aussi brusquement qu'elle le prétend, comment peut-elle avoir pris le temps de revêtir une robe en lainage et de lacer ses bottines? C'est chez les Gosselin, qui semblent l'accueillir généreusement, que débute la série des questions pièges. C'est là qu'elle se trouve lorsqu'on lui apprend que son mari, blessé mais toujours vivant, a trouvé refuge chez Arcade Boucher.

Selon les témoins, elle s'empresse d'aller le rejoindre. Sollicitude? On prétendra que non. En effet, la seule préoccupation visible de Léda sera de savoir si le blessé peut, oui ou non, parler, et, d'ailleurs, elle ne se rend pas immédiatement à son chevet. La nuit même, il donne sa première version des faits. Elle variera peu au cours des jours qui lui restent à vivre, et, s'il n'incrimine pas vraiment sa femme, il ne tente pas non plus de diminuer sa responsabilité.

Ma femme ne vint me voir que le lendemain matin. Elle s'informa de mon état, et me demanda si je pensais que Rémi serait pris.

Depuis ce jour-là, elle ne m'a plus parlé de lui.

Lamontagne venait souvent chez moi depuis mon mariage. Ma femme paraissait l'aimer beaucoup, et j'ai parfois soupçonné la légitimité de sa conduite avec son frère, mais j'avoue n'avoir rien vu de mes yeux qui pût confirmer mes appréhensions. (...)

Ils paraissaient très intimes et parlaient souvent à voix basse, à tel point qu'il m'arrivait parfois de fortes présomptions qu'elle aimait Rémi plus que moi. (...)

Je n'aimais pas à voir Rémi; je le craignais.

Je nie sur mon âme que Rémi m'ait donné de l'argent pour m'empêcher de déclarer ses relations illégitimes avec ma femme. Ce sont là des histoires à sensation.

Il a fallu presque une semaine pour que les habitants de tout le Québec prennent connaissance de ce crime destiné, dirent pudiquement les journaux, à en cacher un autre. Le 24 juillet, Léda Lamontagne Michel, qui vivait encore chez Arcade Boucher et qui assistait, silencieuse, à la lente agonie de son mari, était placée sous la surveillance du connétable. Le même jour, le détective sherbrooquois Hiram Moe et quelques collègues étaient dépêchés à Wolfestown car, malgré des nouvelles optimistes, on savait que Napoléon Michel, incapable de s'alimenter, ne survivrait pas à ses blessures et il devenait urgent de mettre la main sur Rémi Lamontagne, caché depuis le moment où on lui avait annoncé que son beau-frère était en vie. Les journaux, à l'unisson, reprochaient à l'appareil judiciaire son indifférence à l'égard des grands criminels et elle en donnait pour preuve l'exemple remarquable de Rémi Lamontagne et de Donald Morrison, le cow-boy de Mégantic. Ces deux hommes, issus du même district judiciaire, pouvaient donc défier impunément la loi? demandait-on. Et en vertu de quel privilège ne procédait-on pas à leur arrestation? L'éloignement des grands centres justifiait-il à lui seul ces soi-disant exceptions? Fallait-il mettre en cause la compétence des enquêteurs et leur zèle?

Hiram Moe, Zéphirin Boisvert et Louis Read firent l'impossible pour retrouver Lamontagne. Évanoui dans la nature avec quelques boîtes de conserve contenant de la chair de homard, il demeurait insaisissable. Prostrée, Léda était en état de choc. Elle soignait son mari et elle fut témoin de la plupart des dépositions assermentées que ce dernier donna en rapport avec l'attentat. Les 27 et 28 juillet, bien qu'elle ait enfin cessé de répondre aux questions des curieux et de se contredire elle-même, elle consentit à rencontrer les juges de paix A.-O. Bergeron et William Parsons. Sa version des faits est en tout point calquée sur celle de son mari. Le visiteur de la nuit était bien Rémi Lamontagne; cependant, elle n'était plus là lorsque cet homme ou une autre personne a tiré sur son mari et mis le feu. Léda n'explique pas comment il se fait que deux malles, la sienne et celle de Napoléon, aient été sauvées des flammes. Aux yeux de chacun, les malles auraient servi à la jeune femme et à son frère, qui seraient allés vivre ensemble aux États-Unis, si... Napoléon avait eu la bonne idée de mourir.

Le 30 juillet, Léda était arrêtée et conduite à Sherbrooke pour y subir son procès sous l'accusation de complicité dans la tentative de meurtre sur la personne de Napoléon Michel. Au cours du mois suivant, épuisé par la souffrance et l'inanition, le blessé mourait. L'enquête du coroner et l'autopsie n'apprirent rien de neuf, mais ils permirent d'enregistrer officiellement les premières dépositions des témoins. Ceux-là, qui n'avaient pas assisté au crime, purent relater les faits qui servirent à échafauder la thèse du mobile: l'inceste.

La santé de Léda, détenue dans la prison de Sherbrooke, se détériore. L'humidité notoire des vieux murs de pierre aura aussi un effet néfaste sur la santé de Donald Morrison, lorsqu'il sera pris, et on craint pour l'enfant que porte la prisonnière. Pour cette raison, son avocat, L.-E. Panneton, demande la libération de sa cliente. Cette requête est rejetée le samedi 25 août, mais, au cours de la première semaine de septembre, on accorde une compagne à Léda, qui ne sera plus seule dans sa cellule.

Le 1er octobre, s'ouvre, à Sherbrooke, la session d'automne des assises criminelles du district judiciaire de Saint-François. Le juge Coram Brooks procède à l'assermentation des grands jurés, auxquels il décrit ensuite l'importance du rôle particulièrement important qui leur est dévolu. Si la morale était jusqu'ici intacte à travers toute la région, voilà que l'horreur de grands crimes soulève l'opinion publique! Au cours de la même journée, le magistrat répond favorablement à la requête de la défense, qui sollicite la formation d'un jury bilingue pour juger Léda Lamontagne, dont le procès débute le vendredi 5 octobre et prend fin le mardi suivant, 9 octobre 1888. Pour leur cliente maintenant accusée de complicité dans le meurtre de son mari, les avocats de la défense, L.-E. Panneton et F.-X. Lemieux, utilisent toutes les ressources de leur proverbiale éloquence. Le juge Brooks, quant à lui, réaffirme, dans cette cause, sa préoccupation de mettre en lumière des faits plutôt que des présomptions. Parlant de la singularité des relations de Léda et de son frère, il souligne le fait que rien, jamais, n'a prouvé qu'elles aient été criminelles. Parlant du crime lui-même, il rappelle aux jurés que la présence de Léda sur les lieux à ce moment n'en fait pas forcément une complice et que ses déclarations contradictoires s'expliquent par son désir de ne pas accuser son frère et par l'état psychologique dans lequel elle se trouve. À 21 heures, le 9 octobre, après des délibérations ayant duré deux heures, le jury rendait un verdict d'acquittement en faveur de Léda, qui, le même soir, s'embarquait à bord d'un train du Quebec Central, à destination de Wolfestown.

Pendant ce temps, Rémi Lamontagne, malgré l'émission de deux mandats d'arrestation en bonne et due forme, se perdait dans la nature. À cette époque, tous ignoraient qu'il se terrait dans une grange appartenant à son beau-frère, Jean ou James Grimard, en attendant que sa soeur soit «clairée» pour se rendre. Un événement sans doute consécutif au blâme lancé par le juge Brooks à l'endroit des autorités policières allait précipiter les choses. En effet, le 23 octobre, une proclamation sollicitant l'aide du public était publiée, offrant une récompense de «mille piastres» à «quiconque arrêtera ou fera arrêter ledit Rémi Lamontagne et le fera livrer aux mains de la justice».

Quatre jours plus tard, voyageant de nuit afin de ne pas être reconnu, Rémi Lamontagne, accompagné de son beau-frère, arrivait à Sherbrooke et se rendait chez le coroner A.G. Woodward. Ce dernier expédie immédiatement son visiteur en prison, où Hiram Moe exécute enfin le mandat qu'il détenait contre lui! Les journaux annoncent au public alléché par cette perspective que le procès du présumé criminel aura lieu au début du mois de mars 1889.

Les choses n'iront pas si rondement! D'abord, récemment acquittée, Léda s'en va aux États-Unis. La nouvelle de ce départ, interprété par certains comme une fuite, est annoncée vers la mi-novembre, et, à cette époque, on ne sait pas encore que l'absence de ce témoin va provoquer d'interminables retards dans l'audition de la cause de Rémi Lamontagne. Le 1er mars, comme prévu, l'accusé est amené en cour, où il plaide non coupable à l'accusation de meurtre prémédité portée contre lui. À l'appel des témoins, Léda fait défaut. La cause est reportée au lendemain, où elle est encore une fois appelée. L'absence de la soeur est un fait notoire et chacun sait qu'à cette date elle vit encore aux environs de Boston, où, sous un nom d'emprunt, elle a donné naissance à une fille. Le juge Coram Brooks reporte donc l'audition de la cause au mois d'octobre suivant.

À ce moment-là, les affaires policières du district de Saint-François semblent avoir subi de sensibles améliorations puisque le populaire Donald Morrison, enfin écroué, comparaît devant le tribunal, enchaîné à Rémi Lamontagne. Une certaine similitude entre les deux criminels n'échappe pas aux journalistes, et le *Progrès de l'Est* se charge d'en souligner quelques points:

> Tous deux se sont soustraits aux poursuites dirigées contre eux; l'un s'est rendu après un certain temps, l'autre a été capturé dans les circonstances que l'on sait. Tous deux ont à répondre aujourd'hui aux accusations terribles qui pèsent sur eux. Tous deux sont accusés de meurtre et d'incendie. (...)

> Ils ont à peine trente ans et ruiné tous leurs espoirs d'une vie heureuse et simple.

Pendant que Morrison subit son procès, Lamontagne est à nouveau conduit en cellule. La cour n'entend pas aller de l'avant en l'absence de Léda; c'est pourquoi le juge Jonathan Saxton Campbell Wurtele, qui occupe le banc des magistrats en compagnie de son confrère Edward Towle Brooks, reporte l'audition de la cause au mois de janvier suivant. Le 11 octobre, le verdict rendu dans l'affaire Morrison, reconnu coupable mais recommandé à la clémence du tribunal, fait espérer à Rémi Lamontagne la mansuétude du tribunal. Son compagnon d'infortune ne vient-il pas d'être condamné aux travaux forcés?

Mais, en janvier, Léda est toujours absente et le tribunal est témoin des interrogations de l'avocat de la Couronne, L.-C. Bélanger, qui se demande dans quelle mesure il n'y a pas entente entre le frère et la soeur pour faire traîner les procédures en longueur. La défense s'oppose à cette insinuation et produit des déclarations assermentées indiquant au contraire que Léda s'est enfuie après qu'un homme masqué eut proféré des menaces à son endroit et que depuis, craignant pour sa vie, elle n'avait communiqué avec personne! Ayant essuyé un nouveau refus à l'admission de leur client à une demande de cautionnement, les avocats de Lamontagne, L.-E. Panneton et F.-X. Lemieux, allaient en appel devant la Cour du Banc de la Reine, à Montréal. Le 15, la requête était rejetée par le juge en chef Antoine-Aimé Dorion.

Le 4 mars 1890, jour prévu pour la comparution de Lamontagne, Léda fait toujours défaut et le juge Wurtele maintient la décision de confiner l'accusé à la prison, où, semble-t-il, sa femme est venue le rejoindre: «C'est une chose laissée à la discrétion du tribunal, d'admettre le prisonnier à caution dans les cas ordinaires, mais le cas actuel, rappela le magistrat, n'est pas un cas ordinaire, et d'après la preuve que je trouve au dossier, si j'étais à la place du prisonnier, aucune somme d'argent ne serait de nature à me faire comparaître devant la cour, lorsque j'y serais appelé pour subir mon procès.»

Et le *Progrès de l'Est* de commenter:

Le prisonnier a paru tressaillir, pendant les remarques du savant juge, et il est reparti pour la prison accompagné par son épouse, dans un état d'esprit peu rassurant pour lui.

Au mois de juin, nouvel ajournement, mais, cette fois, les perspectives ne sont plus les mêmes puisque, au cours de la dernière session du Parlement fédéral, un amendement pourvoyant à l'examen de témoins absents du Canada rendait possible l'envoi de commissaires chargés d'interroger Léda Lamontagne en territoire américain. Le dimanche 13 juillet, après avoir été longuement recherchée, Léda Lamontagne était arrêtée et conduite à la prison de la rue Charles, à Boston. Les interrogatoires qu'on lui fait subir sont inutiles. Elle a choisi de ne pas s'incriminer ni incriminer son frère, car elle n'ignore pas que des procédures en extradition ont été entreprises et que les documents analysés par les fonctionnaires américains parlent d'une accusation d'incendiat qui serait portée contre elle dès son retour au Canada. Le 30 juillet 1890, le juge Nelson, magistrat bostonnais, accorde l'extradition demandée, mais cette décision doit être ensuite soumise à l'examen du président des États-Unis.

À l'ouverture des assises d'automne, le 1er octobre, Léda et Rémi Lamontagne étaient présents. Systématiquement, la jeune femme, dont la blonde chevelure est devenue noire grâce à la magie de la teinture, ne répond à aucune question. Deux années ont passé depuis le crime de Wolfestown et les comptes rendus des journaux se ressentent de cet éloignement dans le temps. Moins passionnés, plus posés, les journalistes s'intéressent autant à l'aspect technique des procédures judiciaires qu'à la foule, dans laquelle a pris place l'homme fort Louis Cyr, ou au physique de l'accusé. Ce dernier est un «joli grand jeune homme d'environ 5 pieds et 9 pouces, au teint blond, figure arrondie, teint délicat, nez légèrement aquilin, moustache blonde, de bonne apparence et produisant une impression favorable. On serait loin de le prendre pour un meurtrier. Il est proprement vêtu et tout annonce chez lui un homme de bonnes manières et d'une certaine éducation. Il ne semble guère préoccupé du sort terrible qui l'attend à l'issue de ce procès célèbre.»

Car, il faut le dire, Lamontagne est d'ores et déjà condamné par le public, qui, en deux ans, a eu l'occasion de faire et de refaire son procès:

Parmi la foule, raconte le journaliste du *Progrès de l'Est*, on discute les chances de salut de l'accusé. Au ton tranchant avec lequel des journaliers décident des points de droit, on dirait vraiment que ce sont des jurisconsultes.

Devant un jury entièrement bilingue, les témoins viennent redire ce qu'ils savent de l'affaire. Tout a été dit lors du procès de Léda, au mois d'octobre 1888, mais, à la déclaration de Napoléon Michel, accusant nommément Rémi Lamontagne, viendra se greffer un témoignage, presque un aveu de l'accusé. Pendant qu'il était caché, fuyant la police, Rémi Lamontagne, terré dans une grange puis dans une autre, aurait conversé avec Gédéon Brisson et tenu des propos compromettants pour lui. Le problème est que Brisson conversa avec l'invisible, Lamontagne refusant de se laisser voir. À cette époque, les détectives ratissaient la région, et, la défense le souligna, cette conversation pouvait bien avoir fait partie d'une stratégie adoptée par l'un d'entre eux pour faire dire à Brisson ce qu'il savait.

Le samedi 11 octobre, après un procès qui a duré 10 jours, le jury est invité à délibérer par le juge Wurtele, qui s'est donné la tâche de relire les principaux témoignages et particulièrement celui de la victime. Après cinq minutes, les 12 hommes reviennent prendre leur place, et leur président répond «coupable» lorsqu'on lui demande quel est le verdict auquel ils en sont venus. Des larmes inondent plusieurs visages, et Stevens, le crieur, pleure «à grosses larmes» lorsqu'il prononce le simple «Dieu sauve la Reine!» Au juge Wurtele, qui lui demande s'il a une déclaration à faire, Lamontagne répond qu'il n'est pas coupable de ce crime. Ensuite, le juge lui conseille de se préparer à mourir bientôt, car le jour désigné pour son exécution est le vendredi 19 décembre 1890.

Peu après, Léda Lamontagne était appelée à la barre des accusés et condamnée à une amende de 250$ ainsi qu'à une année de prison pour mépris de cour. Le 14 octobre suivant, son procès pour incendiat était fixé au mois de mars 1891.

*   *   *

Les 13 et 14 octobre 1890 virent comparaître devant le tribunal William Wallace Blanchard, accusé d'avoir assassiné Charles A. Calkins, au mois de novembre 1889. Manifestement indifférent à son sort, Blanchard inspire la pitié des jurés, qui, tout en le reconnaissant coupable du meurtre commis au cours d'une beuverie, le recommandent à la clémence du tribunal. Blanchard est moins chanceux que le fameux Donald Morrison, puisque le juge Brooks le condamne à mourir le 12 décembre suivant, soit une semaine avant Rémi Lamontagne.

Pendant que Blanchard se résigne à son sort, se convertit à la religion catholique, fait sa première communion avant d'être confirmé par l'évêque de Sherbrooke, Mgr Antoine Racine, la veille de sa mort, Lamontagne, lui, rêve à une hypothétique commutation. Elle lui sera refusée en même temps que celle réclamée pour Blanchard par le juge Brooks. La terreur s'empare de lui le 11 décembre, alors qu'il assiste à la messe du condamné dite pour le repos de l'âme de Blanchard. Celui-ci, animé, dit-on, de «la foi la plus vive et la résignation la plus complète à la volonté de Dieu», s'est dirigé vers son compagnon d'infortune en l'invitant à venir le rejoindre le plus tôt possible, puisque c'est dans cette direction qu'il allait! À 9 heures le lendemain matin, Rémi et Léda purent assister à l'exécution du jeune homme, qui remercia tout le monde avant d'être plongé dans une lente agonie due à la malhabileté du bourreau John R.R. Radcliffe.

Le même jour, les journaux rendaient publique la lettre que l'abbé Paul Côté, curé de Saint-Julien-de-Wolfestown, avait reçue le 5 décembre précédent. Rémi Lamontagne ne devait jamais savoir que quelqu'un, quelque part, avait voulu lui sauver la vie en provoquant une nouvelle enquête:

> Mon Revd Prête je vous declare que ses mois qui est le mettrier de Napoleon Michelle que j'ai assasiner le 18 de juillette au soir 1888 voila mon portrais et je voudrais pas que parsonne serai condenné pour moi faite parvenir cette laitre aux seautorité de laloi.

Le 18 décembre, Sherbrooke, malgré le froid et la perspective d'une tempête, grouillait de curieux:

> Le bureau du shérif a été assiégé toute la journée hier par les solliciteurs de permis, anxieux de se procurer un billet d'admission à l'exécution du malheureux Lamontagne. Un grand nombre s'en sont retournés fort désappointés, car le député-shérif, en l'absence du shérif, se trouve être le dispensateur de ces lugubres faveurs, en a beaucoup plus refusées qu'il en a accordées. La campagne surtout a fourni un contingent considérable de demandes qui sont cependant presque toutes arrivées trop tard, la ville s'étant présentée la première a été servie d'abord.

L'atmosphère de la prison, en ce 18 décembre, était des plus lugubres. Radcliffe était revenu avec son cortège d'horreurs. La potence faisait l'objet de vérifications finales et le dernier clou avait été assujetti au cercueil que Lamontagne pourrait voir le lendemain matin. Signant les permis d'assister à l'horrible spectacle, le shérif W.H. Webb s'était affaissé, cessant de vivre devant les curieux surpris d'être si tôt servis.

Le lendemain, pendant l'une des plus violentes tempêtes de la saison, Rémi Lamontagne montait sur l'échafaud.

Jamais il n'avait avoué. Seule marque de sa résignation, cette phrase que la foule, superstitieuse, lia au décès subit du shérif: «Dans quelques heures, je vais partir pour mon grand voyage. Je suis prêt. Nous n'avons qu'une mort à mourir, et chacun est condamné; seulement, moi, je connais l'heure de la mienne, tandis que les autres ne savent pas quand elle sonnera pour eux. Il y a des gens en bonne santé maintenant qui peuvent mourir même avant moi, cette nuit peut-être. Puisque c'est la volonté de Dieu que je meure demain, que sa volonté soit faite.»

Léda Lamontagne alias Marie Bélanger

Entre 1888 et 1891, pour Léda Lamontagne, beaucoup de choses avaient changé. Entre la jeune beauté mariée en février 1888 et la jeune femme de 21 ans qui comparut devant un jury trois ans plus tard, il n'y avait pas de comparaison possible. La première avait paru écervelée, inconséquente. La seconde, marquée par une incroyable succession de drames personnels, faisait pitié. Séduite par son frère aîné alors qu'elle entrait dans l'adolescence, elle s'était apparemment laissé conduire par ce sentiment. Le crime commis dans la nuit du 18 juillet 1888 a pu être perpétré à son insu, mais il plaça Léda Lamontagne dans une situation difficile. Devait-elle se disculper en inculpant son frère? Elle choisit, malgré son extrême jeunesse et l'absence de conseils juridiques, la voix du silence, la seule qui fût susceptible de la laisser en paix avec sa conscience.

À la veille de l'exécution de son frère, elle eut avec lui un entretien privé au cours duquel celui-ci lui demanda de rédiger quelques lettres à l'intention de ses proches. Secouée par les sanglots, Léda fut incapable de le faire. Quelques heures plus tard, elle put, de la cellule où on la gardait en attendant son procès, entendre le bruit de l'horrible trappe actionnée par Radcliffe. Elle n'était pas au bout de ses peines, et la plus insondable de toutes les souffrances qui la minaient était liée à sa vie personnelle, dont le public ne connaissait encore rien. Son vieux père, Pierre Lamontagne, qui s'était ruiné pour assurer la défense de ses enfants, avait réclamé, en mars 1891, le corps de son fils, inhumé dans le charnier de la cathédrale de Sherbrooke, pour le faire transporter à Saint-Julien-de-Wolfestown. James Grimard, le beau-frère de Léda, avait été arrêté à la suite d'une enquête qui avait confirmé le fait que Rémi Lamontagne et Grimard s'étaient entendus pour que la récompense de 1 000$ soit versée à ce dernier et qu'une partie soit utilisée pour la défense de Rémi.

Le procès d'octobre 1891 leva le voile sur des événements de caractère intime ayant marqué l'exode de Léda Lamontagne aux États-Unis. Partie à la fin d'octobre 1888, elle bénéficia du support de son frère Pierre, qui la conduisit à Newton, dans le New Hampshire. Cachée sous le nom de Marie Bélanger, elle reçut l'hospitalité d'Émilie Robert, femme de Calixte Pilon, qui négocia quelques mois de pension en échange de... l'enfant que portait la blonde jeune fille. Née le 12 janvier 1889, l'enfant reçut le prénom de Marie-Éda. On inscrivit aux registres de l'état civil le nom fictif des parents du bébé: Napoléon Bélanger et Marie Lamontagne. La naissance de Marie-Éda à cette date était de nature à atténuer la portée de la rumeur qui prétendait que Léda était enceinte lors de son mariage.

Le malheur avait voulu que la maison où Léda avait trouvé refuge soit tenue par une femme qui faisait le commerce de l'alcool frelaté. Elmina Robert, mère adoptive de Marie-Éda, avait appris lors d'un premier mariage avec Amable Philippe, devenu Philip Marble pour les Américains, qu'il fallait se débrouiller dans l'existence et ne pas se laisser contraindre par les principes. C'est dans cette disposition d'esprit qu'Elmina ouvrit sa porte à Joseph Coupal, un homme qui prétendait fuir les persécutions d'une femme jalouse et possessive. Dans la même maison, où vagissait la petite Marie-Éda, se mourait le fils d'Elmina, marié à Albina Houle... Celle-ci, une jeune ivrogne que la perspective d'un prochain veuvage rendait joyeuse, connut «intimement» Coupal. Ce dernier — qui l'eût cru? — était en réalité un détective montréalais lancé sur la piste de Léda, qu'il espionnait à loisir tout en préservant ses petits plaisirs.

Pauvre Léda! Elle n'eut pas l'intuition du piège que tissait pour elle Albina Houle, rendue furieuse à la suite d'une beuverie dont Léda avait fourni tous les détails à Elmina. Albina découvrit que Léda Lamontagne se cachait sous l'identité de Marie Bélanger et elle le dit au tendre Coupal. Celui-ci et d'autres détectives montréalais s'apprêtèrent à arrêter Léda et, pour que leur entreprise soit couronnée de succès, ils firent savoir à la débitrice d'alcool, Elmina Robert-Pilon, qu'elle aurait intérêt à collaborer, sinon... finis le commerce et les petits profits!

De nature faible, Elmina céda. Marie Bélanger alla croupir en prison, fut extradée, citée comme témoin au procès de son frère, etc. À l'issue des assises d'octobre 1891, Léda Lamontagne fut condamnée à sept ans d'emprisonnement au pénitencier de Saint-Vincent-de-Paul, mais, puisque ce pénitencier n'accueillait pas les femmes, on la conduisit bientôt à Kingston. Ce verdict pouvait sembler sévère, surtout après la déclaration d'Arcade Boucher qui s'était abstenu de témoigner lors des procès précédents. Invité à le faire, malgré une mémoire «dans la moyenne et la médiocre, assez bonne pour mon affaire», il rappela que Napoléon Michel lui avait recommandé de voir à ce que Léda ne soit pas maltraitée puisqu'elle était étrangère au drame.

Il y a quelque temps, un Canadien d'origine française se rendait coupable d'un crime sans nom, indiquant bien un acte de folie. Et de fait le malheureux Chatel était fou à lier. Son affaire ne fut pas longue. En deux heures son procès était fini et il était condamné à être pendu. On présenta des requêtes au gouvernement d'Ottawa montrant bien que le crime commis par le malheureux était un par acte de folie et qu'au lieu d'exécuter un pauvre inconscient, il fallait commuer sa sentence en une incarcération perpétuelle dans un asile d'aliénés. Sans hésitation, le gouvernement en vint à la décision que la folie de Chatel n'était pas une excuse et il fut bel et bien pendu.

Dans le cas de Riel, on invoqua aussi la folie, mais sans plus de succès. Il était Français d'origine.

Maintenant voici Shortis, un gaillard qui fait les cent coups. Il tue deux employés, Loye et Lebœuf, blesse de la manière la plus grave le troisième, Wilson, en attaque deux autres, et tout cela pour s'emparer de

1895

«CRACKED» SHORTIS
L'affaire de la Montreal Cotton

Dans la soirée du 1er mars 1895, dans une filature de coton située à Valleyfield, à la tête du canal de Beauharnois, un homme commet l'un des crimes les plus atroces dont la région ait jamais été le théâtre. Le criminel, âgé de 20 ans, s'appelle Frank Cuthbert Valentine Shortis. Pour tous ceux qui, depuis six mois, l'ont vu aller et venir dans la petite ville, il n'était que «Cracked» Shortis, Shortis le Fou, et, dans la meilleure société, où, parfois, on évoquait son allure étrange, Shortis l'Original.

Deux hommes, Jack Loye et Maxime Lebeuf, ont perdu la vie. Un troisième, Hugh A. Wilson, a été laissé pour mort. Les sentiments populaires provoqués par ce qui fut une véritable boucherie allaient évoluer dans un sens jusqu'ici inédit. Horreur, peine, scandale sont peu de chose comparés à l'incrédulité suscitée par l'attitude des avocats de la défense, déterminés à faire valoir l'insanité de leur client. Shortis sera le premier à prononcer la fameuse phrase: «Je ne suis pas coupable.» Par ailleurs, ni lui ni ses avocats ne nieront le crime. Réclamant le droit à un plaidoyer spécial, les célèbres avocats montréalais H.-C. Saint-Pierre et J.N. Greenshields opteront pour une thèse qui, corrigée par le juge Michel Mathieu, se développait ainsi:

> Qu'au temps de la commission des actes allégués dans l'acte d'accusation, le prisonnier était atteint d'imbécillité naturelle et de maladie mentale, au point de le rendre incapable d'apprécier la nature et la gravité de l'acte, et

de se rendre compte que tel acte était mal, et qu'il était, dans le temps, dans un état d'inconscience et de maladie mentale qui l'empêchaient d'exercer sa volonté, était dans un état de frénésie.

Dans le public, ce court texte donna l'impression que Shortis n'était pas le seul à avoir dans la tête un boulon mal serré.

Ainsi, un assassin s'était attaqué à d'honnêtes personnes, des connaissances, presque des amis. À 22 heures, le vendredi 1er mars, Shortis s'était présenté à la Montreal Cotton, comme il le faisait fréquemment, question de se délasser en bavardant avec les trois préposés à la paye: John Lowe, Jack Loye et Hugh A. Wilson. Les trois hommes, ainsi que les gardiens de nuit et, du reste, tout le personnel de la filature, connaissent le jeune homme. Shortis a travaillé avec eux pendant plusieurs semaines et, s'il inspire la curiosité, il n'effraie toutefois personne.

La routine impose hebdomadairement à l'équipe ainsi réunie à la tombée de la nuit la préparation de la paye des 1 300 employés. Comme à chaque semaine, une réquisition avait été transmise, la veille, à la Banque de Montréal. Entre 18 heures et 19 heures, tous les vendredis, l'argent, soit environ 1 400$, arrivait à Valleyfield par l'express. Un employé de la filature prenait ensuite livraison du précieux colis et attendait l'arrivée de camarades de travail pour l'ouvrir et en vérifier le contenu. Ce vendredi, John Lowe s'est rendu à la gare. Wilson et Loye l'ont rejoint plus tard. À trois, protégés par le revolver posé sur le long comptoir où sont étalés les gobelets métalliques marqués du numéro correspondant à chacun des employés, ils distribuent billets et pièces de monnaie dans les récipients, qui doivent plus tard être rangés dans la voûte blindée.

Shortis les observe et parle de femmes avec eux. Son regard est attiré par l'arme à feu de calibre 32 posée à portée de la main de Lowe. Passionné par cette sorte de jouets, il se targue de bien les connaître. Peut-il toucher l'arme? Lowe y consent, bien sûr, non sans avoir retiré le barillet du revolver. Shortis dépose la pomme qu'il croquait jusque-là et demande s'il peut huiler et nettoyer l'arme. Lowe lui donne de l'huile.

Durant l'heure suivante, Shortis, penché sur l'arme, la polit, la nettoie, en admire tous les angles. Pendant ce temps, Arthur Lebeuf, l'un des gardiens de nuit, entre et vient s'asseoir près de la voûte. Shortis, lassé, redonne l'arme à Lowe. Ce dernier réinsère le barillet et redépose l'arme devant lui. Peu après, il se déplace, prenant l'arme dans ses mains pour la déposer dans un tiroir. À cet instant, Shortis réclame la permission de reprendre le revolver pour y lire le nom du manufacturier. Lowe, sans lâcher l'objet, lui montre l'inscription gravée dans le métal, mais, un instant plus tard, c'est le numéro de série que Shortis veut transcrire sur papier. «Laisse ça là. Il y a assez longtemps que tu joues avec ce revolver!»

Lowe, qui venait de dire à Shortis qu'il lui serait impossible de travailler tant qu'il se livrerait sous ses yeux à des enfantillages pareils, est surpris par une première détonation qui atteint Wilson au visage. Aussitôt, Jack Loye, persuadé qu'il s'agit d'un accident, se lève et se dirige vers le téléphone, sans doute dans le but de demander le secours d'un médecin.

Mais les événements se précipitent. D'abord étonné, Shortis se met à tirer sur ceux qui l'entourent. Loye est abattu dans la cabine téléphonique qui se trouve dans la pièce. Arthur Lebeuf et John Lowe, fuyant les balles, se réfugient dans la voûte. Pendant un instant, le silence succède à la bousculade et au tir dont le bruit n'a pas traversé les murs du bureau, derrière lequel des ouvriers travaillent. Shortis coupe le fil du téléphone pendant que Wilson revient à lui. Le blessé se lève et tente à son tour d'entrer dans la voûte, dont la porte, malheureusement pour lui, s'est refermée sur Lebeuf et Lowe. À ce moment, une balle ricoche sur la porte blindée. Wilson tente ensuite de sortir de la pièce. Une autre balle passe à un doigt de l'atteindre, mais il réussit à plonger dans l'un des bureaux des directeurs, où, inutilement, son assaillant tente de s'en prendre à lui.

À nouveau, c'est le silence. Bientôt, des pas se font entendre dans le couloir. Shortis, qui connaît bien le fonctionnement de l'usine, sait que Maxime Lebeuf vient d'avaler son repas du soir et de reprendre sa ronde. En anglais, il crie: «Est-ce toi, Maxime?» L'autre répond par une question. Il veut savoir ce qui se passe, pourquoi Shortis s'adresse à lui. Il

Pas un instant la culpabilité de Valentine Shortis ne fut
mise en doute. Il était bel et bien l'homme qui, insensi-
ble à l'appel de ses compagnons, tira sur eux et les pour-
chassa jusqu'à ce qu'ils tombent. Shortis lui-même
avoua avoir agi ainsi. Fait nouveau, l'avocat H.-C.
Saint-Pierre et son collègue J.N. Greenshields tenteront
de persuader un jury somnolent que leur client n'était
pas et n'avait peut-être jamais été en possession de
toutes ses facultés mentales.

E.-J. Massicotte, Archives publiques du Canada

entre, pour être aussitôt atteint d'un coup de feu. Cependant, un corps à corps s'engage, suffisant pour exaspérer Shortis, qui tire un autre coup. Le «bon» Maxime semble mort. Malgré toute l'activité dont il règle les sanglants détails, Shortis n'oublie pas Wilson, qu'il rejoint dans le bureau où il s'était réfugié un peu plus tôt. Il s'approche de sa dernière cible, vise et tire! L'arme est vide. Wilson profite du désarroi du meurtrier pour fuir vers l'usine. Il a le temps de voir Maxime se traîner péniblement dans la même direction que lui. Shortis, dont les poches sont maintenant remplies de cartouches, tire une troisième balle dans le corps du gardien, qui, cette fois, ne se relèvera pas.

Obsédé par Wilson, le meurtrier poursuit l'interminable chasse, qui est facilitée par les traces de sang. Elles le guident vers la chambre des moulins à tisser, puis vers un établi sous lequel Wilson, épuisé, est tapi. Éclairé par la lueur d'un fanal, peut-être celui utilisé par Maxime Lebeuf, Shortis s'approche de l'établi, regarde longuement sa victime dont le visage a été poivré par la première balle. Il se penche, place le revolver à six ou sept centimètres de la poitrine de Wilson, qui, incrédule, le regarde. La balle, tirée à bout portant, «trois pouces plus bas que la gorge (...) alla sortir par la hanche».

Ne sachant pas lui-même où il puise son énergie, Wilson profite du répit que lui laisse Shortis, retourné dans le bureau, pour aller à la recherche des ouvriers de l'équipe de nuit. C'est dans la chaufferie qu'il rencontre enfin Napoléon Delisle.

Ce dernier alertera le docteur Walter Sutherland. Ensuite, les autorités policières seront à leur tour prévenues. Entre 2 heures et 2 heures 30 du matin, le 2 mars 1895, tous ceux qui doivent être informés de l'événement le sont et se dirigent vers la filature, où, pendant trois heures, Frank Cuthbert Valentine Shortis a semé la mort et la terreur.

Hugh Wilson ne sera jamais en mesure d'évaluer le temps qu'il a dû mettre pour réclamer du secours, mais, isolés dans la chambre forte, Arthur Lebeuf et John Lowe sauront être précis. Ils l'ont échappé belle. En effet, se lamentant à la porte de la voûte comme un enfant, Shortis demandait qu'on lui ouvre. Sa voix se voulait amicale, mais comment aurait-on pu lui faire confiance? Lowe, instinctivement, n'a qu'un moyen d'empêcher Shortis d'entrer. Il l'utilise au moment où le meurtrier réclame la combinaison de la voûte, en l'amenant à la verrouiller lui-même, de l'extérieur. Choqué, Shortis, après s'être débarbouillé tant bien que mal, tente de mettre le feu. Ensuite, plutôt que de s'enfuir avec l'argent qui reste, éparpillé sur le comptoir, il s'installe et attend.

Il faut plus que du courage à Napoléon Delisle, au docteur Sutherland, aux constables de l'endroit et aux constables spéciaux qui se présentent à la porte de l'usine, déterminés à affronter une bête furieuse. Pourtant, c'est une brebis qui les reçoit. Tendant le revolver de Lowe au médecin, Shortis avoue: «Voilà mon revolver; arrêtez-moi. Je ne sais pas pourquoi j'ai tué ces hommes.» Napoléon Delisle, méfiant même devant un homme désarmé, se tient debout, brandissant au-dessus de la tête du meurtrier une lourde barre de métal. On l'interroge et il avoue, lui-même étonné. Aux menaces, il riposte en réclamant le châtiment le plus juste, lui semble-t-il: «I don't care. Vous pouvez me tuer maintenant, si vous voulez. Tuez-moi tout de suite: je ne demande pas mieux.»

En route vers la geôle, il parle de choses et d'autres, recommandant même à l'un de ses gardiens de s'asseoir et de goûter avec lui le plaisir de ne pas être debout. Au poste de police, alors que Valleyfield s'émeut au rythme où ses habitants se lèvent, il dort comme un enfant.

À 9 heures, la foule déchaînée se rassemble devant le poste de police. Il faut toute l'énergie des policiers pour empêcher Shortis d'être lynché. On veut la peau du «fou». On veut lui faire payer le mal qu'il vient de faire, inutilement, à deux innocents et à leurs familles. De Hugh A. Wilson, le fils du maire de Valleyfield, on parle avec ménagements. Ses blessures sont graves et, à quelques heures du drame, il est trop tôt pour savoir s'il survivra.

À 11 heures, le coroner A.-T. Demers se rend à la filature, où rien n'a été déplacé. Le meurtrier est confronté aux corps de ses victimes. Des journalistes, certains curieux et les personnes appelées pour former le jury du coroner notent que «l'assassin, en passant près des cadavres, ne broncha pas. Il ferma les yeux et ne voulut point les regarder». Quand John Lowe le conjura de contempler son oeuvre, il réclama encore une fois la faveur d'être tué.

On le renvoya à sa cellule pendant que le coroner et les jurés attendaient les résultats de l'autopsie effectuée par les docteurs Lussier et Saint-Onge. À 20 heures, à l'Hôtel de Ville de Valleyfield, l'enquête recommençait. Le verdict, rendu le soir même, tenait Shortis responsable du crime. L'enquête préliminaire était fixée au lundi 4 mars, jour prévu pour les funérailles des victimes.

Dans la journée du dimanche, H.-C. Saint-Pierre, l'un des avocats montréalais les plus populaires et les plus chéris de la foule, qui admirait son humour tout autant que sa compétence et son ardeur au travail, recevait la lettre suivante, expédiée par un important homme d'affaires:

> Mon cher Monsieur Saint-Pierre,
> Je suis venu pour vous voir cette après-midi et je vous ai attendu longtemps. Je désire m'assurer vos services pour la défense du jeune Shortis qui vient d'être arrêté à Valleyfield pour avoir tué deux hommes. Vous avez sans doute lu le récit de cette affaire dans les journaux d'hier soir. J'enverrai mon fils vous chercher après souper.
> Votre serviteur,
> George Bury.

Le même jour, l'avocat rencontre Bury, qui lui transmet quelques informations concernant son «protégé». Irlandais, issu d'une famille riche, il raisonne «comme un enfant» et il faut lui assurer l'assistance d'un avocat, dont il aurait été privé lors de l'enquête du coroner, malgré une requête verbale en ce sens. Saint-Pierre, qui, spontanément, à la lecture des journaux, avait donné toute sa sympathie aux victimes, accepte d'accompagner son interlocuteur à Valleyfield, le lendemain.

À mon arrivée à Valleyfield, le lundi matin, confiera l'avocat à son neveu, Charles Avila Wilson, je remarquai que toute la ville était en deuil. De tous côtés on voyait des drapeaux suspendus à mi-mât. Les portes et les fenêtres des maisons étaient garnies de crêpes, et la tristesse était peinte sur toutes les figures.

Dans la ville, 3 000 personnes ne parlent que du drame et du sort incertain de Hugh A. Wilson. On craint une manifestation spontanée car, dans la foule, on entend un voeu commun, courant sur toutes les lèvres: «Lynchons-le!»

L'avocat se rend à la prison. L'homme qu'il voit a la moustache et les cheveux blonds, teints ou plutôt décolorés au peroxyde. Il ne semble pas être conscient de sa position ni du danger qu'il court. Après les funérailles, on se prépare à la tenue de l'enquête préliminaire. La tempête de neige, le remous général la retardent d'une heure, et, contrariant l'espoir du défenseur, elle débute à 16 heures, en présence d'une foule avide et curieuse. On sait, ou on croit savoir, que Shortis ne sera pas sur le même pied que les autres criminels. Né en Irlande, il n'est pas canadien et, déjà, de mauvaises langues prétendent qu'avec son argent il lui sera possible d'acheter toutes les consciences...

La foule, donc, se méfie.

En moins de deux minutes, raconte encore Saint-Pierre, la salle fut bondée de monde. Je hâtai les procédures tant que je pus, afin d'éviter une séance du soir que je redoutais pour l'accusé. Tout se passa assez paisiblement jusqu'à la fin des procédures. Lorsque le magistrat fit à l'accusé la lecture de la formule du statut: «Ayant entendu la preuve, avez-vous quelque chose à dire en réponse à l'accusation?», je suggérai à Shortis de ne donner aucune explication et de se contenter de répondre tout simplement: «Je ne suis pas coupable.» C'est ce qu'il fit, en prononçant ces mots sur un ton assez élevé. L'effet de ces paroles sur la foule ne pourrait se décrire. Imaginez-vous une ruche d'abeilles qu'on vient de renverser. De tous côtés, les cris se firent entendre: «Lynchons-le! Lynchons-le! Tuons-le!» Tout le monde se leva, un brouhaha indescriptible s'ensuivit. Les constables entourèrent l'accusé. Les plus décidés cherchaient à se ruer sur lui, mais la foule était si compacte que les assaillants se nuisaient les uns aux autres. Le chef de police et les constables soutenaient ces chocs avec fermeté. Je craignais à chaque instant qu'ils ne fussent balayés par la masse des assaillants. À un moment donné, je crus que la dernière heure de mon client était venue et que la foule allait l'écarteler sous mes yeux. Je jetai un regard sur lui

— c'était à ne pas y croire —, il était aussi froid, aussi indifférent que s'il se fût agi du Grand Turc. Pas la moindre trace d'émotion sur sa figure. Il était là, debout et calme, contemplant d'un oeil parfaitement stoïque tout ce tumulte autour de lui.

Après que Shortis a été reconduit à sa cellule, au poste de police situé en face de l'Hôtel de Ville, le maire Wilson fait savoir aux autorités du poste de bien veiller sur leur prisonnier, car les ouvriers de la filature ont l'intention de venir s'en emparer. Au cours des jours suivants, le prévenu sera transféré à Beauharnois, puis à la prison commune de Montréal.

Par télégramme, la nouvelle de l'affaire avait été communiquée aux parents. Effectivement, tout est mis en oeuvre pour assurer une défense d'une exceptionnelle qualité. Mary A. Hayes, la mère de Shortis, prendra, au cours des semaines suivantes, les dispositions qui s'imposent pour inspirer la défense. Seule à avoir bien connu son fils à l'époque où il vivait auprès d'elle et de son mari, à Waterford, en Irlande, elle a sans doute guidé la défense dans l'une de ses requêtes les plus originales.

Trois demandes sont formulées au tribunal au cours du mois de juin 1895. L'une d'entre elles concerne l'endroit où le procès aura lieu. Considérant comme étant à peu près impossible de trouver à l'intérieur du district de Valleyfield une seule personne n'ayant ni opinion ni préjugé à propos du meurtre, les avocats se présentent devant le juge Louis Bélanger, de Valleyfield, réclamant un changement de venue. La défense essuie un refus. Quelles que soient les difficultés anticipées par la défense pour la formation du jury, le procès sera tenu à Beauharnois, à l'ouverture des assises d'automne.

Une autre des demandes des avocats Saint-Pierre, Greenshields et Foster, la plus exceptionnelle de toutes, concerne la formation d'une commission rogatoire qui serait déléguée en Irlande pour y rencontrer et interroger les habitants de Waterford. Ceux-ci seront, croit-on, en mesure de démontrer qu'effectivement leur client souffre «d'imbécillité naturelle». La requête est favorablement reçue par le juge Bélanger, qui désigne le juge C.-Aimé Dugas, de Montréal, pour accompagner J.N. Greenshields, représentant la défense, et Donald McMaster, représentant le ministère public. Les trois hommes s'embarqueront à bord du *Parisian*, au cours de la dernière semaine du mois de juin 1895.

La dernière des requêtes présentées au magistrat du district de Valleyfield est celle de soumettre Valentine Shortis à des examens mentaux par de réputés aliénistes. L'autorisation est donnée, à la condition que les médecins respectent l'horaire de la prison en examinant le prisonnier durant les heures de visite.

Le 15 juillet, débute, en Irlande, l'audition des témoins. Sans connaître le contenu des témoignages, la presse montréalaise fulmine, parlant de «la comédie qui se joue autour du nom de Shortis». Rejetant d'emblée la thèse d'insanité ou de folie qui a poussé le juge Bélanger à recevoir favorablement la demande de formation de la commission rogatoire, la *Patrie* du 25 juillet écrit:

> Les victimes crient vengeance et M. Shortis ne doit pas échapper à son châtiment parce qu'il appartient à la race qui se croit supérieure.
>
> Sa seule folie est d'avoir cru que le sang *supérieur* qui lui coule dans les veines lui permettrait de tirer au gîte comme des lapins, les pauvres Canadiens, de race inférieure.
>
> Il faut que ce jeu-là cesse et le seul moyen à employer c'est de suspendre haut et court le jeune Shortis comme épouvantail pour les insulaires d'outre-mer trop amateurs de sport exotique.

L'attitude de la *Patrie*, comme celle de la *Presse* et des journaux régionaux francophones tel le *Progrès de Valleyfield*, par exemple, est carrément hostile à la démarche entreprise par la défense. Par contre, et cela pourrait expliquer la passion de la presse francophone, les journaux anglophones, rangés théoriquement du côté de l'Irlandais, reçoivent et publient des textes inspirés de câblogrammes expédiés de Waterford et décrivant Shortis comme un fou véritable.

Plus qu'une simple affaire judiciaire, l'affaire Shortis tourne à la querelle raciale. On se bat avec des mots, mais on se bat tout de même! L'écho des 48 témoignages qui seront contenus dans un rapport de 575 pages se fait entendre jusqu'ici. L'indignation est complète. On sait que Shortis, «Cracked» Shortis, s'est comporté en dément pendant les dernières années de son séjour en Irlande et que, là-bas, on n'a jamais osé l'interner, en raison de l'excellente réputation de ses parents, de leur richesse, et, bien sûr, à cause du statut social conféré par cette aisance financière. On apprend, et cette fois il ne s'agit plus d'une rumeur, que le jeune homme a quitté son pays natal parce que enfin son père a été mis au courant de ses innombrables fredaines. C'est dans l'espoir de le détacher de sa mère, surprotectrice, et de lui permettre de s'initier aux affaires commerciales qu'on l'a expédié au Canada, non sans avoir confié à des relations d'affaires établies à Montréal la responsabilité de veiller sur Shortis et de l'approvisionner en espèces sonnantes, lorsqu'il en aurait besoin. Pendant deux ans, de septembre 1893 à mars 1895, le jeune homme a pu circuler librement au Québec, y postuler des emplois, louer un bureau, tenter de faire démarrer une entreprise d'importation, tout cela en étant le sombre fou que les habitants de Waterford décrivent avec force détails?

> Il n'est pas permis, écrit la *Patrie* du 25 juillet, de prendre ainsi le public pour une collection d'imbéciles et supposer qu'un individu peut vivre pendant deux ans dans un milieu éclairé et intelligent sans que personne ne s'aperçoive qu'il est fou.
> Si Shortis est réellement fou, nous demandons qu'on enferme à la Longue-Pointe (Saint-Jean-de-Dieu) les directeurs de la manufacture de coton de Valleyfield qui doivent être atteints d'un degré au moins équivalent d'insanité pour ne s'être aperçus de rien jusqu'au jour où deux personnes ont été assassinées.

À la veille d'octobre 1895, soit le 22 septembre, Francis Shortis et sa femme arrivent à Montréal. L'une de leurs premières déclarations concerne la famille Lebeuf, qui, affirment-ils, a reçu un chèque de mille dollars de leur part. Madame Lebeuf, qui n'a rien reçu, riposte par une lettre que la *Presse* reproduit le 25 septembre sous le titre de «Pas un sou». On apprend, au cours des jours suivants, que Francis Shortis a effectivement expédié mille dollars aux avocats de son fils, dans le but de les faire remettre à la famille éprouvée, mais que ces derniers ont préféré attendre son arrivée pour mettre au point les détails d'une entrevue entre les Shortis et les Lebeuf. On saura plus tard qu'un intermédiaire, membre de l'évêché de Valleyfield, s'est chargé de la commission et que la rencontre de la veuve de Maxime Lebeuf et de Mary Shortis s'est faite dans un bain de larmes.

Le lundi 30 septembre, il y a foule à la gare de Beauharnois. On veut, dit la *Presse*, «voir la binette du prisonnier». Mais, déception, le train de 18 heures ne transporte que des avocats, leurs secrétaires, un sténographe et un *typewriter*. Maître Saint-Pierre arrive «avec une véritable bibliothèque», ouvrages de droit, traités de médecine légale, etc. Ce bourreau de travail, corpulent et sympathique, force l'admiration malgré le rôle qu'il s'apprête à jouer.

Shortis, menottes aux poignets, arrive à Beauharnois à 8 heures 30, le matin du 1er octobre. Immédiatement, il est conduit à la prison en attendant d'être transporté au Palais de Justice. À 10 heures 30, le juge Michel Mathieu, magistrat montréalais, s'adresse au grand jury qui, après délibérations, recommande que le procès de Frank Cuthbert Valentine Shortis débute le jour même.

Avant que l'on procède à l'audition des aspirants jurés, la défense obtient que l'accusé ne réponde d'abord qu'à une accusation de meurtre. Le tribunal consent à ce qu'il soit jugé en rapport avec le meurtre de Jack Loye. Le plaidoyer de la défense, modifié par le juge, est ensuite accepté.

Le pire reste à faire. Comment trouver, dans ce district judiciaire, des citoyens objectifs? Charles Avila Wilson, qui allait devenir, en 1922, juge à la Cour supérieure, après avoir été député aux Communes, évoque, dans la préface d'un ouvrage sur l'affaire Shortis publié en 1896 chez C.-O. Beauchemin & fils, cette étape primordiale:

> Le choix des jurés occupa deux journées entières. Plus de cinquante d'entre eux furent récusés. Tous venaient dire: «Mon opinion est formée contre l'accusé et rien ne pourra l'ébranler.»
>
> Après l'émission d'un *Venire de novo*, afin d'obtenir une nouvelle liste de jurés, on finit par en trouver douze, six parlant la langue anglaise et six parlant la langue fran-

çaise. Les moins préjugés parmi eux étaient à peine acceptables.

Lorsqu'il s'en trouvait un qui disait: «Mon opinion est formée contre l'accusé, mais si la preuve de folie est assez forte, je crois que je pourrai lui rendre justice», la défense l'acceptait.

L'un d'eux, au grand ébahissement de tout le monde, jura qu'il ne s'était formé aucune opinion sur la cause, pour la bonne raison qu'il n'avait jamais entendu parler de la tragédie de Valleyfield. Il demeurait à trois lieues de cette ville. «Il ne savait ni lire ni écrire et il ne s'occupait pas des affaires de ses voisins.» La défense dut l'accepter pour en éviter un pire. Qu'on s'imagine l'idée d'avoir à plaider la «folie impulsive» et d'avoir à parler d'«expertise médicale» devant un pareil sauvage. Pour consentir à l'accepter il fallait que la défense fût bien au dépourvu. Mais il n'y avait pas d'alternative; mieux valait celui-là que l'un de ceux qui paraissaient décidés à pendre l'accusé.

C'est du procès et des nombreux témoins entendus que provient l'éclairage le plus sûr à propos de l'origine et des antécédents de Shortis. Né en Irlande le 14 février 1875, enfant unique de Francis Shortis et de Mary A. Hayes, il ne marche pas avant l'âge de deux ans et il ne parlera correctement que vers sa sixième année. L'adolescence le voit sortant de la maison, toujours suspendu aux jupons de sa mère. Celle-ci a découvert l'enfant-problème, mais elle prend un soin méticuleux à le soustraire à l'autorité paternelle. Le père, généralement absent, est un éleveur de bétail dont le chiffre d'affaires annuel dépasse le million de dollars. Il n'a ni le temps ni la patience de se pencher sur les problèmes de l'adolescent. Il le traite normalement, le battant chaque fois que sa conduite est ou semble répréhensible. Francis Shortis ne saura jamais que son fils est la risée de tout Waterford. À l'école, où il reste peu de temps, on le considère comme un être «sans cervelle», irrespectueux, insolent, excentrique et inconstant. Il se conduit de manière à mettre en péril la vie d'autrui, allumant des incendies, tirant à bout portant sur une fillette de quatre ans, tentant de renverser une barque où se trouvent d'autres adolescents, tenant en joue une troupe d'acteurs, tirant sur les hublots d'un navire ancré dans le port, entrant à cheval dans les édifices publics, parcourant à bride abattue les rues de Waterford assis sur son cheval, mais faisant face à la croupe de l'animal. Il marche la tête haute, décolore sa longue chevelure, collectionne les pistolets, menace les uns et les autres, parle d'hypothétiques ennemis prêts à fondre sur lui, se plaint de maux de tête, saute des clôtures pour retomber plaisamment tête première de l'autre côté, se précipite à bord d'un vélocipède au fond d'une rivière située deux mètres plus bas. Il maltraite les animaux placés sous la surveillance des bouviers à l'emploi de son père et s'amuse de les voir se faire panser à l'aide de fumier et de boue.

À la fin de l'été 1893, devant l'impossibilité de lui faire apprendre les rudiments du métier d'éleveur, le père prend la décision de l'expédier au Canada. C'est là, loin des siens, qu'il aura l'occasion de prendre des initiatives et d'acquérir les connaissances essentielles devant lui permettre de succéder à son père. Pour que de Waterford à Montréal la transition soit heureuse, Shortis y vient d'abord en compagnie de sa mère, avec laquelle il séjourne temporairement à l'hôtel Queen. C'est Madame Shortis qui établit les contacts dont son fils pourra avoir besoin. Quelques personnes se voient confier le soin de veiller discrètement sur Valentine et de lui tendre la main s'il en a besoin. De toute manière, chaque mois l'enrichit d'un mandat bancaire d'un montant équivalant à 17$, largement suffisant pour les besoins d'un jeune homme fainéant.

À la suite du retour de sa mère en Irlande, Shortis transporte ses pénates à l'hôtel Cadillac, où son comportement étrange en fait le point de mire d'une clientèle plus sage. Madame R.W. Lewis, l'un des membres du personnel, raconte comment Shortis considérait l'art de bien manger:

> Un jour, il apporta dans la salle à dîner, à l'heure du repas, un panier de poires qu'il plaça sous la table, et se mit à manger, les deux pieds sur son panier.
> À table, dit-elle encore, il se faisait servir des tartes aux confitures, de la crème à la glace avant la soupe, ou bien il entremêlait tout ensemble.

L'éloignement de Waterford ne semble pas lui faire oublier ses anciennes habitudes. Réapparaît celle de cracher à la face des passants ou d'en faire sursauter d'autres en leur lançant des écales de pistaches au visage ou de les faire frémir en les menaçant de les abattre à coups de revolver. Prétextant une conférence à donner à Belleville, Shortis quitte l'hôtel Cadillac après quelques semaines. En réalité, il a choisi d'établir ses quartiers généraux à l'hôtel Queen. Là, il continue de recevoir des magazines américains traitant de sport et d'équipement sportif ou encore les catalogues des fabricants d'armes à feu. Au Queen, sa fréquentation n'est guère plus réjouissante pour les habitués. Henri Malabar, le gardien de nuit de l'hôtel, n'a pu s'empêcher de comparer Shortis aux aliénés dont il avait eu la surveillance dans un asile, pendant une douzaine d'années.

Au cours de l'été 1894, Shortis quitte l'hôtel Queen pour la maison commerciale connue sous le nom de Atlantic Chambers et située au 209, rue des Commissaires. À cet endroit, il loue un bureau et il pensionne chez les concierges, au dernier étage de l'immeuble. En même temps, il rédige un certain nombre de lettres à des fournisseurs d'équipement de sport, de vélocipèdes en particulier, auxquels il propose ses services à titre de représentant exclusif. C'est un impair! Le jeune homme n'étais pas sans connaître l'existence d'une maison appartenant à la famille Boyd, manufacturiers et représentants d'équipement de sport allant des armes blanches aux armes à feu en passant par les nécessaires de pêche et de chasse, etc. Les correspondants de Shortis informent les Boyd en même temps qu'ils recommandent au néophyte d'entrer en communication avec ses devanciers. Thomas W. Boyd aura quelques entrevues avec son compétiteur potentiel, entrevues au cours desquelles il lui semblera évident que Shortis ne sera jamais menaçant. Le projet d'ouvrir une boutique rue Saint-Paul ou rue Saint-Jacques, où les loyers commerciaux coûtaient déjà plus d'un millier de dollars par année, avorta. Soudainement passionné par tout le potentiel des pneus de bicyclettes, il s'intéresse à la contrebande des... diamants. Mais, trop pauvre pour se procurer autre chose que le contenant, l'aventurier échoua. Les locataires du 209 de la rue des Commissaires, d'abord amusés par l'hurluberlu, finirent par le trouver insupportable. Les plaintes à son sujet s'accumulent sur le bureau du capitaine Matthews, le propriétaire, qui se confiera au tribunal:

> Un jour, c'était en mars ou avril (1894), je l'ai trouvé qui se promenait nu-pieds dans les corridors durant les heures d'affaires, c'est-à-dire entre 10 et 11 heures de l'avant-midi. Je lui ordonnai d'aller mettre ses chaussures et de se rappeler qu'il n'était pas dans un asile d'aliénés. Il me dit qu'il se promenait ainsi nu-pieds «parce que ça lui faisait du bien à la tête». Malgré mes protestations, il persistait à rester fréquemment nu-pieds dans son cabinet. Il portait habituellement des culottes et des grands bas, de sorte qu'il enlevait ses chaussures et ses bas, non seulement ses pieds, mais ses jambes étaient nues jusqu'aux genoux.

Cédant à la pression de locataires plus «ordinaires», le capitaine indique le chemin de la porte à Shortis. Momentanément désemparé, il est bientôt repris en mains par sa tendre mère, qui séjourne à l'hôtel Queen au cours de l'été. Il la suit dans ce havre de luxe et de paix où il sème la terreur parmi les servantes, qui n'en peuvent plus de le voir montrer ses revolvers à tout propos.

Plus que jamais, «Cracked» Shortis fait parler de lui. On l'a vu paraître à des réceptions chaussé de mocassins et vêtu d'une peau de chevreuil maintenue à la taille par une corde. À travers le Tout-Montréal des affaires, une faune tirée à quatre épingles, la tenue du jeune homme produit le plus bel effet! Désormais, les Bury, McShaney et les autres le tiendront à distance, ouvrant leurs bourses et entrebâillant prudemment leurs portes.

Même s'il habite l'hôtel Queen, le «jeune importé d'Irlande» cherche du travail. Sans doute galvanisé par la présence de sa mère, il sollicite son premier emploi auprès de la Globe Woolen Mills Co. Andrew S. Robertson, alors secrétaire trésorier de l'entreprise, n'aura rien de plus pressé à faire qu'à le congédier au terme de «trois semaines moins deux jours» de travail. En 18 jours, il a réussi à faire quelques additions et à copier une quarantaine de pages truffées d'erreurs. Robertson, mal pris, s'empresse de recommander cet employé à un confrère occupant une fonction similaire auprès de la Montreal Cotton de Valleyfield.

L'incompétence de Shortis est si évidente, son absence de talent si exceptionnelle que Louis Simpson s'empressera, à son tour, de le congédier. Cette fois, le jeune homme, qui n'a pas apprécié d'avoir été «forcé» de quitter Montréal, offre une certaine résistance, d'autant plus qu'il connaît maintenant l'amour. Simpson exerce un certain ascendant sur lui. Il est juge de paix, une fonction qui inspire d'autant plus la crainte à Shortis qu'il a déjà été contraint à payer l'amende pour port illégal d'arme à feu. Simpson consent à permettre à son ex-employé d'apprendre le fonctionnement de l'industrie, mais à certaines conditions. Il lui interdit d'abord de fréquenter Millie Anderson. La raison? Il considère que cette famille, avec laquelle il est brouillé, n'est pas assez bien... Ensuite, il soumet Shortis, qui travaillera sans rétribution, aux mêmes horaires et règlements que les ouvriers salariés. Malgré tout, Shortis ne part pas.

Il déambule dans Valleyfield, armes en poche, tête haute. L'amour le comble. Avec Millie, il va patiner. Chez elle, il pianote, non sans avoir souvent pris la précaution de tirer quelques coups de feu sur le lampadaire qui brille face au salon. Shortis, en proie à de folles angoisses, s'imagine parfois qu'on en veut à sa vie. Il se plaint de fréquents maux de tête, voit à quelques reprises le docteur Sutherland, et il surprend, par son excentricité, les pensionnaires de l'hôtel Windsor, où il s'est établi dès son arrivée dans la ville.

Même si son surnom l'a suivi jusqu'à Valleyfield, Shortis parvient à donner l'impression d'être un homme normal et cette ambivalence constitue le fondement de la thèse de la Couronne. Selon elle et selon les témoins qu'elle fait entendre, Shortis est un original en pleine possession de ses facultés. Mal élevé, outrancièrement gâté et surprotégé, soustrait à l'autorité paternelle, il a bénéficié d'une tolérance exceptionnelle qui l'a conduit à adopter un comportement sans exemple. Qui sait si cet enfant gâté, riche, n'irait pas jusqu'à voler?

Lors du procès, la population, le jury et les témoins, en général, ont besoin de s'appuyer sur un mobile concret, solide, pour expliquer la rage meurtrière de l'Irlandais. La folie, l'aliénation n'en est pas un au sens du... gros bon sens.

Le vol n'est guère plus plausible, mais il a l'avantage d'être logique. Pourquoi un Valentine Shortis potentiellement riche, héritier d'une fortune colossale, aurait-il tout risqué pour s'emparer de 14 mille pauvres dollars? L'explication que l'on fournit en s'appuyant sur un fait isolé invite à croire que Shortis ne recevait plus d'argent de ses parents et que, pour s'en procurer, il aurait falsifié des documents lui permettant de se procurer le fabuleux montant de 17.05$! S'il s'est livré à un acte digne d'un faussaire expérimenté, Shortis n'est donc pas l'abruti que la défense dépeint avec autant de soin...

Maître Saint-Pierre repoussa cette accusation en démontrant, preuve à l'appui, que la prétendue malhonnêteté attribuée à Shortis résultait d'une erreur commise par un bureau de poste de la place d'Armes qui, pour effacer son erreur, aurait fait signer à Shortis un document par lequel la faute lui était imputée:

> Vous vouliez prouver, dites-vous, que ce jeune homme agissait avec intelligence dans certains moments; mais qui vous a jamais nié cela? Et puis, après tout, l'avez-vous faite, cette preuve? L'employé du bureau des postes commet une erreur, il estampe sur le mandat de 1.0.0 livre, dont Shortis était le porteur, les chiffres 3.10.0. Disons que Shortis s'est aperçu de l'erreur; il se rend à la banque et touche 3.10.0 livres; quelle intelligence extraordinaire lui fallait-il pour une opération aussi simple? Mais, dites-vous, il a admis plus tard qu'il n'avait aucun droit à cette somme; il a même signé un écrit attestant ce fait. Supposons qu'il aurait irrégulièrement reçu de la banque une somme à laquelle il n'avait pas droit, quel grand effort d'intelligence lui fallait-il pour admettre que, de fait, il avait obtenu plus qu'il n'avait le droit de recevoir? Non, non, dira l'avocat, la peau d'agneau recouvre mal le loup dangereux qu'on a voulu cacher, l'oreille perce et se voit malgré tous vos efforts pour la déguiser. Votre objet, votre véritable objet, ç'a été de faire croire que Shortis, avant de commettre des meurtres dans le but de voler 14 000$, avait préludé ce crime par un autre. Vous vous êtes dit à vous-mêmes: faire croire aux jurés que Shortis, qui est l'unique héritier

d'une immense fortune, a tué pour voler, c'est une tâche difficile; mais si, par un tour adroit, sous le fallacieux prétexte de prouver qu'il possède l'intelligence, de la ruse, nous pouvions démontrer qu'il n'en est pas à ses premières ruses comme voleur, quel effet ne produirions-nous pas sur l'esprit des jurés.

L'«esprit des jurés»? Dans l'affaire Shortis, l'attention, ou ce que poliment les avocats de la défense identifient sous la dénomination d'«esprit», est un élément fragile et réfractaire à tous les arguments de la défense. Au fil du procès, on assiste au développement d'un consensus défavorable aux témoins à décharge, qu'ils soient aliénistes ou simples connaissances ou amis de l'accusé. Par exemple, au cours du procès, le 7 octobre, on entreprend la lecture du dossier des témoignages compilés par la commission rogatoire déléguée en Irlande. C'est devant une salle d'audience vidée du public, qui craint l'ennui, qu'Alexandre Côté entreprend la lecture des 575 pages de témoignages. La question de l'hérédité y est largement traitée. Plusieurs, parmi les grands-parents, oncles, tantes et autres personnes apparentées à des degrés divers à Shortis, ont été internés dans des asiles où ils ont fini leurs jours. Même la *Presse* décrit ce rapport comme étant «sans intérêt». La *Patrie* partage cette opinion, décrivant ainsi l'impression que le document produit sur les citoyens appelés à juger Shortis: «D'ailleurs, les jurés ont l'air fatigués de cette lecture et plusieurs sont somnolents.»

Le 10 octobre, les curieux reparaissent en cour et les jurés sortent enfin de cette léthargie qui a garanti leur imperméabilité aux arguments de la défense. Selon la *Presse* du même jour, «ce rapport a paru intéresser très peu les jurés qui, du reste, n'ont prêté qu'une fort médiocre attention à la lecture, pourtant bien faite de l'interprète». Le 11, la foule est déçue car, contrairement au «bruit» qui s'était répandu la veille, quelques pages du rapport restent à lire. À la fin des quelques heures de ce martyre, le journaliste de la *Presse* exprime le contentement général en écrivant: «Enfin, nous en avons fini avec la lecture en deux langues du long et ennuyeux rapport de la commission d'Irlande.»

L'autre occasion d'ennui fournie par le procès s'inscrit à la date du 15 octobre alors que les aliénistes canadiens les plus réputés sont invités à livrer leurs conclusions. Il n'est pas exagéré de dire que la Couronne n'a pas été en mesure d'inciter quelque aliéniste que ce soit à appuyer sa thèse. Même le responsable des soins à Saint-Jean-de-Dieu, le docteur Villeneuve, appelé par la Couronne, assistera à tout le procès. Il prétextera le refus de Shortis de se laisser examiner pour éviter lui-même de témoigner et de contredire ses confrères. Ces derniers feront un effort de vulgarisation. Conscients de la relative nouveauté de leur rôle en cour, ils ont à combattre le préjugé populaire voulant qu'il faille être soi-même fou pour faire ce métier. De plus, à l'ignorance des jurés s'ajoute l'impression qu'il s'agit d'une joute de plaideurs dans laquelle la justice ne tient aucun rôle. La méfiance des jurés ira croissant, d'autant plus que l'avocat de la Couronne leur a déclaré ceci:

En décidant cette question de responsabilité ou d'irresponsabilité, vous devez prendre dans notre loi la définition de ce qui constitue l'insanité et non pas celle que pourront vous offrir les docteurs, les détraqués et les philosophes.

Les médecins qui témoignent pour la défense sont James V. Anglin, diplômé de l'université McGill, qui a travaillé en Ontario et en Pennsylvanie avant de revenir au Québec occuper le poste d'assistant directeur de l'«asile de Verdun»; le docteur Charles E. Clark, qui, depuis 10 ans, est responsable des destinées de l'asile Rockwood, de Kingston, en Ontario; le docteur Daniel Clark, qui occupe une fonction similaire à l'asile de Toronto; et, enfin, Richard Maurice Buck, responsable de l'asile de Hamilton. Tous affirment que non seulement Shortis était fou au moment où il a commis le crime, mais qu'il l'est généralement. Leur analyse, fondée sur divers témoignages mais surtout sur des entrevues avec l'accusé, aurait normalement dû avoir plus de poids que les témoignages des médecins appelés par la Couronne, à titre de témoins de certains faits et gestes. Daniel Sutherland a soigné quelques bobos et parlé, en tout, pendant quelques minutes avec Shortis, qu'il considère comme un homme intelligent. Le docteur Adrien Ouimet, habitant Valleyfield et prenant ses repas au Windsor, l'a vu mais il ne lui a jamais parlé. Cependant, à la lumière de quelques heures de cours reçus à Paris au sujet de l'aliénation mentale, il affirme qu'il est un jeune homme normal.

Vers la fin du procès, Louis Simpson, l'ex-patron de Shortis à la filature de coton, depuis longtemps muté ailleurs, comparaît devant le tribunal et relate un terrible complot mis au jour avant le crime. Selon lui, Shortis avait décidé de l'assassiner et c'est un certain McGinniss, beau-père de Millie Anderson, qui l'en a informé, n'en voulant pour preuve que les revolvers dénichés dans le lit de Millie, sur le piano et ailleurs dans sa maison...

Une dernière fois, les jurés auront l'occasion de somnoler. Le lundi 28 octobre 1895, les avocats de la défense entreprennent un long plaidoyer. Amorcé par J.N. Greenshields, il est poursuivi les 29, 30 et 31 octobre par H.-C. Saint-Pierre. Même Shortis, qui, dès le début, s'est élevé contre un complot imaginaire destiné à le faire passer pour fou, s'endort... Pourtant, le public, qui admire les orateurs, fait des pieds et des mains pour entendre discourir le célèbre avocat, qui fait l'impossible pour secouer l'impassible jury:

> J'ai entendu, déclare-t-il au cours des dernières minutes de son long discours, des gens dominés par je ne sais quel sentiment de haine s'écrier autour de moi: «Oui, Shortis est un fou, un lunatique, mais ces fous-là, on les tue.»

> Ah! Messieurs, suis-je au milieu d'une peuplade de barbares ou parmi des hommes civilisés et parmi des chrétiens? «On les tue», dites-vous, mais où prendriez-vous votre justification pour commettre ce qui ne serait rien moins qu'un meurtre judiciaire? Voudriez-vous charger vos consciences d'un pareil forfait?

Dans le public, la rumeur court que des membres du jury ont maquillé leur opinion personnelle dans l'unique but de contribuer à la condamnation de Shortis. Assis aux côtés du juge Mathieu, ils auraient fermé leurs oreilles et leur esprit à leurs convictions personnelles. À midi, le 31 octobre, H.-C. Saint-Pierre met un terme à son plaidoyer. À 14 heures, Romulus Laurendeau lui succède jusque tard dans la soirée.

Le lendemain, 1er novembre, jour férié, on suspend les audiences, qui reprennent le samedi 2 novembre alors que Donald McMaster prend à son tour la parole. Le même soir, le juge Michel Mathieu s'adresse aux jurés auxquels il résume les faits portés à leur connaissance depuis le début des audiences et, pour l'essentiel, le contenu des plaidoyers de la défense et de la Couronne.

Exceptionnellement, et cela dans le but de libérer au plus tôt les membres du jury, qui ont déjà protesté contre la durée excessive du procès, le magistrat prend la décision de réunir la cour le lendemain, dimanche, pour entendre le verdict. Quant à la sentence, elle ne pourra pas, le dimanche n'étant pas un «jour juridique», être prononcée avant le lundi. À 9 heures 10, le dimanche matin, tout Beauharnois est au rendez-vous pour entendre les jurés prononcer un verdict de culpabilité contre Frank Cuthbert Valentine Shortis:

> Le paisible village de Beauharnois était en émoi hier matin. Le verdict de coupable contre Shortis, le meurtrier de Valleyfield, forme naturellement, depuis hier, le centre des conversations. Des groupes excités stationnent à presque tous les coins de rues.

> La décision du jury rencontre l'approbation générale. On craignait d'abord qu'il y eût désaccord, mais les discours de Messieurs Laurendeau et McMaster, avocats de la Couronne, ainsi que le résumé des débats de l'honorable juge Mathieu, malgré son impartialité, ont été les derniers coups qui ont achevé de clouer le cercueil du triste héros de la sombre nuit du 1er mars dernier.

Le lendemain, lundi 4 novembre 1895, le juge Michel Mathieu prononce la première condamnation à mort de toute sa carrière. D'une voix éteinte, il rappela à Shortis les motifs de sa présence en cour et le fait qu'aux yeux du jury l'insanité n'avait pas été prouvée. Il lui fit également remarquer que le procès avait duré cinq semaines et que, pendant huit mois, la justice canadienne avait accompli l'essentiel pour respecter ses droits.

> C'est avec la plus grande douleur que je me vois obligé, aujourd'hui, conclut-il, de prononcer la sentence de la

loi. Un père comprend facilement le coup que cette sentence portera à votre père, quand il est obligé d'être l'instrument inexorable de la justice qui doit punir et ne peut pardonner. Il est de mon triste devoir de prononcer la sentence que la loi exige dans votre cas.

Valentine Shortis reçut, sans sourciller, la sentence fixant son exécution au 3 janvier suivant. Ceux qui avaient assisté à l'ensemble des travaux du tribunal ne s'étonnèrent pas de l'entendre prendre la parole:

Merci, Votre Honneur, pour votre bonté. Je désire en même temps remercier les gens d'ici pour leurs bontés et considérations envers moi.

La condamnation à mort du jeune Irlandais ne pose pas, au contraire, un point final à l'affaire dont il était le centre. Même si, le 6 novembre, on fait état de sa résignation et de la totale indifférence qu'il affiche à propos de son sort, on sait que les avocats de la défense poursuivent leur tâche. Ces derniers, au cours du procès, en avaient prévu l'issue. «Faisons la lutte malgré tout, aurait déclaré Maître Saint-Pierre à Francis Shortis, mais faisons-la surtout en vue d'un appel au gouverneur général en conseil.»

À la mi-novembre, le dossier de la défense est acheminé auprès du ministère fédéral de la Justice, dont le titulaire est Sir Hibbert Tupper, par l'avocat montréalais George G. Foster. Celui-ci est chargé de veiller à ce que la requête en commutation de peine, qui a précédé le dossier à Ottawa, reçoive un accueil favorable. De l'Institut des Sourdes-Muettes, rue Saint-Denis, à Montréal, où elle pensionne temporairement, Madame Shortis orchestre la suite des événements. Celle que l'on a vue pleurer ou s'absenter de la cour, vaincue par la peine, reconquiert son dynamisme. Sa dignité lui vaut l'estime générale, et sa conduite défie les règles observées en pareilles circonstances par les mères canadiennes.

Généralement, celles-ci disposent de peu de moyens, et les lettres, requêtes et pétitions, à la rigueur des entrevues avec les journalistes, constituent l'essentiel des démarches qu'elles accomplissent de concert avec un avocat ou avec l'appui de représentants du clergé. Ici, Mary Shortis utilise toutes ces ressources conventionnelles, y ajoutant une détermination sans exemple. Alors que son mari est rentré en Irlande pour y veiller à ses affaires professionnelles et peut-être pour stimuler une réaction favorable à la commutation de la peine infligée à son fils, Mary Shortis voyage. On la voit à Ottawa, à Montréal et même à Beauharnois, où elle obtient l'autorisation d'occuper «des appartements» situés à proximité de la cellule de son fils. Son activité fait naître la rumeur que le cabinet fédéral étudiera la cause de son fils et se prononcera en sa faveur.

Le 16 décembre 1895, une dépêche spéciale du correspondant de la *Presse* à Ottawa annonce que Madame Shortis a eu, le même jour, une entrevue avec le Premier ministre canadien, Mackenzie Bowell. Ce premier succès tangible, joint aux requêtes irlandaises signées par 18 médecins, par des évêques et de simples citoyens, heurte l'opinion publique, à peine remise de la motion présentée par le député irlandais Merrick à une assemblée du Tipperary Board of Guardians. De Valleyfield où il a fait la vigie, le *Progrès* sonne le «tocsin» de la Justice, sur le point d'étouffer entre les mains des «tripotiers» de la politique conservatrice fédérale!

Mais tout n'est pas aussi facile. Le cabinet fédéral est à peu près également divisé. Les francophones n'ont pas oublié le sort fait à Louis Riel, à qui on avait refusé la commutation malgré sa santé mentale, alors que les ministres anglophones endossent les conclusions du dossier médical accompagnant la requête en commutation. La presse francophone crie au scandale pendant que la presse anglophone adopte une attitude réservée. Quoi qu'il en soit, le 30 décembre, le public apprend que ni le Premier ministre ni les ministres n'ont l'intention de prendre une décision. L'affaire est déléguée au gouverneur général du Canada, le comte d'Aberdeen. Ce dernier demande un avis à Londres, qui ne se prononce pas.

Pendant ce temps, le bourreau Radcliffe fait son entrée dans Beauharnois, où il donne le spectacle habituel d'un homme ravi d'accomplir la haute fonction qui lui est dévolue en raison d'un talent ou d'un marché dont les détails sont inconnus du public. Le 1er janvier, alors que la rumeur que

Moins d'un an après la commutation de la peine de
mort infligée à son fils Valentine Shortis, sa mère
revient à la charge. Mary A. Hayes, dont le zèle à
protéger son enfant a ébloui et choqué le public,
réclame le transfert du meurtrier dans un asile irlandais. Il semble que le responsasble de la tragédie de
Valleyfield, désormais pensionnaire de l'asile de
Kingston, n'ait pas eu droit à ce privilège qui aurait
risqué d'enflammer l'opinion publique. À cette
date, soit le 6 décembre 1897, l'indignation populaire était à son comble. Les crimes de Saint-Liboire
(Guillemain), de Saint-Canut (Viau-Parslow) et
Rawdon (Nulty) accréditaient l'opinion voulant
que les moeurs et les temps avaient changé et qu'il
fallait, sans faiblir, réprimer, enfermer, punir et
pendre.

la peine a été commuée circule parmi les habitants de Beauharnois qui se visitent, les coups de marteau se font entendre du hangar attenant à la prison. La rumeur est si puissante qu'elle gâche la bonne humeur générale et excite à la vengeance plusieurs hommes sans doute éméchés par l'alcool qui, traditionnellement, coule à flots.

Le 2 janvier, la rumeur est confirmée. À nouveau, des coups de marteau se font entendre. Cette fois, Radcliffe démonte l'engin meurtrier. À Valleyfield, on s'organise pour aller lyncher le condamné, et la disparition de quelques barreaux aux fenêtres de la prison de Beauharnois laisse présager le pire au directeur, le shérif Charles Jos Laberge, qui s'évade avec le précieux Shortis! La *Presse* raconte que le shérif et deux gardiens «ont escamoté» leur prisonnier en lui faisant traverser la rivière Châteauguay en canot et le pont du Canadien Pacifique, à Caughnawaga, à pied, et, de là, en voiture, jusqu'à Montréal.

Shortis, qui sera plus tard interné à l'asile Rockwood, à Kingston, séjourne d'abord à la prison de Montréal, puis à Saint-Vincent-de-Paul. À cet endroit, où il doit attendre l'émission des documents lui permettant d'être admis dans «sa dernière demeure», on coupe ses cheveux et sa blonde moustache avant de le diriger vers le groupe de tailleurs, où il apprendra enfin les rudiments d'un métier...

À Coteau-Landing, dans le comté de Soulanges, on le brûle en effigie pendant que la famille Lebeuf et d'autres insistent pour que Shortis subisse un deuxième procès sous l'un des deux autres chefs d'accusation pesant sur lui au moment de sa condamnation, à savoir la tentative de meurtre sur la personne de Hugh A. Wilson et le meurtre de Maxime Lebeuf. Même le député de Soulanges à Québec, Avila Gonzalve Bourbonnais, intervient, en s'adressant au procureur général de la province, Thomas-C. Casgrain.

Une question était sur toutes les lèvres, même si la passion pour cette cause peu à peu s'éteignait: Shortis devait-il la vie à son origine irlandaise, à la politique ou à l'argent? Pour le journal *L'Événement*, la commutation est une injure au tribunal qui a jugé Shortis:

C'est un événement bien regrettable, d'où il ressort que cette chose sacrée qu'on appelle la Justice, est sujette, en notre pays, aux intrigues politiques et au poids de l'or. Cette commutation inflige une humiliation au tribunal intègre et impartial qui a déclaré le meurtrier de Valleyfield parfaitement responsable de ses actes; elle met en doute l'impartialité des autorités judiciaires et constitue un encouragement pour les criminels de l'espèce de Shortis.

Pour la *Presse*, qui avait péniblement tenté de rester neutre, la commutation lui permettait d'arracher le bâillon qui la privait du privilège de commenter. C'est elle qui exprima le plus clairement le sentiment populaire face à la révolution des moeurs judiciaires amorcée par l'affaire Louis Riel et confirmée par deux affaires récentes, dont le crime de la Montreal Cotton:

Il semble qu'aujourd'hui les criminels n'ont qu'à plaider la folie ou l'ivresse pour échapper à la juste punition de leurs forfaits.

Que Shortis vive ou non, cela nous est absolument indifférent: son emprisonnement à vie, aux travaux forcés, nous semble même un châtiment plus grand, plus dur, plus expiatoire que la pendaison, mais les criminels de la classe de ce misérable ne raisonnent pas ainsi et on doit regretter, pour l'exemple, que la justice n'ait pas suivi son cours.

Que dira-t-on aux parents de la première victime qu'un autre Shortis pourra faire? Et si on a laissé la vie au premier pourquoi l'enlèverait-on à celui qui l'imitera?

La commutation de la peine de Shortis est une faute d'autant plus grande que nous vivons à une époque où les ratés de l'existence et les jouisseurs invoquent tous la folie, lorsque la justice leur demande compte des crimes qu'ils ont commis.

L'exécution de Shortis eût été, pour cette classe d'individus, un avertissement salutaire. Sa grâce est, au contraire, un encouragement au crime et sera, par conséquent, déplorée par tous les honnêtes gens.

Le docteur Lamarche et le docteur Fafard sont allés samedi à Ste-Scholastique et ils ont eu une entrevue avec Cordélia Viau et Sam Parslow les meurtriers d'Isidore Poirier. C'est à tort qu'on a fait courir le bruit que les deux médecins avaient fait cette visite aux deux condamnés pour faire l'examen de leur état mental.

Dans une entrevue avec le représentant de la "Patrie", ce matin, le docteur Lamarche a de fait déclaré qu'il n'avait en aucune façon fait d'examen d'expertise ; il avait été invité à voir les condamnés par leur avocat, M. Leduc, et il n'a pas outrepassé le rôle d'un visiteur ordinaire. Comme médecin, cependant, il a pu faire des observations qui auraient échappé à l'attention d'une autre personne.

Cordélia Viau étant la seule prisonnière détenue à la prison de Ste-Scholastique, on a mis à sa disposition les quatre cellules réservées aux femmes. Elle se trouve bien logée et a un bon lit. Elle a aussi accès dans un petit oratoire où il y a un autel, un crucifix, des tableaux religieux, etc. Elle y va quelques fois et emploie presque tout le temps qui lui reste à écrire. Le docteur Lamarche ignore à qui elle

LA FEMME, LE MARI
ET LE CAVALIER
L'affaire Cordélia Viau

Au lieu de lui demander pardon en lui avouant tout, je me fâchai et l'accablai de reproches. Je lui dis que tout ce qui était arrivé n'était que de sa propre faute, qu'il n'avait pas besoin de s'en prendre à moi. S'il m'eût amenée avec lui aux États et ne m'eût pas laissée seule pendant trois longues années, je n'aurais pas succombé à la tentation et je serais restée honnête femme.

Parslow se mit de la partie et à nous deux nous fîmes tant et si bien qu'il finit par accepter la situation telle qu'elle était en consentant à ce que Sam continuât ses visites, à la seule condition qu'il n'y eût pas scandale au dehors et que nos amours criminelles restassent inconnues du peuple.

Cordélia Viau, prison de Sainte-Scholastique,
novembre 1897 — mars 1899 *.

L'édition du soir du journal *La Presse* du 22 novembre 1897 faisait état de la découverte, le même jour, du corps d'un homme d'une quarantaine d'années. Isidore Poirier s'était peut-être suicidé, mais, puisqu'il s'agissait d'une mort violente, une enquête du coroner était prévisible. Le lendemain,

---

* Extrait d'une brochure contenant une partie des comptes rendus de l'affaire connue sous le titre de «Boucherie de Saint-Canut», publiés dans *La Patrie*, au cours des années 1897, 1898 et 1899. La seconde et dernière section de la brochure contient le «récit complet et inédit des amours criminelles de Cordélia Viau et Sam Parslow et de leur terrible dénouement», attribué à Cordélia et originellement publié aux États-Unis.

le même journal, heureux d'exploiter un filon riche en sensation, accordait un quart de page à l'événement.

À partir de ce moment, l'Amérique entière suivra les péripéties d'un couple étrange dont les liens n'ont jamais été bien compris et qu'un siècle ou à peu près n'a pas davantage éclairés.

Où, quand et comment l'affaire de la boucherie de Saint-Canut a-t-elle débuté? Au mois de juin 1865, lorsque est née cette enfant à qui Noël Viau voulut donner le prénom de Cordélia, «sage et avisée»? Dans les années d'enfance pendant lesquelles, chérie et choyée par des parents vieillissants, elle obtient davantage qu'elle ne demande? Curieuse et intelligente, elle a, au contraire de ses soeurs, le privilège d'étudier plus sérieusement, d'apprendre la musique et de cultiver un tant soit peu un esprit qu'elle découvre indiscipliné, audacieux et rêveur. L'adolescente lit des romans, dévore les journaux. Elle sait comment vivent les belles Américaines. Elle connaît le luxe dont s'entourent certaines personnes et elle n'ignore pas qu'entre le rêve et la réalité existe un large fossé qu'elle ne franchira pas.

Cordélia Viau traverse l'adolescence et ne songe au mariage que vers 1890. À cinq ans de la trentaine, elle est déjà mûrie par une douleur intime, physique et esthétique, qui pousse ses parents à s'opposer à son mariage. Le «rifle» ou psoriasis s'attaque à tout son corps. Généralement, ses deux mains et parfois une jambe ou l'autre se couvrent de boutons douloureux et disgracieux. Cordélia, qui n'est pas à marier, ne résiste pas au bel Isidore Poirier. Homme mûr quoique sans richesse et sans avenir, il est caressant et rassurant. Il permettra en outre à Cordélia de quitter des parents septuagénaires et de vivre pour elle, pour l'enfant qu'elle aura peut-être, pour son mari et pour la musique.

Isidore a 15, peut-être 20 ans de plus que sa belle. Il est né dans le village de la Côte-Saint-Antoine (Notre-Dame-de-Grâce) au sein d'une famille ouvrière comptant de nombreux enfants dont la plupart éliront bientôt domicile dans le quartier Saint-Henri. Isidore est, au moment de son mariage célébré le 4 novembre 1889, un ouvrier sans spécialisation, dont le salaire ne sera jamais supérieur à 2$ par semaine. Amoureux de sa femme, il éprouve envers elle un respect dû, en grande partie, à l'éducation de Cordélia et à la personnalité de cette dernière.

Les premières années de leur union sont merveilleuses. Le couple souhaite un enfant qui ne vient pas et, en 1894, c'est l'apparente rupture.

Mais, non, sans enfant, la vie à deux ne fait voir que son mauvais côté. Il n'y a plus de caresses et toujours des querelles; les caractères s'aigrissent et l'on s'en veut mutuellement de ce vide qui ne fait que s'élargir autour de soi. L'amour d'autrefois se change en indifférence, puis en mépris et enfin en antipathie. Oui, je le crois, c'est comme cela que j'en suis venue à détester mon mari.

En 1894, après cinq ans d'un mariage stérile, quelques mois après la construction puis la bénédiction de sa nouvelle maison par le curé Louis-Étienne Pineau, Isidore Poirier quitte Saint-Canut et la région à destination de la Californie. Comme des dizaines et des dizaines de Canadiens français, il part à l'aventure, conquis par l'or et l'espoir d'une vie meilleure. Il laisse derrière lui une femme mûre qui, en cinq ans, lui a montré combien elle était autonome et en mesure de se débrouiller seule ou jusqu'à ce qu'il la fasse venir. Elle continue, «par dévouement», dit-on, à toucher l'orgue de l'église paroissiale, où elle est présente aux offices principaux: grands-messes, mariages et funérailles. Pour gagner quelques sous, elle partage avec une autre paroissienne, Madame Jules Nantel, la fonction de couturière. Sa clientèle, en partie masculine, apprécie sa dextérité, et si, en 1894, on parle de Cordélia, c'est surtout parce que la mode l'intéresse et qu'elle transforme un rien avec art et goût. Elle dépense certainement un peu d'argent en colifichets, en souliers à la mode, en tissus et en fils. Ses revenus personnels conjugués à ceux de son mari lui permettent d'oser quelques folies: des lampes à l'huile, des petits tapis, des meubles d'appoint et des rideaux. Elle adopte, dans la solitude de sa maison, des habitudes de ménagère disciplinée, compliquées par la maladie de peau qui ne lui permet pas de plonger ses mains dans l'eau aussi souvent qu'elle le voudrait. La maison est coquette, simple, et, tous les dimanches, le lit conjugal change de robe et d'allure lorsque Cordélia y jette un couvre-pied neuf et des oreillers de plumes.

Au cours des premiers mois de solitude, Cordélia trompe son ennui en jouant sur l'harmonium qui occupe la place principale du salon. Elle reçoit de rares lettres, où Isidore ne parle ni de son retour prochain ni de l'éventualité qu'elle le rejoigne au pays des cow-boys dont parlent régulièrement les journaux. Au pays de l'or, les découvertes sont rarissimes, les dépenses et les charges imposées aux chercheurs, lourdes, et les possibilités de s'enrichir, à peu près nulles. Et Isidore arrive à peine à joindre les deux bouts...

À la fin du mois d'avril 1895, la petite église de Saint-Canut s'anime à la nuit tombée. Les chantres, Samuel Parslow et Adrien Rioux, mettent au point les chants et musiques du mois de Marie. Cordélia et le curé Pineau sont également présents. Le soir du 1er mai, après la cérémonie, Parslow raccompagne la jeune femme chez elle. Ils se connaissent depuis toujours et c'est pourquoi elle peut lui permettre cette galanterie. Mais le jeune homme ne quitte pas Cordélia à la porte de la maison comme il aurait dû le faire:

> C'était une de ces belles soirées de printemps où la lune éclaire presque comme en plein jour et je n'allumai pas de lampe, croyant qu'il ne resterait que quelques minutes. Mais la conversation s'engagea et cela me faisait tant de plaisir d'avoir quelqu'un avec qui causer, ce qui n'arrivait pas souvent depuis que mon mari était parti pour les États, que je ne m'aperçus pas que le temps passait bien vite et il partit plus tard qu'il ne l'aurait dû, pour notre réputation à tous deux.

Cette chaste solitude comble quelques heures trop vite passées et permet à Cordélia de recruter involontairement un homme de maison et d'écurie. Pour un peu d'argent, Sam prend la relève du mari absent. On en parlera, à Saint-Canut, de ce paresseux notoire subitement envahi par une énergie nouvelle qui le propulse aux pieds de Cordélia. Il récure, frotte, savonne, fait les courses, attelle le cheval, conduit la belle à droite et à gauche. On observe, à la dérobée, le frère des «Parcello dits Billy», Édouard, George et Willie, perdre sa réputation et se transformer en serviteur. Pourtant, le jeune homme de 32 ans ne néglige personne. Il continue d'aider ses frères aînés, de chanter avec le choeur à l'église et, de temps à autre, il accepte des travaux plus rémunérateurs.

Au cours de l'été 1895, Cordélia, disposant de plus de loisirs, s'amuse à coudre un costume d'écuyère. Avec de l'argent tiré d'on ne sait quelle source, elle fait l'acquisition d'une selle de dame et, comble de coquetterie et d'audace, elle demande au photographe de «tirer son portrait». Cette innovation originale n'est guère plus acceptée que la présence de cette femme «seule» à une fête donnée sur les bords d'un lac. La mère et les frères de Samuel Parslow s'adressent au curé Pineau, lui demandant de faire chasser Madame Poirier du village. Elle est, croient ces bonnes gens, responsable de l'orientation déplorable que semble avoir pris l'existence de Sam. D'autres villageois interviennent, dans le but de «purger» la paroisse de l'indésirable Cordélia. Le curé hésite à réprimander l'organiste et le chantre, dont les services ne lui coûtent rien, et qu'il risque de perdre, au détriment de la fabrique, s'il parle.

Le religieux opte pour une solution simple: la délation. Il écrit donc à Isidore. Il a vraisemblablement été devancé par Cordélia, qui menace d'aller travailler en ville et de fermer momentanément la maison, à cause de l'ennui et du besoin d'argent. Elle a probablement parlé à son mari du bal chez John Hall, bal où elle s'est rendue en compagnie de celui qu'elle a décrit comme étant son «cavalier».

De Fresno, Californie, le 23 septembre 1895, Isidore répond à sa femme, lui enjoignant de ne pas céder à la pression exercée sur elle par les racontars:

> (...) Pour l'amour du bon Dieu, lâche donc toute l'ouvrage que tu fais à l'église et fait ton affaire, mais ça va me faire de la peine si fault que tu lesse la maison, personne dedans tout va se gaspiller, fait ton possible pour restée. Tu as bien faite d'avoir été à la faite du laque, je te le dis encorps et fait tout ce que tu pourra pour te desannuier. Tu veut aller restée en ville pour travailler, ne fait pas cela. Si je ne suis pas malade tu va avoir plus d'argent cette hiver que tu en a eu cette été, j'ai de l'ouvrage pour toute l'hiver. La prochaine lettre je va t'envoyer de l'argent. Si tu veut rester dans la maison, je te promets des

belle étraine pour le jour de l'an. Je ne te di pas cela, restée dans ta maison, pour t'empêcher de sortir. (...) J'ai écrit à Mr. Pinault en même temps que toi, vous aller recevoir vos lettre ensemble. (...) Fait comme moi, ne va pas te mettre à ces genoux, sois indépendante, ne le liche pas. (...) Au revoir fait pour le mieux, n'écoute pas les mauvaises langues, fait tes affaires droites et ne crin rien, mille caresse, autemps de bec, ton mari qui ne vit que pour toit *.

Cordélia lui répond aussitôt. Elle se fait rassurante et ne parle plus d'aller en ville. Une certaine «Métille», raconte-t-elle à Isidore, a déposé une lettre dans une fenêtre. On n'en connaît l'existence qu'à travers la réponse d'Isidore, qui recommande à sa femme de faire «bien attention de te chicanée avec cette race là car ils sont dangereux, ne t'en occupe pas, s'il te parle, ne leur répond pas, et tu bien sertaine que c'est Métille qui t'a écri cette lettre la que ta trouver dans ton chaci fait attention, il font tout ce qui peuven pour te faire parlée pour t'en faire coutée et ne te lesse pas maganner par Pino, si il est pas contemps lesse le faire».

Un élément de cette lettre laisse entendre que, dès le début d'octobre 1895, Isidore Poirier songe à revenir au Canada, mais que de lourdes charges l'obligeront à demeurer loin de celle qu'il aime:

Ça me décourage, dit-il, d'avoit temps d'argent que cela à donner, l'assurance, le moulaint à coudre et l'assurance encorps, tu vois si ce n'est pas assée pour découragée un homme, si sa continue, je ne pourez pas m'ennalée au printant et tout cela me fait ennuier en corps bien plus.

L'année 1896 marque une halte dans les relations de Sam et de Cordélia. Pendant qu'elle demeure à Saint-Canut, il travaille à Montréal, d'abord aux carrières d'Outremont puis comme «*motorman* sur les p'tits chars à Montréal». Il abandonne cet emploi sans préavis, lorsque le jeune avocat Joseph-Arthur-Calixe Éthier décide de se présenter aux élections fédérales du 23 juin. De cette époque, à travers les rela-

---

* Les lettres citées ont été déposées comme pièces justificatives au procès de Cordélia Viau ou à celui de Sam Parslow.

tions de Cordélia et de Sam, on sait peu de chose sinon que, pendant son séjour à Montréal, il aurait correspondu avec Cordélia, à qui il aurait peut-être aussi expédié de l'argent. Il va sans dire qu'il s'agit ici de rumeurs.

À la fin de l'année 1896, Isidore Poirier annonce son arrivée prochaine. Ni plus riche ni plus pauvre, il revient affronter un climat et accomplir des tâches qui ne lui conviennent plus. Industrieux, travailleur acharné, la chaleur et le soleil l'ont rendu frileux et l'ennui et les soirées trop longues ont accentué son penchant pour l'alcool. S'il faut en croire le texte attribué à Cordélia Viau, le retour d'Isidore la bouleverse et elle décide de ne plus revoir Parslow dans l'intimité. Deux jours après avoir reçu la lettre de son mari, alors qu'elle vient de jouer la musique des funérailles «d'une pauvre petite morte le jour même», Sam jure avec elle de mettre un terme à leurs relations. Pendant quelques semaines, la résolution est tenue. Elle l'est encore à l'arrivée d'Isidore, le samedi 1er janvier 1897. Les retrouvailles ont lieu sans passion. Les époux se jaugent, se toisent et, après avoir demandé des nouvelles des uns et des autres, Isidore aurait abordé le thème principal des commérages et des lettres anonymes: les relations de Cordélia et de Parslow. Elle le rassure. Cela n'est que rumeurs de mauvaises langues jalouses. Il travaillait pour elle et était payé pour le faire. Rien de plus.

Isidore est-il naïf? Cordélia dit-elle vrai? Elle est en tout cas suffisamment persuasive pour que Parslow, qui avait cessé de fréquenter la maison, recommence à le faire, étant officiellement devenu l'ami, le confident et l'homme de peine des Poirier. Quelques jours après le retour du voyageur, les relations particulières entre Sam et Cordélia auraient repris. Sam, jaloux du mari, aurait fait valoir à sa belle ses droits d'amant et le peu de valeur des promesses récentes.

Peu après son retour, Isidore cherche et trouve un emploi. Il travaillera à Saint-Jérôme et, puisqu'on est en hiver, Parslow continuera de voir au train-train quotidien. Le 17 janvier 1897, Cordélia Viau-Poirier entreprend une correspondance avec Évariste Champagne, agent de la Standard Life Insurance, une compagnie ayant pignon sur rue à Montréal. Champagne connaît bien cette jeune femme dynamique puisque, le 7 août 1894, il avait émis au nom de son mari une première police d'assurance au montant de 2 000$. Payable en deux versements égaux de 33.34$, les 14 août et 14 février de chaque année, la police, dont Cordélia était seule bénéficiaire, était tombée en désuétude au cours de l'année 1895, alors que le versement d'août n'avait pu être payé. Vainement, Cordélia avait-elle demandé à Évariste Champagne d'honorer la dette en attendant qu'Isidore réunisse, en Californie, l'argent nécessaire. Que Cordélia s'adresse elle-même à l'agent n'est pas étonnant car, à cette époque, et Champagne le confirmera lui-même, les femmes prennent généralement cette sorte d'initiative. Le texte de la lettre de Cordélia est si curieux que Champagne en restera frappé:

> Monsieur Champagne, j'ai parlé à mon mari que j'avais été vous voir pour à l'égard de notre police d'assurance sur la vie. J'avais oublié de vous demander des livres en français, mon mari veut bien comprendre avant de trop dépenser d'argent. Il est bien décidé de continuer, mais il veut tout comprendre avant. Il demande s'il venait à mourir de n'importe quelle mort, se faire tuer de n'importe quel accident, ou être empoisonné, ou être tué par les chars, il veut savoir tout, car on parle avec plusieurs et il nous disent qu'on sera pas payé. Ce qu'il me semble que vous m'avez dit que je serais payée de n'importe quelle mort.

Ainsi, Isidore aurait été préoccupé de savoir si l'assurance serait versée à sa femme, advenant «n'importe quel accident». Comment expliquer ses réticences du 21 mai suivant, lorsque Champagne se rend à Saint-Canut pour mettre au point un nouveau contrat? Il s'engage enfin mais, malgré les supplications de Cordélia, il limite à 1 000$ le montant devant être versé aux bénéficiaires. La police est émise le 1er juin 1897. Un mois plus tard, soit le 5 juillet, Cordélia écrit encore à Évariste Champagne, qui était passé par Saint-Canut, où il s'était arrêté chez les Poirier. Elle lui dit pourquoi elle est déçue de n'avoir pu le rencontrer:

> Et moi qui voulais prendre une autre police d'assurance sur la vie pour un autre 1 000$. Si vous pouvez m'envoyer une autre police, je vous enverrai l'argent pour

payer les deux polices. J'ai eu de la peine de ne pas l'avoir pris de suite pour les 2 000 piastres, et si vous venez à la maison, vous me demanderez, et vous m'attendrez, car vous savez que c'est moi qui fais les affaires.

Tout à vous,
Je suis, pour la vie,
                                      votre humble amie.
                                      Dame Isidore Poirier.
Je veux avoir cette police au plus vite car je va retirer de l'argent — Si vous venez, ne dites pas que je vous ai écrit — au plus vite.

La nouvelle police est émise le 13 juillet suivant et chacune des deux polices entraîne une dépense immédiate de 35.48$. La prochaine échéance pour le versement de la prime est fixée au 24 novembre 1897.

Au cours de l'été, pour une raison que l'on ignore, Isidore Poirier abandonne son emploi à Saint-Jérôme pour aller travailler en ville. Il s'installe chez Modeste Hébert, son beau-frère. Ce dernier, marié à l'une des soeurs de Cordélia, semble mécontent de l'arrivée d'Isidore puisque, dans une lettre qu'elle écrit à son mari le 1er août, Cordélia évoque une certaine hostilité: «On me dit que Modeste n'est pas content contre moi. Sa parait qu'il ne m'aime pas, il dit que j'ai fait exprais pour vous faire partire.» Cordélia, qui n'a pas l'habitude de vouvoyer son mari, parle ici de l'enfant qu'elle a adopté, un garçon né du mariage de sa soeur et de Modeste Hébert. Est-ce une question d'argent qui est la cause de la séparation? L'urgence de trouver un emploi sans lequel l'hiver sera dur? La santé de Cordélia? Tout cela, sans doute, forme un éventail de prétextes qui provoquent une nouvelle séparation du couple. Au cours du même mois, un incident bouleverse l'existence d'Isidore, de Sam et de Cordélia. Un samedi soir, sans prévenir, le mari arrive chez lui, où tout le monde dort. Le texte attribué à Cordélia lui fait dire qu'elle s'est réveillée trop tard pour que son mari ne puisse pas comprendre la nature des relations existant entre elle et Sam:

Le lendemain, il y eut une nouvelle scène. Mon mari dégrisé, réalisait la vérité de tous les rapports qu'il avait reçus et il était maintenant convaincu que nos relations existaient depuis longtemps.

Au lieu de lui demander pardon en lui avouant tout, je me fâchai et l'accablai de reproches. Je lui dis que tout ce qui était arrivé n'était que de sa propre faute (...).

Isidore retourne à Montréal. Pour peu de temps. Sa résolution de revenir à Saint-Canut est inébranlable et on verra bientôt qu'il est déterminé à ne plus laisser sa femme seule. Elle lui écrit une dernière lettre, à laquelle il répond, le 1er septembre 1897:

Cher femme, Je répond de suite à ta lettre et j'espère bien que tu me pardonneras de m'être tromper, je voudrais bien être comme toit, de jamais me tromper, petêtre que je serais plus heureux, car je vois bien qui y a plus de bonheur pour moi sur cette terre, et bien, à la volonter du bon Dieu puisqu'il faut que je fasse mon purgatoire sur la terre, et bien, je suis bien décider d'enduré toute la peine que tu m'a faite et que tu me fera encorps à l'avenire. Merci, ma femme, merci de tout les beaux compliment, il ne me reste plus qu'à vivre dans la peine tout le temps de ma vie, plus de bonheur pour moi dans ce monde, il ne me reste plus qu'à demander à Dieu de venire me chercher au plus vite. Je pence de travailler encorps la semenne prochaine, je suis pas certain, je t'écrirez une carte pour samedi si je m'en va oui ou non, je ne peut plus écrire, car je suis complettement découragée et démontée. Au revoir, ma femme. Ton mari qui ne veut pas dire chéri, parce que j'ai troop mauvais nom.
Au revoir, au revoir, ton marie

Isidore Poirier.

À la fin de cette lettre où l'amertume n'est pas maquillée, Isidore Poirier fait état de la possibilité qu'un curieux ait décacheté la lettre qu'elle lui avait d'abord écrite. On comprendra mieux pourquoi, dans les mois qui viennent, Cordélia Viau sera abandonnée par ses proches et rejetée par tous ceux qu'elle a connus.

Quelques semaines plus tard, Cordélia, son fils adoptif et neveu ainsi qu'Isidore s'établissent dans une première maison de pension à Saint-Jérôme. L'enfant fréquente l'école. Il est choyé et bien traité. Au mois d'octobre, le couple s'établit chez Joseph Meunier. Chez cet homme, la pension est plus agréable, d'autant plus que leur fille aînée conduit chaque jour leur enfant à l'école. Cordélia peut cuisiner et coudre en attendant le retour d'Isidore, qui, du haut des échafaudages de l'église en construction, supporte de plus en plus mal le froid de l'automne.

Entre Sam et Cordélia, il ne se passe rien. C'est-à-dire qu'on ne remarque rien de particulier avant la troisième semaine d'octobre, alors que Sam Parslow fait une brève apparition devant la maison des Meunier. Ces derniers, qui ont eu vent des rumeurs circulant dans la région des Deux-Montagnes, s'intéressent au manège de leur belle pensionnaire qui, la veille, soit le 16 octobre, est allée, seule, dormir à Saint-Canut. Trois fois, ce jour-là, Cordélia sort de la maison pour aller converser avec Sam.

La première fois, il veut lui remettre un colis expédié par sa soeur, Madame Hébert; les deux autres fois, il n'a aucun prétexte. À son hôte qui lui suggère de faire entrer son visiteur, elle répond qu'il refusera, parce qu'il «est trop timide». Enfin, dans l'après-midi, Parslow revient et consent à entrer. Il a alors avec Cordélia une conversation privée qui dure environ 20 minutes. Il se rend ensuite à l'épicerie Simard, où le commis Adélard Robert, qui le sert, ne remarque rien de particulier. Il lui vend un petit «flask» et environ une chopine de «whisky en esprit». Joseph Meunier fera erreur lorsqu'il prétendra que Sam lui a volé le «flask» vide, mais cet homme qui a déjà été condamné pour avoir sali la réputation d'un compatriote ne sera démenti par personne lorsqu'il racontera les faits suivants, qui seront interprétés comme étant la préméditation d'un crime... avorté! Au retour d'Isidore, fourbu et transi, Cordélia lui ordonne de raccompagner Sam à Saint-Canut. Sans égard pour la fatigue de son mari, elle insiste jusqu'à ce qu'il consente à partir, et elle lui suggère de dormir à Saint-Canut et de revenir le lendemain matin. À Joseph Meunier, qui commente la scène en disant à Cordélia que, *lui*, il ne serait pas parti, elle aurait répondu: «Il fallait qu'il y allât. Quand je lui parle, il faut qu'il écoute.»

Le lendemain, jeudi 18 novembre, Cordélia se lève au petit jour, prépare son petit déjeuner et, répondant à une question portant sur le retour d'Isidore, elle affirme qu'il ne viendra pas manger. Lorsqu'il arrive enfin, à 6 heures 30, elle paraît fâchée et déconcertée. Plutôt que de lui adresser la parole et de lui préparer son repas, elle s'enferme dans sa chambre. Le même jour, dans la solitude de sa chambre à coucher, Cordélia écrit deux lettres. La première est adressée à l'agent de la Standard Life Insurance, auquel elle demande d'avoir la bonté d'attendre quelques jours avant le paiement de la prime échéant le 24 novembre. La deuxième lettre est adressée à la mère du petit garçon adoptif. Dans celle-ci, elle parle de la misère éprouvée par le couple, de la fatigue et du «découragement» d'Isidore.

La journée du vendredi 19 novembre n'offre rien de particulier. L'avant-midi du samedi se déroule normalement, à cette exception près que Cordélia refuse d'emmener son fils à Saint-Canut pour le week-end. Il fait trop froid, dira-t-elle, pour qu'il supporte le voyage. À 15 heures 30, en «barouche», Isidore et Cordélia prennent la direction de leur maison où Sam est occupé à peindre quelques murs intérieurs. Une certaine confusion, née des imprécisions de quelques témoignages, rend difficile, sinon impossible, la reconstitution du samedi, que divers témoins ont confondu avec le vendredi, et vice versa.

Quant au dimanche 21 novembre 1897, jour du crime, sa reconstitution est plus simple. Avant 7 heures, Isidore et Cordélia sont levés. Contrairement à son habitude, le lit n'est pas revêtu du couvre-pied qui fait l'envie des commères, ni des oreillers duveteux. Entre 7 heures et 7 heures 30, Isidore se rend chez les Noé Bouvrette, ses voisins les plus proches, de qui il emprunte une presse à tabac. Plus tard, le couple se rend à l'église, où Sam les rejoint pour le chant de la messe dominicale. À l'issue de celle-ci, Cordélia dit quelques mots à Sam, qui suit le couple jusqu'à la maison, située à quelques pas de l'église. Il y passera la journée. Au début de l'après-midi, alors qu'Isidore a commencé à boire du gin et qu'il est somnolent, John Hall, un voisin qui a besoin qu'on lui confectionne deux pantalons, se présente chez les Poirier. Client de Madame Nantel, qui est malade, il est forcé par les circonstances de s'adresser à Cordélia. Hall a, plusieurs fois, tenté d'approcher Cordélia autrement qu'en client ou en voisin. On l'a vu, au bal qu'il donna en 1896, se mériter le quolibet de «vieux bâdreux», parce qu'il avait forcé Cordélia à s'asseoir sur ses genoux. Son mince succès de séducteur l'a rendu malveillant à l'égard de sa voisine et il fait partie de ceux qui ont réclamé son exclusion de la paroisse. Forcé par les circonstances de solliciter un service, il entre à contrecoeur chez les Poirier. Il est reçu par Cordélia, qui lui dit que son mari a bu, qu'il semble découragé et qu'il dort. Elle va dans la chambre, elle le réveille, il se lève. Isidore ne titube pas. Il a, de toute évidence, déjà avalé quelques verres et il ne demande pas mieux que de continuer. De toute façon, laisse-t-il entendre, il a assez vu d'églises récemment pour se passer d'aller aux vêpres. Hall boit «un coup» et repart sur la promesse de Cordélia de remplir, dès le lendemain, la commande qu'il vient de lui faire.

Samuel Parslow, sorti à l'heure du dîner, revient à 13 heures 30 chercher Cordélia, avec qui il va assister aux vêpres. Ils sont de retour un peu avant 16 heures. Invitée par son mari à prendre un verre ou deux, elle s'exécute avec réticence puis, à 16 heures 15, elle se prépare à aller passer la nuit chez son père, à Saint-Jérôme. Il semble qu'elle ait acquis l'habitude d'aller dormir là, les samedis, depuis une récente maladie de sa vieille mère. Entre 16 heures 15 et 16 heures 30, Madame Noé Bouvrette, qui, d'une fenêtre, observe les alentours, voit Samuel Parslow sortir seul, pour atteler le cheval à la voiture de Cordélia. Généralement, et de cela tout le monde témoigne, Isidore participe à cette corvée, et son absence, en fin d'après-midi, se remarque. Subitement, sans que rien ne paraisse justifier cet événement, Parslow, qui est allé vers la maison, en revient et... dételle la jument. Peu après, toujours sous le regard de Madame Bouvrette et d'un autre témoin, Parslow quitte la maison, attelle une deuxième fois le cheval. Cordélia monte peu après dans la voiture et quitte Saint-Canut pour Saint-Jérôme.

Elle sera suivie, mais on ne sait à quel moment précis, par Samuel Parslow. À 17 heures, moment où Cordélia s'arrête chez sa soeur de Montréal, Parslow arrive chez son frère George, qui habite à moins de 40 arpents des Poirier. Il passe quelques minutes à cet endroit avant de se rendre chez son frère Édouard. Depuis quelque temps, Sam s'est chargé de l'ordinaire de la ferme d'Édouard, qui, comme sa femme et leurs enfants, est cloué au lit par une maladie pulmonaire. Il a troqué son «habit en tweed de magasin» contre des vêtements de travail. Il «fait le train», passe la soirée à lire les journaux avant de se coucher vers les 21 heures, aux côtés de son frère Édouard, qu'il doit «médicamenter» comme il le fait depuis quelque temps.

Lundi matin, le 22 novembre, alors que la famille d'Édouard Parslow est éveillée, on entend une voiture venir sur le chemin gelé. La belle-soeur de Sam observe:

> Elle est arrêtée, a laissé sa voiture dans le chemin et s'est rendue jusqu'à la porte de derrière. J'ai envoyé Sam lui parler. Ils sont restés à causer deux ou trois minutes, puis elle est repartie. Je ne sais pas ce qu'ils se sont dit; je ne connaissais pas Cordélia Viau. Quand je l'ai vue arriver, j'ai dit à Sam: «Voilà une dame, vas-y.»

Quelques minutes plus tard, la voiture de Cordélia entre dans la cour de sa maison. Elle observe les toiles baissées, frappe à la porte et aux fenêtres, et, puisqu'elle n'a pas de clé, elle rebrousse chemin et se rend à l'église chanter la messe de mariage d'un couple de paroissiens. Sitôt la cérémonie terminée, la jeune femme remonte à bord de sa voiture et se rend chez Noé Bouvrette, à qui elle demande de l'accompagner. Elle lui recommande de se munir d'un tournevis pour, au besoin, enlever une double fenêtre. Il semble qu'elle laisse chez les Bouvrette sa voiture et le cheval, qui doit être ferré. Habitué à rendre de petits services à sa voisine, le forgeron l'accompagne:

> J'ai frappé à la fenêtre de Monsieur Poirier pour le réveiller. Sa femme m'avait dit qu'elle le pensait endormi et je voulais qu'il vînt dételer le cheval. (...) Elle n'est pas retournée chez elle pour voir si son mari s'était réveillé et elle m'a dit alors: «Il est peut-être allé à Saint-Jérôme. Pourtant, a-t-elle ajouté, il n'a pas dû partir à pied.» (...) J'ai enlevé le châssis double, et je suis entré seul. J'ai alors ouvert la porte de devant et Madame Poirier est entrée

avec moi. Elle m'a dit: «Allez dans la chambre pour voir s'il y est; moi, j'ai peur d'entrer.» La porte de la chambre du défunt était fermée. Je l'ai ouverte, et j'ai aperçu le cadavre de Poirier, étendu sur le lit. Je suis retourné aussitôt retrouver Madame Poirier, qui était restée dans le passage, et elle m'a demandé si son mari y était. J'ai répondu: «Il y est, mais il a le cou coupé.» J'ai refermé la porte et nous sommes partis. Elle n'est pas entrée dans la chambre, elle s'est mise à crier et à pleurer. Ensuite, je suis revenu après être allé demander à Gilbert Lauzon d'avertir Monsieur le curé.

Si avertir le curé est une chose relativement simple, il semble plus compliqué de réserver la nouvelle pour ce seul personnage. En un instant, toute la noce réunie sur le perron de l'église se transporte dans la maison. Des voisins accourent contempler le lugubre spectacle d'un homme égorgé, renversé sur le matelas recouvert de vieux draps imprégnés de sang. Le froid de la nuit a fait son oeuvre et, plutôt que de se coaguler, le sang s'est congelé. Les curieux marchent autour du lit, explorent la maison, observent une lampe à l'huile, couchée par terre, cassée. Ils remarquent que, son réservoir ne contenant pas une goutte d'huile, elle n'a pas été utilisée la veille. Une autre lampe porte des traces de sang. Les murs où s'imprime une main d'homme, les meubles souillés et renversés témoignent d'une lutte récente.

Le premier geste du curé Pineau est de faire sortir de la maison toutes les personnes présentes, parmi lesquelles se trouvent Philias Desormeaux, Alfred Therrien, Oliva Therrien, Joseph Limoges, Noé Bouvrette, Adrien Rioux et le fils de ce dernier. Philias Desormeaux ne résiste pas au réflexe qui le pousse à s'emparer du couteau. Il prétendra l'avoir soulevé légèrement de l'oreiller qui se trouvait à gauche de la tête de Poirier, mais d'autres diront qu'il l'a manipulé et qu'il a modifié l'angle dans lequel il reposait. Tant de curieux avaient empli leurs yeux de cette vision terrifiante, tant de prédateurs s'étaient portés autour du lit et avaient exploré la chambre en tout sens, qu'aucun des indices relevés sur place au cours des jours suivants n'aurait dû être utilisé en preuve.

Ainsi, par exemple, les empreintes de souliers, les égratignures du parquet, les marques étalées dans la chambre par ceux et celles qui marchaient involontairement dans la mare de sang seront utilisées en preuve. On démentira la thèse du suicide, fortement défendue par Parslow et par Cordélia, grâce à divers éléments solides et à un argument qui ne l'était pas. Cet argument faible est la localisation du couteau manipulé par Desormeaux. S'il se trouvait effectivement à gauche du corps, Poirier, droitier, ne s'est pas suicidé. Mais qui pouvait dire que Désormeaux était le *seul* et surtout le *premier* à y avoir touché? Noé Bouvrette, qui avait lui-même forgé la lampe, dira l'avoir manipulé. Par la suite, invité à se taire par sa femme qui craint les conséquences de ce geste, il contredira les témoins de cet aveu.

La maison vidée grâce à l'intervention du curé, il faut attendre l'arrivée du coroner P.-Z. Mignault, de Saint-Augustin, qui n'arrivera qu'à 19 heures ou 20 heures, le même jour. L'un de ses premiers gestes consiste à désigner quelques paroissiens pour assurer la garde de la maison et empêcher d'autres curieux d'y pénétrer. Ces gardiens méritent-ils ce titre? On peut en douter lorsqu'on sait que, le soir même, Anthime Charbonneau «fait une expérience» en faisant brûler du tissu, du papier et du tabac dans le poêle, pour voir si quelqu'un n'y aurait pas fait brûler des vêtements souillés de sang. Il veut comparer un tas de cendres avec un autre... Le lendemain après-midi, mû par le même désir d'enquêter en profondeur, Philias Desormeaux recueille des agrafes. Il dira plus tard au tribunal qu'il est certainement le premier à avoir allumé le poêle. Comment savoir si les dix agrafes ne provenaient pas du «linge» brûlé la veille par son savant confrère? Ces bons habitants, qui offrent gratuitement leur temps à la justice, se remboursent en fouillant les armoires, en buvant du thé et en spéculant sur les auteurs du crime.

En effet, malgré ce qu'en disent Cordélia et Sam, personne n'oserait accorder quelque crédit que ce soit à la thèse du suicide. Non seulement la victime s'y serait-elle prise à deux fois pour s'occire elle-même, mais, en outre, elle se serait infligé une sévère coupure à la joue. Non, décidément, même découragé et ivre, un homme ne se suicide pas en se coupant la gorge et en s'infligeant un aussi grand nombre de blessures.

216

D'ailleurs, immédiatement après la découverte du corps, tous ont pensé que Sam et Cordélia avaient enfin pu se défaire de l'intrus qui avait osé revenir de Californie pour rompre une interminable lune de miel. Le «couple» était la fable de la campagne, où l'on se moquait d'Isidore dont la faiblesse et la tolérance étaient autant d'injures à la portion mâle de l'humanité. Certains faits ou plutôt l'absence de faits survenus immédiatement après le drame avait d'ailleurs suffi pour convaincre les proches du «couple» que quelque chose ne tournait pas rond. D'abord, vers 11 heures 30, après avoir fait le train, Parslow quittait enfin la maison de son frère. On ne sait pas comment la nouvelle du crime est parvenue jusqu'à lui, car on ne s'intéresse à lui qu'à partir de l'instant où il pénètre dans la maison de Noé Bouvrette. L'incrédulité envahit toutes les personnes présentes à la première rencontre de Cordélia et de Sam. Le juge Henri-Thomas Taschereau, dont la charge contre ces deux personnes sera plus tard contestée, résumera violemment les circonstances de cette rencontre, qui a lieu vers 11 heures 30, le jour de la découverte du corps:

> Elle voit cet homme qu'elle avait laissé la veille et auquel elle aurait confié la garde de son mari, plongé dans le sommeil. Elle voit cet ami, ce commensal, ce compagnon de tous les jours, et à la suite d'une pareille tragédie, ils n'ont pas un mot à se dire l'un à l'autre? Pas un mot de la découverte du cadavre? Aucune demande, aucune explication! Elle ne lui dit pas: «Mais rends-toi donc compte de ce qui s'est passé! Je viens de trouver le cadavre de mon mari où je l'ai laissé hier sous ta garde!» Silence parfait! Parslow, en arrivant, s'est assis dans la cuisine, près du poêle, à trois ou quatre pieds de l'accusée; ils se voient parfaitement; ils restent là tous les deux un long espace de temps — trois quarts d'heure, une heure — et pas un mot d'échangé.

Quelques heures plus tard, Parslow est de retour chez son frère Édouard. Il ne dira pas un mot du drame qui vient pourtant de frapper celui qui, à défaut de passer pour son rival, avait parfois la réputation d'être son meilleur ami! Quant à Cordélia, elle ne prononce pas un mot à propos de la mort de son mari, sauf à une ou deux reprises, pour parler du grand et profond découragement d'Isidore qui a dû se suicider.

Avant la fin de la journée, le coroner Mignault forme son jury et il ordonne aux médecins Henri Provost, de Saint-Germain, et Lamarche, de Sainte-Scholastique, de pratiquer l'autopsie. Ils découvriront six blessures et une ecchymose sur le corps de Poirier, mais ils seront incapables de déterminer l'heure à laquelle le crime a été commis. Seul indice, d'ailleurs peu valable en médecine: la montre du défunt s'était arrêtée à 6 heures. Volontairement ou non, ils obéissent à l'impact de la rumeur qui a, dès le 22 novembre, établi un principe pour expliquer comment Poirier a pu *se laisser tuer*. Selon la rumeur, Parslow et Cordélia auraient enivré ou endormi leur victime avant de plonger sur lui, l'arme au poing, pour le saigner comme un porc. Les deux médecins prélèvent donc les viscères principaux de la victime, qu'ils remettent au coroner, qui, pour les préserver de la corruption, les plonge dans l'alcool contenu dans un bocal non stérilisé. La science n'est pas encore familiarisée avec cette espèce de complication et, pour tout dire, elle sera ici inutilement mise à contribution. D'empreintes digitales, on ne parle pas encore en Amérique du Nord. C'est malheureux car, au rythme où les visiteurs ont afflué sur les lieux du crime, leur analyse aurait occupé une dizaine de fonctionnaires pendant plusieurs semaines. Les médecins confirment cependant un fait: Isidore Poirier est mort assassiné et le ou les assassins s'y sont pris à deux fois pour l'achever!

Le 23 novembre, c'est l'effervescence au journal *La Presse*, qui tient le meilleur roman fin de siècle de l'histoire du pays. Déjà, le reporter Paul Gravel est sur les lieux, faisant écho aux cancans et donnant libre cours à ses impulsions de détective frustré. Son premier texte fourmille de contradictions. Suicide et meurtre se côtoient et, dans un cas comme dans l'autre, Gravel trouve les arguments pour développer l'une et l'autre thèses. En quelques lignes, il brosse un tableau soi-disant réaliste des faits, un tableau qui désigne Cordélia Viau comme la seule et unique responsable du drame:

La femme Poirier a déclaré à un représentant de *La Presse* que son mari avait déjà manifesté son intention de se suicider. On prétend à Saint-Canut que c'est faux et l'on trouve pour le moins étrange la manière dont la femme Poirier parle de son défunt mari. À l'entendre, c'était un ivrogne, un paresseux, qui ne gagnait pas assez pour les dépenses de la maison; pourtant, toutes les personnes à qui nous avons parlé démentent cette assertion et prétendent que Poirier était estimé de tous tandis que sa femme ne jouissait pas d'une grande considération. (...) La femme Poirier n'a pas été voir le cadavre de son mari. Elle est trop «nerveuse», mais elle nous dit ça froidement, l'oeil sec, comme si elle n'était guère affectée.

S'il n'est pas encore question de Sam Parslow, dont le nom est pourtant déjà sur toutes les lèvres, Isidore Poirier est à la veille d'atteindre la grandeur des idoles et, dans peu de jours, on le décrira comme étant *le* citoyen le plus estimé de toute la paroisse.

Le même jour, un jeune avocat de la région, J.-D. Leduc, s'amène chez Noé Bouvrette, où Cordélia s'est installée la veille. Il est accompagné d'un journaliste en mal de sensations, Émile Bélanger, qui s'offre le plaisir de visiter la maison du drame et de converser un moment avec la veuve. Cette première rencontre sera plus tard exploitée par Bélanger, au détriment de son ami Leduc, qui deviendra l'avocat de Cordélia.

Le même jour encore, à 11 heures, l'enquête du coroner débute. Les jurés, le coroner et les témoins visitent d'abord les lieux du crime et ils peuvent, à loisir, imprégner leur esprit de la vision d'Isidore dont le corps est toujours dans la maison. Frères, soeurs et parents du défunt, quelques proches de Cordélia sont également sur place. Cordélia fait figure d'accusée et Parslow est désormais officiellement associé à la «boucherie». Les témoins, convoqués à l'enquête qui se poursuit dans une autre maison de Saint-Canut, sont invités à reconstituer la journée du dimanche. Noé Bouvrette, John Hall, Joseph Cyr font revivre le trio au bénéfice des journalistes, des avocats et des médecins du canton, qu'on a tolérés sur place. Le témoignage de Parslow est la négation de la rumeur. Ayant remarqué l'absence de lumière chez les Poirier, le lundi matin, il s'est tout naturellement dirigé vers la maison des Bouvrette, où il aurait appris la nature du malheur ayant frappé Poirier. Il nie avoir eu des relations illicites avec Cordélia et, à son tour, il affirme qu'il s'agit d'un suicide:

> Je suis d'opinion, moi, que Monsieur Poirier s'est suicidé. Parce que Monsieur Poirier m'a déjà dit qu'il avait l'intention de mettre fin à ses jours. Une fois, entre autres, il m'a dit: «Je suis découragé complètement. Les affaires vont mal. J'ai des dettes et je gagne à peine assez pour vivre. Je vais persister encore quelque temps et si ça ne change pas je vais voir autrement. Un homme qui vit comme je vis est bien mieux mort.»

Le mercredi, 24 novembre, débute une deuxième journée d'enquête. Elle vaudra cette fois dans les quotidiens montréalais une page complète à Sam et à Cordélia, dont les portraits, séparés par un couteau de boucherie qui occupe plus de la moitié de la longueur de la page, sont surmontés du titre déjà connu: «La boucherie de Saint-Canut». Le public associera désormais ces deux visages au crime et rien ne pourra le faire changer d'avis. Les relations de Cordélia avec son serviteur sont étalées publiquement. Sans preuve, sans avoir vu quoi que ce soit, on prétend que les deux principaux témoins étaient amant et maîtresse.

Curieusement, avant de se transformer en témoins à charge, Noé Bouvrette et sa femme affirment que les relations du trio leur ont toujours semblé normales. Un élément, qui, comme l'histoire du couteau, sera relégué au fond de leur mémoire, concerne l'heure du crime. Le dimanche 21 novembre, dans la soirée, alors qu'Isidore était censé être seul et bien vivant, les Bouvrette étaient sortis pour aller veiller chez John Hall. Passant devant la maison, Madame Bouvrette aurait distingué de la lumière derrière les toiles baissées. Malheureusement, ni son mari ni John Hall n'en ont vu. Plus tard, un autre témoin, Joseph Legault, voyageant en compagnie de deux hommes après minuit, la nuit du crime, prétendra la même chose que Madame Bouvrette, mais son témoignage sera contesté par ses deux compagnons de voyage. Un autre témoin affirmera avoir vu un homme dans la fenêtre d'une maison abandonnée située juste en face de celle des Poirier.

Ces contradictions, ces éléments d'enquête qui surgissent à deux jours du drame, auraient dû inciter le coroner à agir avec plus de célérité et à demander que des recherches soient faites dans le but de découvrir d'autres indices que ceux fournis par la rumeur. La séance est trop passionnante pour que l'on abandonne la piste fertile des amours de Sam et de Cordélia. On remarque, non sans porter un jugement à ce propos, que, malgré une assurance sur la vie de 2 000$ dont elle est la bénéficiaire et malgré un testament qui l'avantage, Cordélia a recommandé à Gilbert Lauzon, qui allait à Saint-Jérôme chercher son enfant adoptif, d'en profiter pour acheter un cercueil «le moins cher possible». On se passionne pour le couteau de boucherie qu'elle a elle-même commandé et on sourit lorsqu'elle assure que la selle de dame qu'elle possède ne lui a pas été offerte par son admirateur. Objectivement, il semble que tout ce que les accusés peuvent dire pour se défendre ou pour justifier leurs actes ne soit entendu par personne. La préméditation du crime, suggérée par l'absence de l'enfant auprès de ses parents le samedi soir, aiguise la colère, et James Murphy, président du jury, suggère que Sam Parslow soit mis en état d'arrestation! C'est aller un peu vite, car moins de la moitié des témoins ont été entendus.

C'est le 24 novembre que le procureur général donne au détective K. Peter McCaskill l'ordre de se rendre le jour même à Saint-Canut pour y diriger une enquête soignée. Cet homme qui fait occasionnellement parler de lui est, depuis le 15 décembre 1896, le chef du Canadian Secret Service Agency. Né à Trois-Pistoles une trentaine d'années auparavant, il a vécu à Québec avant d'aller à Winnipeg où il a travaillé comme cow-boy. En 1895, il débute comme détective, après avoir laissé tomber les piètres promesses d'avenir offertes par le métier de sous-agent pour le Canadien Pacifique. Guidé par un flair qu'il croit être infaillible et par un salaire quotidien de 8.00$, il vient de se rendre célèbre en arrachant des aveux à Tom Nulty, un malade qui sera condamné et exécuté pour fratricide*. Fort du «patronage», c'est-à-dire du support, gouvernemental, McCaskill descend du train le soir même, bien décidé à mettre de l'ordre dans cette

---

* Voir tome II, pp. 181-210.

affaire et à ne pas laisser échapper les coupables que la vindicte populaire désigne à la Justice. Sa détermination et ce que ses contemporains considèrent comme une expérience probante en imposent.

Aussitôt arrivé, il recommande la suspension de l'enquête du coroner, une requête inusitée que, sans discussion, le coroner Mignault lui accorde. Le grand connétable Moïse Brazeau et le coroner lui-même participeront à la vaste enquête que McCaskill entreprend aussitôt, en collaboration avec le journaliste de la *Presse*, Paul Gravel. À 11 heures de l'avant-midi, le 25, déterminé à faire avouer Cordélia, il entre dans la maison du crime, où le corps est exposé dans le cercueil fourni par la famille Poirier. Dans l'un des bâtiments, a été remisé, inutile, le cercueil bon marché commandé par la veuve. Cordélia, qui accompagne le détective, a besoin de vêtements, et c'est avec une sollicitude feinte que McCaskill la guide. Il observe ses gestes et il les interprète suivant la thèse populaire. Il parle difficilement le français et, de son côté, Cordélia se débrouille à peine en anglais. Les témoignages qu'il rendra devant le tribunal seront traduits par un interprète. C'est dire combien il est hasardeux de prendre au pied de la lettre les phrases qu'il mettra dans la bouche de son interlocutrice:

> Je crois, dira-t-il, qu'elle a alors exprimé le désir de voir son mari. Je suis entré le premier dans la maison et elle m'a dit que le linge dont elle avait besoin était dans la chambre où était le défunt.

Ici, McCaskill se prépare à mentir à propos d'une importante pièce à conviction, l'empreinte d'un soulier de femme correspondant à celle d'un soulier appartenant à Cordélia qui sera découvert dans une armoire. Cette empreinte a pu être faite par n'importe qui après la découverte du corps, y compris par lui et par Paul Gravel. Le détective, qui est descendu à Sainte-Scholastique et qui est arrivé à Saint-Canut le matin même à 7 heures, déclare:

> J'avais avant ce jour remarqué l'empreinte d'un pied de femme sur le plancher de la chambre.

Sa stratégie consiste à impressionner Cordélia:

Pendant que nous étions là, j'exprimai mon opinion sur la manière dont le meurtre avait dû être commis. D'après les traces de sang sur le plancher et sur le mur. J'étais seul avec l'accusée dans la chambre. Les autres étaient à la porte. La porte était entrouverte. En m'entendant elle se couvrit les yeux avec son mouchoir, sortit de la chambre et alla s'asseoir dans la cuisine près d'une machine à coudre. J'ai regardé attentivement pour voir si elle pleurait et je n'ai pu m'en assurer. (...) Ensuite, elle a exprimé le désir de voir son cheval qui était dans un enclos derrière la maison. Elle me dit alors qu'elle savait qu'elle était soupçonnée. Je lui ai demandé pourquoi. (...) Elle ne m'a pas répondu tout de suite, mais après être allée voir son cheval, elle me demanda quelles preuves la Couronne avait contre elle. Je ne lui donnai pas de réponse satisfaisante, mais je lui dis seulement que la preuve contre elle était forte.

La version du coroner Mignault, telle que déposée au procès-verbal de l'enquête, illustre une agressivité plus grande que celle que veut bien avouer McCaskill. Le coroner voit Cordélia à 15 heures et l'entraîne vers la maison, où il la provoque et l'accuse:

Vingt fois peut-être, elle a été sur le point de faire des déclarations. Elle s'arrêtait en face de moi, semblant prendre une décision suprême, mais toujours l'aveu s'arrêtait sur ses lèvres. Enfin, ajoute le coroner, je tentai le grand coup et lui demandai, en la regardant bien dans les yeux: «Êtes-vous coupable, oui ou non?» Elle répondit: «Non.» Je lui demandai encore: «Sam Parslow est-il coupable?» Elle nia de nouveau et ajouta: «Les histoires que l'on fait courir sur mon compte et sur le compte de Sam sont fausses. Parslow n'est pas mon amant.»

À 16 heures, McCaskill, Mignault et Brazeau se rencontrent. Le premier, fort de l'impression qu'il produit sur ses deux interlocuteurs et connaissant les limites de ses prérogatives, demande au grand connétable Brazeau de lui ordonner d'arrêter Sam Parslow... Brazeau et Mignault se chargeront d'arrêter Cordélia!

Au moment de son arrestation, Parslow est menotté et, selon la *Presse*, «il n'a fait aucune résistance et s'est livré avec la confiance apparente d'un accusé sûr de faire éclater tôt ou tard son innocence». Dans le cas de Cordélia, on est plus subtil. On ne lui dit pas qu'elle est arrêtée pour être conduite à la prison de Sainte-Scholastique. Elle prend quelques affaires et, croyant se rendre au village voisin pour un interrogatoire de routine, elle demande si elle logera à l'hôtel. Citée hors contexte, cette question contribuera à accentuer les traits de celle que les journaux décrivent comme étant une aventurière et une coquette!

McCaskill s'est réservé le dessert. Une fois prise la décision de conduire les deux suspects à Sainte-Scholastique, il s'évertue à mettre la main sur un cocher bilingue inconnu de Cordélia. Il ne réussit pas ce tour de force de voyager avec un compagnon silencieux qui aurait pu être témoin des aveux qu'il souhaite toujours arracher à la jeune femme. L'arrestation faite, on s'échange les prisonniers: McCaskill et Mignault voyagent avec Cordélia; Brazeau avec Parslow. En voiture, l'essentiel est de rendre insupportable la position des présumés amants. À Sam, on annonce que Cordélia est à la veille de le dénoncer et, à Cordélia, on dit la même chose.

Le soir même ou le lendemain, les versions même assermentées diffèrent à ce sujet. Le grand connétable Brazeau réaffirme à Cordélia la détermination de Sam. Dans «L'histoire d'un crime horrible...», on raconte ainsi l'épisode des aveux, dont la forme et le contenu diffèrent également, au cours des semaines, de ceux qui sont publiés dans les journaux:

> Après avoir passé sa première nuit dans une cellule, Cordélia Viau devint tout autre; une réaction se produisit chez elle.
>
> Sa crânerie disparut et elle envisagea nettement les conséquences et les suites de son aventure. Comme la plupart des coupables, elle céda à la défaillance du premier moment et n'eut plus de tranquillité qu'elle n'eût fait des aveux.
>
> Elle fit demander le détective McCaskill.
>
> Celui-ci arriva bientôt.

«Vous m'avez fait demander, dit-il, que puis-je faire pour vous?»

Alors la femme Poirier, sans préambule aucun, commença ainsi sa confession:

«C'est Sam Parslow qui a tué mon mari. Il y a six mois, il avait acheté un revolver et me dit qu'il le tuerait avec. Je ne voulus pas, car je craignais que cela fît trop de bruit. Je lui dis: "Nous allons nous faire prendre tout de suite." La semaine dernière, il a aiguisé un couteau en disant: "Je vais te débarrasser de lui, quand bien même je perdrais la tête." Dimanche après-midi, je partis pour aller chez mon père et laissai Parslow seul avec mon mari. Lorsque je revins, je m'aperçus que les toiles étaient baissées, alors je ne doutai pas que Sam avait accompli son projet.»

Le détective, craignant qu'elle ne voulût nier sa confession, lui dit: «C'est bien malheureux de voir une belle femme comme vous enfermée dans une cellule étroite et noire; je vais vous conduire dans une belle chambre, un salon.» Elle parut contente.

La soudaine sollicitude du détective McCaskill n'est nullement inspirée par la beauté ou le charme de Cordélia. Ce qu'il lui faut, ce sont des témoins susceptibles de recueillir le mot à mot de la confession. Ainsi mise en confiance, Cordélia, croit-il, répétera des aveux devant d'invisibles mais dangereux témoins. L'auteur de «L'histoire d'un crime horrible...» ajoute:

Le détective alla prévenir immédiatement le coroner Mignault et le grand connétable Brazeau et les amena dans la chambre privée du juge, les faisant placer derrière un rideau de manière à ce qu'ils ne fussent pas vus. Il alla ensuite trouver la femme Poirier et l'amena dans cette chambre. Et là, en présence de MM. Mignault et Brazeau, dissimulés derrière le rideau, la femme Poirier répéta ses aveux, disant absolument la même chose et même un peu plus. Le détective McCaskill fit reconduire la prisonnière dans sa cellule. Elle manifesta ouvertement son mécontentement de voir qu'on l'avait trompée, mais elle ne parut pas se douter qu'elle venait de faire ses déclarations devant témoins.

À la suite de cette scène, le détective McCaskill fit venir Sam Parslow dans la même chambre où le coroner lui donna connaissance des aveux de la femme Poirier. Pour cela il lui lut les notes qu'il (sic) avait recueillies, caché derrière le rideau, en quelque sorte sous la dictée de la coupable. Voici ces notes:

«C'est Sam Parslow qui a tué mon mari, Isidore Poirier, avec moi.

«Parslow et moi voulions tuer le défunt depuis le jour de l'an 1897. Je lui ai dit d'abord que le couteau dont il s'est servi n'était pas suffisant pour tuer mon mari d'un seul coup, je lui conseillai d'acheter un revolver. À propos de ce revolver, il y eut une longue discussion entre nous. Je disais que le revolver ferait trop de bruit et lui n'osait pas s'en servir. Dimanche, le 21, après les vêpres, vers quatre heures, pendant que j'étais dans la maison, Sam est entré avec le couteau dans la chambre où était mon mari. Je ne savais pas qu'il avait apporté ce couteau avec lui. Je suis partie avant cela pour aller chez mon père. Je ne lui ai pas aidé.»

Comme on l'imagine aisément, Samuel Parslow, entendant ces notes, ne demeura pas stoïque. Atterré, il donna, à son tour, une version des faits différente de celle qu'il venait d'entendre. Coupable, il posait en... victime. Ce portrait, le public allait l'apprécier et l'adopter, tant il convenait au romantisme de l'époque et au vieux mythe de la femme source de péché:

«Isidore Poirier, déclara Sam, était couché en travers de son lit; je lui ai donné un coup de couteau sur la gorge. Mais je ne croyais pas l'avoir tué. Elle m'aidait: elle était assise à la droite et moi à la gauche de Poirier, près des oreillers. Je me suis servi d'un couteau de boucherie pour lui couper le cou.

«Après avoir frappé, je suis sorti. J'avais peur. Elle m'a suivi. Je ne me rappelle pas avoir donné plus d'un coup de couteau au défunt.»

226

Le prisonnier parut alors hésiter et déclara qu'il ne se rappelait plus autre chose.

Le coroner lui demanda alors: «Sam, étiez-vous en amour avec Madame Poirier?»

«Oui, répondit Sam, mais je ne croyais pas qu'elle se marierait avec moi.

«Je lui ai dit que je donnerais ma tête pour la sauver du trouble dans lequel elle se trouvait. J'admets avoir acheté un revolver dans l'intention de tuer Poirier. Je l'ai tué parce que j'aimais Cordélia et je croyais que son mari lui était à charge. Je voulais l'en débarrasser.

«Quand j'ai pris le couteau pour aller tuer Poirier, j'étais comme magnétisé. Je ne voulais pas y aller, et j'y allai quand même. La femme me dit: "Sois brave, il ne faut qu'un bon coup. N'y va pas de main morte."

«Je n'ai pas remarqué si elle le tenait, j'ai vu seulement qu'elle était assise sur le lit de l'autre côté de son mari. Le couteau dont je me suis servi appartenait à Cordélia. Je l'avais aiguisé quelques jours auparavant.

«Il n'a pas été question entre nous de police d'assurance. Un jour cependant, elle m'a dit: "Si Isidore mourait, je serais heureuse et toi aussi. Nous pourrions vivre à l'aise, et je n'aurais plus à m'occuper des billets à rencontrer dont parle mon mari."

«Elle ne m'a jamais dit que son mari était méchant pour elle, mais elle m'a souvent laissé entendre que sa présence la faisait souffrir. Elle m'a dit une fois: "C'est un bon à rien, il n'est bon qu'à boire."

«Le revolver que j'ai acheté pour tuer Poirier, je l'ai caché chez mon frère George, sous la couverture, sous les entraits à gauche.

«Les habits que je portais sont aussi chez mon frère George.

«Aucun de mes parents n'était au courant du complot que je faisais avec la femme Poirier. Le jour où j'ai connu cette femme a été un jour de malheur pour moi. Elle a toujours fait de moi ce qu'elle a voulu (...).»

Le lendemain matin, vendredi 26 novembre 1897, tout le pays peut lire une version des faits un peu différente, publiée dans la *Presse*. Ce jour-là, le futur avocat de Cordélia, Dominique Leduc, qui a déjà rencontré Cordélia alors qu'elle était hébergée par les Bouvrette, se présente à nouveau à la porte de la prison, flanqué du journaliste Émile Bélanger. Celui-ci s'offre avec la célèbre veuve une entrevue-vérité qui sera présentée en cour et déposée comme preuve aussi valable que les précédents aveux et les autres versions détaillées fournies ultérieurement par Cordélia:

> Au cours de la conversation que j'ai eue avec elle, déclarera Bélanger, la prisonnière m'a dit qu'elle était dans la chambre quand le meurtre a été commis. Quelques instants après, elle a nié avoir fait cette déclaration. Elle m'a dit qu'elle avait vu Sam Parslow chez son frère Édouard, le lundi matin en revenant de chez son père, et que Sam lui avait alors dit que tout était fini. Je lui ai demandé alors si en arrivant à Saint-Canut elle savait que son mari était mort. Elle a baissé la tête et n'a pas répondu. (...) Je lui demandai si ça ne lui avait pas fait de la peine après cela, de laisser son mari seul. Elle m'a répondu qu'elle croyait que Sam était trop lâche pour le tuer.

Un fait banal, survenu dans la soirée du 25 novembre, au deuxième étage de la prison où logent Sam et Cordélia, sera, lui aussi, versé au dossier de l'affaire. Xavier Groulx, l'assistant-geôlier, aurait entendu Cordélia tentant d'amadouer Sam, de qui elle était séparée par un mur de pierre. Groulx l'entendit le prier en ces termes: «Dis que je n'y étais pas et ce sera clair.»

La presse est réellement choyée par les deux vedettes qui se disputent les déclarations sensationnelles. Quelques membres du Barreau s'inquiètent du sort de ces deux témoins qui, mal guidés, mal conseillés, tissent la corde qui les pendra. Le juge Taschereau, qui sera appelé à présider le tribunal qui les jugera, s'insurge contre l'usage fait de sa chambre par les Brazeau, McCaskill et Mignault, et contre la manière dont les aveux ont été obtenus. Les amis et les parents que comptent encore Sam et Cordélia s'ingénient à leur trouver les meilleurs défenseurs. On pense à Rodolphe Lemieux pour Cordélia, et à Odilon Desmarais pour Sam. Les deux devront toutefois se contenter des services quasi bénévoles qui leur sont offerts. Le jeune avocat et député J.-A.-C. Éthier vient à la rescousse de son électeur, pendant que Dominique Leduc se chargera de la défense de Cordélia.

Le 26 encore, les événements se précipitent. L'enquête préliminaire débute... illégalement, c'est-à-dire avant la fin de l'enquête du coroner, ajournée jusqu'à une date indéterminée, et sans qu'un verdict du jury ait désigné *officiellement* les personnes invitées à comparaître comme témoins principaux. Comme, d'autre part, ceux que l'on appelle «les deux coupables» sont détenus illégalement et qu'aucune plainte n'a encore été portée contre eux, la situation est délicate... McCaskill, qui ne recule devant rien, rédige et signe lui-même un texte dénonçant Cordélia Viau-Poirier et Samuel Parslow comme étant responsables de la mort d'Isidore Poirier. À 20 heures, l'enquête préliminaire, présidée par Camille de Martigny, débute, malgré l'absence de représentant de la Couronne et malgré les protestations de l'avocat de Samuel Parslow.

Qu'apprendra-t-on de neuf? Rien qu'on ne sache déjà. Des centaines de détails inutiles, révélés par des témoins dont on se demande quelle haine, quelle rancune les dresse contre un homme et une femme qui ne leur ont rien fait. On peut ouvrir une parenthèse pour rappeler qu'en 1898 le public conserve la mémoire de quelques affaires criminelles célèbres qui se sont soldées par des verdicts insolites. Le 30 décembre 1895, un jury libérait Napoléon Demers, dont la femme avait été assassinée le 13 juin précédent. La même année, Valentine Shortis se réfugiait dans un pénitencier ontarien, évitant la corde, parce que de bons avocats lui avaient permis de faire valoir la maladie mentale. Cela, pas davantage que l'internement d'Azarie Gauthier à la suite du meurtre de sa fiancée, Célina Consigny, n'est de nature à plaire au public, qui souhaite voir agir le «bras vengeur» de la société. On parle de la naissance, vers cette époque, d'une association anonyme, vouée à la défense des intérêts de la justice et déterminée à faire mourir les avocats, jurés, juges et procureurs qui rééditeront l'épisode Shortis. Périodiquement, pendant l'affaire de Saint-Canut, comme pendant l'affaire Nulty, les avocats de la défense et leurs conseils seront en butte à la colère populaire et leur vie sera menacée par le biais de lettres anonymes dont certaines font allusion à l'association. Lorsque le tableau des mêmes défenseurs est modifié pour des raisons étrangères à la cause, on évoquera ces menaces et l'on se demandera si la peur n'a pas été l'inspiratrice des désistements.

Le 26 novembre toujours, alors que moins d'une semaine s'est écoulée depuis le crime, les familles Viau et Poirier se réunissent séparément. La première, sans doute dans le but de préserver Cordélia du danger qui la menace, réclame l'usufruit des propriétés d'Isidore Poirier, dont la veuve est l'héritière unique, à cause d'un testament réciproque daté du 28 février 1894. De leur côté, s'appuyant sur la certitude que Cordélia Viau est l'auteur du drame qui les prive désormais de leur fils et frère aimé, les Poirier réclament la même chose, exigeant même le versement intégral du montant de l'assurance à leur mère, Marie Trudeau. Ils gagneront les propriétés de Poirier, mais la Standard Life Insurance réglera le litige sans attendre qu'un verdict soit rendu dans l'affaire. Curieusement, avant que les tribunaux ne se prononcent de façon définitive à propos de la culpabilité des accusés, la compagnie d'assurances les juge et les condamne. Se fondant sur la préméditation de meurtre et acceptant pour vraie et indiscutable la thèse selon laquelle Cordélia avait fait assurer son mari dans le but de le tuer ensuite, la Standard Life Insurance versa 35.48$ aux héritiers Poirier, soit le montant total du premier versement effectué par le défunt... Maigre pitance!

Pendant tout le week-end, McCaskill et sa troupe perquisitionnent. Ils ont exploré sans succès le grenier de la maison de George Parslow, à la recherche du revolver. La situation est si critique, l'absence de preuves si troublante, que les autorités souhaitent publiquement la collaboration de nouveaux détectives qui viendraient se joindre à McCaskill. Ce dernier a pu mettre la main sur les vêtements portés par Parslow le jour du crime et, eurêka!, il y a trouvé une clé correspondant à la serrure de la porte de la maison Poirier. Cette clé n'a pas de valeur véritable, puisque à l'époque rien n'était plus semblable à une clé qu'une autre clé et que la plupart s'adaptaient à toutes les serrures. Celle-ci, bien qu'étant la clé du coffre appartenant à Sam, viendra se joindre aux pièces à conviction.

Le samedi 27 novembre 1897, ont lieu les funérailles d'Isidore Poirier. Le public, qui n'a jamais cessé de s'intéresser aux faits et gestes des prisonniers, apprend que Cordélia, paisible, lit et écrit alors que Sam s'enfonce dans un état qui frise la prostration. À 14 heures, ce samedi, à la reprise de l'enquête préliminaire, il paraît à la barre, triste et comme auréolé de regrets, et Cordélia forte, provocante et assurée. Un contraste qui n'est pas à la veille d'être nuancé.

La défense, quoique divisée, s'entend sur un point: les aveux qui ont pu être arrachés par intimidation ne devront pas être présentés en preuve. Toutefois, malgré l'atmosphère régnant dans sa circonscription électorale où l'on spécule sur la possibilité de trouver *un* seul juré objectif, J.-A.-C. Éthier commet une première erreur en s'opposant à un changement de venue. Il lui sera plus facile, croit-il, de faire valoir le rôle d'instrument joué par son client. Cette stratégie élaborée pour la défense de Sam Parslow a plusieurs défauts. Le premier est d'entraîner la tenue de deux procès séparés. Le deuxième est de ne pas nier le crime, ni la participation au crime, mais de la justifier par la *magnétisation* du pauvre jeune homme... La troisième, mais non la moindre des faiblesses de cette stratégie, est de présumer que des médecins se prêteront à l'analyse de la magnétisation, associée ici à l'hypnose, pour démontrer que Samuel Parslow a agi sans savoir ce qu'il faisait. J.-A.-C. Éthier fera perdre du temps à son client. Sa vanité et son espoir de réussir en dépit des circonstances troublantes entourant toute l'affaire auront pour résultat d'isoler les accusés, de les liguer l'un contre l'autre comme McCaskill avait réussi à le faire.

Le jeudi 2 décembre 1897, on assiste à la clôture de l'enquête du coroner, qui, évidemment, désigne Sam et Cordélia comme auteurs du crime. Le lendemain à 8 heures, il y a foule au Palais de Justice de Sainte-Scholastique pour la reprise de l'enquête préliminaire. On se bouscule pour observer les accusés et pour tenter de voir les pièces à conviction qui, une à une, sont décrites au tribunal. Le testament, une épinglette de cinquante cents offerte à Cordélia par Sam, le fameux revolver, découvert dans le grenier de la maison de la soeur de Sam, Madame Duquette, la clé, la police d'assurance, les lettres relatives à l'assurance, la correspondance échangée entre Isidore Poirier et le curé Pineau, entre Cordélia et son mari, etc. On produira, en outre, un gilet de femme portant des traces de rouille... ou de sang, un tablier de toile bleu, portant, selon l'analyse, les marques du sang d'un mammifère qui pourrait être un homme, un boeuf ou un singe, et le «flask» ayant contenu le whisky grâce auquel Isidore aurait sombré dans l'ivresse avant de basculer dans l'éternité.

Le lundi 13 décembre 1897, à l'issue de l'enquête préliminaire, Samuel et Cordélia sont condamnés à subir leur procès aux assises criminelles qui s'ouvriront à Sainte-Scholastique, le 7 janvier 1898, sous la présidence du juge Henri-T. Taschereau. Entre-temps, dans la crainte de voir le tribunal refuser d'accepter la preuve des aveux, journalistes, curieux, détectives, etc. poursuivent leur chasse aux preuves.

À 10 heures 15, le 17 janvier 1898, on entreprend le procès de Cordélia Viau, plus seule que jamais. La sélection du jury est bâclée, puisqu'on accepte les citoyens qui affirment croire en la culpabilité de l'accusée mais posséder suffisamment de jugement pour la déclarer innocente si on le leur démontre. Certains jurés avoueront avoir menti au tribunal et avoir accepté ce rôle dans l'unique but de faire pendre Cordélia.

Le 20 janvier, c'est la panique à la cour, où le public et les avocats viennent d'apprendre que le tribunal a rejeté la preuve des aveux dans l'affaire Nulty. Le juge Taschereau en fera-t-il autant? Non. Car, s'il n'a pas apprécié qu'on utilise sa chambre personnelle pour obtenir la confession de Cordélia, il ne réprouve pas la manière dont McCaskill a travaillé et il considère que la jeune femme n'a pas été contrainte à parler. Toutes les personnes qui ont contribué de près ou de loin à l'obtention des aveux auront d'ailleurs droit à des félicitations. Le 1er février 1898, le procès de Cordélia prend fin. On a voulu faire témoigner Samuel Parslow, qui a refusé plusieurs fois de s'incriminer lui-même. On a prêté l'oreille au témoignage d'une logeuse venue raconter comment, ayant fouillé les bagages de Sam, elle y avait découvert des lettres signées C.V., inspirées visiblement par un «amour violent». On a écouté la lecture de deux lettres expédiées par un colporteur montréalais se souvenant d'être passé par Saint-Canut et d'y avoir vu Parslow jouant le rôle de mari auprès de Cordélia... On a entendu Madame Noé Bouvrette venue dire que seule la peur l'avait inspirée pour témoigner, devant le coroner, de la bonne réputation et de la bonne conduite de son ancienne voisine. On a aussi vu plusieurs témoins refusant de parler en présence de l'accusée... Pourquoi?

Le premier avocat à prendre la parole est Alexandre-Eudore Poirier, qui s'est dépensé sans compter pour épauler Dominique Leduc et défendre Cordélia, dont il plaide l'innocence. L'absence de preuves concluantes, l'éventualité d'un suicide et la douteuse crédibilité de nombreux témoins n'ont aucun poids à côté des légendaires aveux. Le 2 février, à 14 heures, après avoir entendu l'avocat de la Couronne, F.-Xavier Mathieu, et la charge du juge Taschereau, qui a duré quatre heures, le jury se retire pour délibérer. Une heure plus tard, les douze jurés reviennent prendre leur siège. À mesure qu'ils entrent, des «mauvais plaisants» s'amusent à souffler: «Coupable!» En même temps, pour dérider la foule impatiente, un autre plaisantin montait derrière le banc de l'accusée et il faisait sur «la tête de Cordélia le geste de lui passer la corde au cou».

La jeune femme est dans un état physique et psychologique lamentable. Son coeur semble flancher et, depuis un mois, elle réclame régulièrement la présence d'un médecin. Le journaliste de la *Presse*, son ennemi juré, écrit: «Plusieurs fois, elle se laissa tomber sur le parquet, simulant un évanouissement, mais le docteur Fortier ne fut pas dupe et force fut à la prisonnière de le suivre.» Lorsque le verdict de culpabilité est rendu, la salle exulte:

> À peine les jurés étaient-ils libérés qu'un grand nombre de personnes les entourèrent, et leur pressant la main, les félicitèrent chaleureusement, sur le verdict rendu. C'était un soulagement général et personne ne songeait à cacher son contentement.

Immédiatement après la libération du jury, Maître Leduc présentait à l'honorable juge Taschereau une motion réservant pour la cour d'appel l'analyse de certains points de droit. Le juge, qui dès le début du procès avait prévu cette procédure et conseillé aux avocats de l'utiliser dans le meilleur intérêt de la justice et de leur cliente, fixe au samedi suivant l'audition de la motion. Le lendemain, 3 février, sont rédigés les 18 «Attendu» énumérant et dénonçant les erreurs et les fautes commises lors de l'obtention des aveux. Selon ses défenseurs, Cordélia a pu croire que Parslow avait avoué son crime, ainsi que le lui disaient McCaskill, Brazeau et Mignault. Elle a pu échafauder une hypothèse, celle contenue dans les premiers aveux, et la livrer comme étant le reflet de la vérité. Maîtres Poirier et Leduc doivent démontrer que les aveux ont été arrachés à Cordélia par la peur, l'angoisse, etc. Ils rappellent donc qu'on a incité celle-ci à parler en lui disant que «la cause contre elle était forte»; «que les femmes gardent mieux un secret que les hommes et que Parslow parlerait»; «que McCaskill avait engagé l'accusée à mentir ou à dire la vérité pour se sauver, à lui confier son secret parce qu'il était comme un prêtre et qu'il le garderait comme un prêtre»; «que le coroner Mignault avait dit à l'accusée que si elle voulait se sauver de la corde elle devait faire des aveux», etc.

Les avocats demandent donc à la cour d'appel si le rapport du jury du coroner, contenant les aveux et les déclarations des Brazeau, Mignault, McCaskill et Viau, a été légalement produit lors du procès. Ils veulent savoir si les témoignages comme ceux de la logeuse Ladouceur ou de Xavier Groulx, assistant-geôlier, pouvaient, compte tenu de l'impossibilité de les vérifier, être admis en cour. Les deux avocats demandent également au tribunal de la cour d'appel si Samuel Parslow pouvait être assermenté et interrogé par la Couronne, comme il l'avait été pendant ce procès.

Le public, privé d'une sentence qu'il attend fébrilement, laisse les avocats discuter entre eux de questions dont il se méfie. Les aveux sont des aveux; les coupables sont des coupables, et, chuchote-t-on, on risque de voir se renouveler l'affaire Shortis.

Le 20 mai, après quelques semaines de paix passées à lire, à écrire ou à coudre des vêtements pour les enfants pauvres de la région, Cordélia refait surface. Ce jour-là, ses avocats entreprennent leur plaidoirie devant les juges de la cour d'appel: Joseph William Bossé, Jean-Gervais-Protais Blanchet, Jonathan Saxton Campbell Wurtele, Robert Newton Hall et J.-A. Ouimet.

Le matin du 17 juin, Cordélia Viau apprend que le jugement de la cour d'appel casse le verdict rendu par les jurés dans son procès et qu'un deuxième procès aura lieu. Le jugement, pour intéressant qu'il soit, est nuancé. En effet, seul le juge Wurtele est d'avis que les aveux ont été obtenus d'une manière irrégulière. Selon lui, il y a doute que Madame Poirier aurait parlé si elle avait su que tout ce qu'elle disait pouvait être retenu contre elle. Les autres juges de la cour d'appel ne croient pas que le libre arbitre de Cordélia Viau ait été entravé lors de l'obtention des aveux. Cependant, tous reconnaissent que Samuel Parslow n'aurait pas dû être assermenté au procès de sa présumée complice et que les prétendues lettres évoquant un «amour violent» entre une certaine «C.V.» et Samuel Parslow n'auraient jamais dû être admises en preuve.

Juillet, août et septembre 1898 s'écoulent sans que l'on sache bien ce qui se passe. On avait d'abord cru que le procès débuterait sans tarder, au mois de juin, mais voilà que l'affaire aboutit devant la Cour suprême, à Ottawa. Les avocats de Cordélia, inquiétés par l'absence d'unanimité des juges de la cour d'appel, espèrent qu'un tribunal supérieur tranchera la question des aveux en décrétant qu'ils ont été illégalement obtenus.

Le 24 septembre, alors que les amis de Sam Parslow font savoir que celui-ci a l'intention de s'associer avec un charretier de Sainte-Scholastique et de profiter de sa célébrité pour se lancer dans les affaires dès sa libération, la *Presse* ressuscite l'affaire en s'entretenant avec les avocats de la défense, qui sont invités à faire le point. La seule partie vraiment intéressante de ce texte est son préambule:

> La nouvelle de la commutation de la sentence de mort prononcée contre le meurtrier Guillemain* a fait passer dans les esprits le souvenir de la tragédie de Valleyfield. Le public a le droit de se demander si Cordélia Viau et son ami, Sam Parslow, échapperont aussi. Le fait est que ce retard apporté aux procédures relatives à la cause de la triste héroïne de Saint-Canut fait croire qu'il se prépare un nouveau pardon qui sortira probablement par quelques-unes de ces issues que nos codes réservent aux criminels (...).

---

* Voir tome II, pp. 155-180.

Le 4 octobre 1898, les dossiers de la cause Cordélia Viau sont officiellement produits devant la Cour suprême, mais, le 13 octobre, ce tribunal supérieur prétend ne pas avoir juridiction en cette affaire, parce qu'il n'y a pas eu de recommandation officielle et que le jugement du premier tribunal a été cassé par la cour d'appel.

Le 25 octobre, alors que Sainte-Scholastique s'apprête à revivre les jours de prospérité qu'elle a connus lors du premier procès, sa population est souffletée par Cordélia! L'audacieuse, la téméraire, qui doit être jugée au cours d'une session spéciale des tribunaux, demande un changement de venue! Prétextant l'impossibilité de former un jury impartial, ses avocats demandent que le procès ait lieu dans le district judiciaire d'Ottawa ou de Montréal. Aussitôt, c'est le branle-bas de combat dans le petit village où les «principaux citoyens» font circuler une requête réclamant, pour des raisons de prospérité commerciale et économique, la tenue du deuxième procès dans Sainte-Scholastique même. Le 12 novembre, le juge Henri-Thomas Taschereau est invité à entendre les requérants en cette affaire qui, selon la *Presse* du même jour, «intéresse vivement la population de Sainte-Scholastique». Elle est, en effet, d'une haute importance pour son commerce. Si le procès avait lieu dans un autre district, affirme-t-on, ce serait pour la localité une perte de 10 000$ au moins. Voilà pourquoi, se plaçant uniquement du point de vue des affaires, on attend avec tant d'anxiété la décision du tribunal. À 11 heures, le même jour, le magistrat refusait le changement de venue parce que, toujours selon la *Presse*, «les allégués de la requête de l'accusée sont trop vagues et les faits mentionnés tellement ridicules qu'ils ne pouvaient être prouvés. En face des affidavits de cinq des principaux citoyens de ce village, le savant juge ne peut hésiter et c'est d'ailleurs sa conviction que l'accusée aura un procès dans ce district (Terrebonne).»

Qui compose donc cette élite qui, simplement en affirmant que les habitants de Sainte-Scholastique seront objectifs parce qu'ils sont intelligents, rend «ridicules et vagues» les objections de la défense? Camille de Martigny, président du tribunal à l'enquête préliminaire, déclare: «Cordélia aura justice et je connais assez notre population pour assurer qu'il sera facile de trouver 12 jurés impartiaux». Wilfrid Grignon,

236

médecin et maire de Sainte-Adèle-des-Montagnes, considère qu'il sera facile de trouver, «dans nos campagnes», 12 hommes qui n'ont jamais lu les détails de l'affaire dans les journaux: «J'en connais quantité qui ne lisent jamais les journaux.» Wilfrid-Bruno Nantel est choqué par l'audace de la défense, mais il l'excuse. Avocat et ex-substitut du procureur, il affirme: «Je crois que les avocats de l'accusée n'insisteront pas trop sur leur demande. Ils aimeraient tout autant avoir le procès à Sainte-Scholastique. Je suis sûr que c'est Cordélia qui les a obligés à faire une telle demande.» Henri Prévost, l'un des médecins chargés de pratiquer l'autopsie sur le corps de la victime, croit que la lecture des journaux et la connaissance des détails de l'affaire peuvent, à la limite, jouer en faveur de l'accusée: «Dans cette ville, déclare-t-il au représentant de la *Presse*, il y a beaucoup plus de personnes qui lisent et peut-être aussi un plus grand nombre d'individus qui se sont laissé préjuger par les journaux. Dans notre district, l'accusée a beaucoup plus de chances, car elle aura les sympathies de ses parents, de ses amis et de ses relations et ceux-ci, à leur tour, influenceront leurs parents, amis et relations.»

Dernier coup de théâtre avant le début du second procès! La compagnie d'assurances, qui est alors aux prises avec la succession Poirier et qui avait versé 1 000$ à Cordélia, fait à nouveau parler d'elle. Dans le cadre du litige Poirier-Viau, les héritiers Poirier obtiennent le retour de cette somme qui avait été versée à Dominique Leduc par une donation de Cordélia. Cette affaire d'assurance, qui cessera bientôt de surprendre, grâce à un règlement définitif, ternira momentanément l'image altruiste des avocats de la défense, surtout parce qu'elle précède de quelques jours le désistement de Maître Poirier.

C'est le 1er décembre, en effet, que l'avocat, beau-fils du geôlier de la prison de Sainte-Scholastique, annonce son intention de ne plus assumer la défense de Cordélia Viau. Les journaux laisseront entendre que des questions d'argent sont à la source de cet abandon, mais on constatera bientôt que d'autres motifs imposaient à l'avocat un désistement qu'il se reprochera amèrement.

Le 5 décembre, débute le deuxième procès de Cordélia Viau, qui se présente habillée en vêtements de deuil et que l'on

Le quotidien montréalais *La Presse*, qui n'a jamais publié le moindre texte pouvant être porté au crédit de Cordélia Viau, illustre, au lendemain du verdict rendu le 2 février 1898, à l'issue de son premier procès, les principales étapes de son existence. Il est à noter que Samuel Parslow, traditionnellement perçu comme un homme faible et manipulé par une femme qualifiée

comme un être perfide et diabolique, n'a fait l'objet d'aucune caricature. *La Presse*, comme d'ailleurs les autres journaux qui traitent cette affaire, souhaite l'élargissement de cet homme qui, paradoxalement, est le seul des deux accusés à avoir pu frapper et tuer Isidore Poirier.

La Presse, 3 février 1898

oblige à regarder les jurés au fur et à mesure de leur assermentation. Comme on l'avait fait une première fois, on n'hésite pas à la bâcler. Le 6, le tableau des jurés étant épuisé, le juge Taschereau, qui s'est lui-même désigné pour présider le tribunal, ordonne au shérif d'assigner 12 personnes formant l'assistance. C'est parmi elles que seront sélectionnés les deux jurés manquants.

On entreprend, peu après, la lecture des témoignages entendus lors du premier procès. Le 7, une passe d'armes intervient entre le magistrat et Dominique Leduc, à la suite du témoignage du curé Pineau. Elle concerne les notes sténographiques du procès, qui ont été «corrigées» par le juge Taschereau avant d'être imprimées. Curieusement, les «corrections» semblent inclure des omissions et des additions signées Taschereau. Voici, telle que rapportée par la *Presse*, une partie de l'échange «peut-être regrettable mais qui est, à coup sûr, le plus intéressant de la journée»:

M. Dominique Leduc, l'avocat de la défense, prie l'honorable président du tribunal de lui laisser, pour la soirée, les dépositions originales qu'il a en sa possession. M. le juge Taschereau, devant lui-même consulter ces dépositions, fait remarquer à l'avocat de la défense qu'il pourra consulter tout à son aise ces dépositions qui sont reproduites dans le factum.

— C'est précisément pour vérifier l'exactitude de ce factum que je désirerais voir l'original de ces dépositions, dit M. Leduc.

Le juge — Mais je vous dis que c'est moi-même qui ai fourni la sténographie aux imprimeurs, qui ai corrigé les dépositions, et je puis par conséquent répondre de l'exactitude du factum.

— Je comprends que Votre Honneur peut corriger les fautes de langage qui ont pu se glisser dans les dépositions du sténographe...

Le juge — Vous dites?...

— ...Que vous avez pu corriger les fautes d'orthographe dans les dépositions, mais je ne crois pas que vous ayez fait les ajoutés ou les soustractions qu'il convenait de faire.

Le juge — Et pourquoi n'aurais-je pas fait ces corrections quant au fond des dépositions?

— Parce que la cour n'a pas le droit de réduire ou d'augmenter, de corriger enfin ces dépositions sans la collaboration de la défense qui a le plus grand intérêt à ce que les dépositions soient rapportées fidèlement (...).

Ainsi, alors qu'il semblait assuré que le second procès serait virtuellement limité à une simple relecture des témoignages entendus lors du premier procès, la défense se fera un devoir de contre-interroger les témoins de la Couronne. L'accusée ne manifeste plus le moindre intérêt pour sa cause. Souvent, elle demande l'autorisation de se retirer, car elle se sent de plus en plus faible et déprimée. Le 9, elle est rabrouée par le juge, qui assure qu'elle serait moins malade si elle se tenait droite au lieu d'être recroquevillée comme elle l'est tout le temps... Fait nouveau: Philias Desormeaux affirme que, le matin où le corps a été découvert, on marchait dans le sang... Que deviendra le morceau de plancher sur lequel on distingue l'empreinte d'un soulier pointu?

Le 10 décembre, on ordonne la comparution de Parslow, qui refuse de parler, et, deux jours plus tard, la question de la légalité des aveux tels que produits à l'enquête du coroner revient sur le tapis, et, utilisant l'absence d'unanimité du tribunal d'appel, le juge Taschereau consent à ce qu'ils soient entendus et déposés en preuve devant le tribunal. On comprendra, le lendemain seulement, pourquoi il était important que le président du tribunal tranche une seconde fois la question des aveux.

Dans le journal montréalais *The True Whitness*, un correspondant anonyme avait défié le tribunal de faire témoigner le shérif T.-W.-R. Lapointe, qui aurait reçu de Cordélia des aveux compromettants. Quel était l'auteur de cette lettre? Lapointe lui-même? Un de ses proches? Avait-il lui-même confié le secret du secret? Témoignant à regret, Lapointe ne fait pas figure de traître et certaines personnes ont cru que Cordélia avait elle-même révélé s'être confiée au shérif. Voici une nouvelle version des aveux faits par Cordélia à l'homme qui avait épousé la mère de son avocat...

Deux ou trois mois après la fin de son premier procès, l'accusée Cordélia Viau me faisant fréquemment demander pour se plaindre de la nourriture ou m'exprimer quelques désirs dont la réalisation rendait moins pénible son incarcération, vint à me parler un jour de la fameuse empreinte d'un soulier de femme dont il a été fait tant de bruit. L'accusée me déclara que cette empreinte n'avait pas été faite par elle, mais par quelque autre personne qui avait dû passer dans la chambre après la mort de Poirier.

L'accusée m'a dit qu'à l'instant du meurtre, elle était prête à sortir et qu'elle était chaussée avec des pardessus ayant des semelles de caoutchouc; qu'elle ne portait pas alors les souliers qu'on a produits en cour et qui s'adaptent à l'empreinte trouvée sur le plancher. Alors j'ai dit à la prisonnière: «Vous y étiez donc?» Elle me répondit: «Si vous voulez en garder le secret, je vais tout vous conter.»

Je lui promis de garder le secret, et elle me fit le récit suivant: «Nous étions tous les deux dans la chambre, Parslow et moi. Mon mari dormait alors sur le lit. Parslow a donné un premier coup de couteau et Poirier a sauté debout sur le plancher. Parslow et mon mari ont lutté ensemble et c'est pendant cette lutte que Poirier a reçu cette blessure qui a été remarquée au bras.

«Poirier est alors tombé à la renverse sur le plancher, mais il n'était pas mort encore. Il s'est relevé et est allé tomber sur le lit dans la position où on l'a trouvé.»

La prisonnière m'a donc dit qu'elle était présente au meurtre, mais elle ne m'a pas dit qu'elle avait aidé en aucune manière à son accomplissement. Cordélia Viau m'a dit encore: «Après que Poirier fut bien mort, Parslow remarquant du sang sur sa chemise a fait brûler dans le poêle la chemise maculée et en a mis une autre appartenant à mon mari. Quant aux agrafes qu'on dit avoir trouvées dans les cendres, le témoin qui les a produites les a trouvées où il lui a plu, mais certainement pas dans le poêle. Nous n'avons pas pris grand temps à brûler cette chemise car ça allait bien vite. Je suis sortie ensuite.»

Deux ou trois jours après cette première confidence, je la lui fis répéter pour voir si elle se contredirait; elle me raconta exactement la même chose. Il ne fut jamais question de pistolet.

Si le geôlier est bouleversé par le témoignage qu'il est forcé de rendre contre son gré, Cordélia, littéralement écrasée par ce qu'elle entend, sanglote sans retenue. Son avocat, la foule, les journalistes, tous sont bouleversés et incrédules. Le soir même, Dominique Leduc monte à bord du premier train pour Montréal réclamer les conseils de juristes expérimentés.

Il est désormais trop tard. Le jeudi 15 décembre, à 17 heures 25, le jury, auquel le protonotaire Camille de Martigny a demandé s'il souhaitait se retirer pour délibérer, réclame un moment de réflexion et, à 19 heures, il rend un verdict de culpabilité. Invitée à se faire entendre, Cordélia Viau n'a de force que pour prononcer ces mots:

Ah! Mon Dieu! J'implore et je demande la clémence de la cour!

Ensuite, «coiffant le tricorne et mettant ses gants noirs, l'honorable juge Taschereau, d'une voix où paraît l'émotion du triste devoir à accomplir, prononce la sentence de mort» qui condamne Cordélia Viau à être exécutée le vendredi 10 mars 1899.

*   *   *

Du 19 au 28 décembre 1898, on assista, sans intérêt ni passion, au procès de Samuel Parslow, dont les défenseurs, J.-A.-C. Éthier et Odilon Desmarais, faillirent dans leur projet de faire valoir la théorie de la «suggestion hypnotique». Même s'ils brossèrent le portrait d'un homme faible, manipulé par une complice forte, ils furent incapables de faire oublier au jury que le coup mortel porté à Isidore Poirier avait requis le bras d'un homme.

Mais il était tentant de voir dans Parslow un assassin innocent. Aussi les jurés voulurent-ils accorder leur clémence à leur congénère, mais leur demande ne fut pas entendue. Avant de quitter l'enceinte de la cour, où, fort de leur verdict de culpabilité, le juge Taschereau venait de condamner

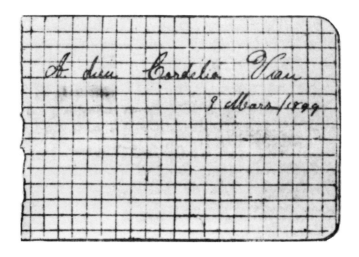

Cordélia Viau n'échappe pas aux quêteurs d'autographes et de souvenirs. À ceux qu'elle consent à recevoir, elle offre le peu qui lui reste et dont elle peut librement disposer. Cet «A...dieu» est l'un des derniers, sinon le dernier qu'elle ait rédigé. Un peu plus tard, le public admis dans la cours de la prison lui arrachera mèches de cheveux, morceaux de vêtements, etc.

La Presse, 10 mars 1899

Samuel Parslow à mourir le même jour que Cordélia, ils rédigèrent et signèrent un texte exprimant leur regret d'avoir été trompés sur l'issue finale du procès. En effet, souhaitant recommander l'accusé à la clémence du tribunal, ils n'avaient pu le faire «parce que le juge dans sa charge nous a dit que nous n'avions pas le droit de le faire et que nous ne pouvions pas rendre autre chose qu'un verdict de culpabilité ou de non-culpabilité pur et simple, sans y attacher aucune recommandation». Les jurés souhaitent donc et réclament, dès cet instant, la commutation de la peine de Parslow.

Espoir inutile, aussi vain que toutes les requêtes, témoignages et sollicitations qui viendront au cours des semaines suivantes et qui entraîneront, pour les condamnés, déception sur déception. Dans le cachot où on les a dépouillés de tout ce qui pourrait les amener à attenter à leurs jours, ils se recueillent. Les journaux prétendent qu'ils sont repentants. Cordélia a l'intention, non pas de clamer son innocence du haut de la potence, mais de révéler les dessous du procès. Les interventions de Monseigneur Paul Bruchési, évêque de Montréal, et de deux religieuses appartenant à la congrégation des soeurs de la Providence en font une pénitente admirable. Elle conservera le silence. De sa prison où les rumeurs des derniers jours ont détruit son dernier espoir de voir sa peine commuée parce qu'elle est une femme et parce qu'on ne pend pas, croit-elle, les femmes criminelles, Cordélia Viau demeure un être d'avant-garde. Elle veut servir la messe chantée par l'évêque. On lui refuse cette faveur, mais son audace a eu le temps de soulever l'opinion, qui espérait plus de retenue...

On a mis à la disposition de Cordélia les quatre cellules réservées aux femmes. Selon la *Patrie* du 1er mars, «elle se trouve bien logée et a un bon lit. Elle a aussi accès à un petit oratoire où il y a un autel, un crucifix, des tableaux religieux, etc. Elle y va quelques fois et emploie presque tout le temps qui lui reste à écrire. Le docteur Lamarche ignore à qui elle adresse toute cette correspondance, mais il présume qu'elle essaie par ce moyen, de s'allier des influences pour obtenir une commutation de peine.» Le médecin soumet sa patiente à un test d'écriture dans le but de constater si elle n'est pas atteinte de «paralysie musculaire progressive».

Samuel Parslow n'est pas encore, le 1er mars, l'homme prostré des dernières heures. N'espérant sans doute plus faire carrière à Sainte-Scholastique, il songe aux projets d'évasion, aux projets d'enlèvement dont il sera le héros. Pour ce joli garçon aux cheveux frisés, dont la taille et les manières sont agréables, le public a toujours gardé un brin d'affection, et divers bruits laissent présager une émeute si ses avocats n'obtiennent pas, pour lui, une commutation. Encore et toujours, à cette date, on parle de sa «terrible amante» comme étant la seule responsable du drame. Et Parslow a fini par le croire.

Les journaux font le décompte des jours. «Dans une semaine, jour pour jour»; «Leur dernier dimanche», etc. Quatre jours avant le supplice, on retrouve le bourreau Radcliffe et les fameux bois de justice, toujours associés aux exécutions. À Sainte-Scholastique, aucun ouvrier n'a consenti à

Malgré un appel du curé de Sainte-Scholastique à ses
paroissiens, celui-ci déplorera le fait que son église n'ait
pas été remplie à capacité au moment où Sam et Cordélia sont, suivant la formule en usage à l'époque, «plongés
dans l'éternité».

La Presse, 10 mars 1899

prêter son concours à la construction de l'échafaud et, puisque cette pendaison sera double, il faut faire venir de Montréal celui qui a été construit par les prisonniers de la prison de
Montréal pour la pendaison de Mann, dont la sentence a été
commuée, et peut-être l'échafaud aménagé pour Guillemain,
dont la peine a également été commuée... On prévoit réunir
les deux constructions et les adosser au mur où une fenêtre
permet à Samuel Parslow de voir l'intérieur de la cour de la
prison.

Lundi matin, le 6 mars 1899, le renvoi des recours en
grâce est rendu officiel par un arrêté en conseil du gouverneur
général, et Radcliffe quitte sa résidence secrète à destination
de Montréal, où il descend à l'hôtel St. James. À 8 heures 45,
le 7 mars, il monte à bord du train pour Sainte-Scholastique.

À l'hôtel Lacasse, où il descend et où il est reconnu, on lui indique la sortie! Personne ne veut le voir ni le côtoyer, et, pendant que l'on célèbre l'événement à l'hôtel Lacombe et ailleurs, le bourreau est forcé de revenir à Montréal s'il ne veut pas périr d'ennui dans le district judiciaire de Terrebonne.

Le 8 mars, on entend voler les marteaux animés par des ouvriers qui ont accepté de travailler à la condition que les portes de la cour de la prison soient closes. Les habitants de Sainte-Scholastique, choqués par la publication de la nouvelle du mauvais accueil fait à l'exécuteur des hautes oeuvres, la démentent en indiquant qu'un hôtelier l'a reçu, mais «ce qui est vrai, font-ils savoir au reporter de la *Presse*, c'est que la population de Sainte-Scholastique se dispose à faire un fort mauvais parti au citoyen Radcliffe s'il prétend faire le fanfaron comme il l'a fait à Joliette». Le 9 mars, sous le titre «Encore quelques heures et Sam Parslow et Cordélia Viau seront lancés dans l'éternité», le même journal décrit la potence, «une magnifique construction qui ressemble quelque peu aux *hustings* (tribunes) de nos politiciens».

Les demandes de billets d'admission pour assister à l'exécution sont venues de partout. Même le célèbre milliardaire américain John D. Rockefeller réclamait, par le courrier parvenu au shérif le 8 mars, deux places. En raison du statut financier et social du riche homme d'affaires, on les lui expédia immédiatement et gracieusement. Les hôtels étaient bondés et, dans celui des Lacombe, on chantait des Requiem et des Libera sur l'harmonium de Cordélia. La dernière prière de la jeune femme, voulant jouer sur l'harmonium la messe précédant son exécution, ne fut pas exaucée.

Ni elle ni Sam n'ont eu un instant de paix à la veille de leur mort. Peu avant 8 heures, le bourreau leur liait les mains derrière le dos, au son des milliers de voix qui se faisaient entendre à l'extérieur. Criant son dépit, la foule maniait une forte pièce de bois destinée à défoncer la porte de la cour de la prison. Les toitures, les clôtures et les arbres étaient couverts d'hommes, jeunes et vieux, qui avaient loué ces loges de fortune. Ils purent voir mourir dignement, silencieusement, un homme et une femme qui ne s'étaient pas vus depuis la fin des procès et qui, simultanément, dans un bruit sourd, disparurent. L'exécution avait peut-être été trop rapide pour les deux

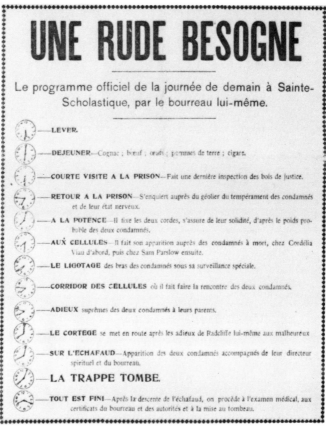

La Presse, 9 mars 1899

cents personnes rassemblées devant l'échafaud, car les récits ultérieurs traitent tous de la curiosité morbide qui anima l'assistance au cours des secondes qui suivirent:

> Un mouvement se fit dans l'assistance, et plus de deux cents hommes se précipitèrent au pied de l'échafaud pour soulever les draperies noires qui dérobaient la vue des suppliciés. Ce mouvement de curiosité hideuse excita à bon droit l'indignation du Père Meloche. S'adressant à la foule: «Vous devriez avoir honte», dit-il d'une voix tonnante. «Messieurs, je vous en conjure, ayez un peu de respect, ayez un peu de décence et de pitié.»

Les gens s'arrêtèrent interdits de ce reproche qu'ils sentaient mérité, mais bientôt la curiosité aveugle l'emporta et l'on vit ce groupe arracher les voiles de deuil et s'arrêter devant le spectacle des deux formes inertes des suppliciés.

Aussitôt après l'enquête du coroner, le cadavre de Parslow a été placé dans un cercueil préparé pour lui et un corbillard l'a emporté à Saint-Canut où l'on a immédiament fait chanter un Libera. Le corps a été inhumé aussitôt dans le cimetière de la paroisse. (...)
Le corps de la femme Viau est resté un peu plus longtemps étendu sur le sol dans la cour de la prison. Des curieux s'en approchaient, et, à l'insu de la police, ils lui enlevèrent des mèches de cheveux qu'ils emportaient comme un souvenir de l'exécution.

Cordélia craignait d'être enterrée vivante. Elle demanda à son beau-frère de l'accueillir une dernière fois, souhaitant être exposée jusqu'au lundi 13 mars, jour où elle fut inhumée dans le petit cimetière de Saint-Canut.

Radcliffe, comme la plupart des bourreaux de l'Amérique du Nord, faisait le commerce des cordes de pendus. Il aurait monnayé celles de Sam et de Cordélia.

Enfin, le soir du 10 mars 1899, les villages de Saint-Canut et de Sainte-Scholastique, si bruyants la veille, étaient déserts. On craignait d'y rencontrer deux âmes errantes, en quête de bonheur et de paix...

Les aveux de Cordélia

On s'explique mal pourquoi, innocente, Cordélia aurait multiplié les confessions. On n'explique pas davantage pourquoi, coupable, elle se serait ingéniée à se dénoncer elle-même. C'est là-dessus qu'est fondé le mystère de la boucherie de Saint-Canut. Les preuves de circonstances étaient nombreuses, l'assurance, échéant le 24 novembre, soit trois jours après la mort d'Isidore, étant de loin la plus remarquable. Ses contemporains décrétèrent qu'en outre son amour pour Samuel Parslow constituait un deuxième mobile. Venaient ensuite l'âge et la situation sociale de son mari, la pauvreté dans laquelle elle était confinée et son ambition.

On raconte qu'au printemps 1899, peu après l'exécution des «amants maudits», un journaliste new-yorkais, Richard Lovejoy, s'offrit un voyage au pays de Cordélia. À peine descendu à l'hôtel Lacombe, où l'harmonium de Cordélia avait distrait les amateurs d'exécutions publiques, il entreprend une enquête. Il lui faut peu de temps pour que ses hôtes lui révèlent l'existence d'un manuscrit illisible enlevé du cachot où était gardée Cordélia. Lovejoy offre mille dollars pour le document, s'il est authentique et s'il contient des éléments inédits. L'Américain est invité à se souvenir d'un fait réel, souvent rapporté par les journalistes et les visiteurs autorisés à voir les prisonniers: Cordélia écrivait. À qui, on ne le sut jamais.

Lovejoy, craignant d'être trompé par les époux Lacombe et ne voulant pas dépenser ses beaux dollars pour un mirage, décide de faire le tour du village et de s'arrêter à la prison. Le shérif Lapointe l'accueille, trop heureux de faire visiter son établissement à un visiteur qui n'y logera sans doute jamais. De fil en aiguille, Lovejoy aborde le sujet du drame fameux. Il visite la prison et il est frappé par la nudité des cellules, dont les murs sont blanchis à la chaux. Couchette basse en fer, une table de bois rude et une chaise, ce sont là tous les meubles. De la fenêtre de la cellule de Cordélia, l'étranger entrevoit l'hôtel Lacombe. Et le voici orientant la conversation vers l'illisible manuscrit. Oui, Cordélia écrivait et le manuscrit existe, mais Lapointe est catégorique. Il s'agit d'un texte illisible. «Je l'ai vu et ce n'est qu'un vieux grimoire sans queue ni tête où le plus grand savant y perdrait son latin. (...) Il n'y a pas un mot qui soit épelé pour être intelligible; les lettres y sont mêlées et confondues comme un jeu de cartes brassé.» Quant à la manière dont il est devenu la propriété des Lacombe, c'est «un mystère» puisque l'hôtelier n'a jamais rencontré Cordélia Viau.

Quelques minutes plus tard, Lovejoy, seul dans le bureau du shérif, attend qu'il revienne avec un souvenir de la défunte. Il reste peu d'objets lui ayant appartenu et que ses parents n'ont pas réclamés, «car, dit Lapointe, tous les visiteurs me font la même demande et je vous assure que mon stock est pas mal épuisé». Déconfit, le shérif remettait peu après à son visiteur un petit livre jauni et usé qui avait sans doute une grande valeur pour Cordélia, «qui passait des heures entières à le lire, surtout quand elle écrivait ses Mémoires indéchiffrables. Il s'agissait d'un alphabet, un simple A B C.

En l'ouvrant, Lovejoy comprit. Il quitta précipitamment la prison et courut jusqu'à l'hôtel, où il demanda à voir le manuscrit constitué par des feuilles jaunies et pliées, cachées dans la chambre des époux Lacombe, à l'intérieur d'une boîte de métal. Effectivement, les A V P Q J V N E D E G C T V E n'avaient aucun sens, mais l'A B C, consulté avec attention, révéla son secret et les Lacombe gagnèrent leurs mille dollars.

Richard Lovejoy rentra à New York, où, ayant transcrit, et malheureusement adapté, le texte qu'il avait découvert, il le publia et récupéra largement la somme qu'il avait investie. Il s'agissait du récit des amours de Cordélia et du meurtre d'Isidore. La clé du manuscrit était la suivante:

Ac	Fl	Kb	Pk	Us
Bo	Gi	Lf	Qm	Vt
Cr	Ha	Mg	Rn	Xx
Dd	Iv	Nh	Sp	Yy
Ee	Ju	Oj	Tq	Zz

Sous le titre «Histoire de ma vie», se lisait, suivant ce code, le paragraphe suivant: «À celui qui trouvera ces notes et qui pourra les comprendre, je donne pleine permission d'en faire ce que bon lui semblera. Si j'ai pris ce plan, c'est que je suis surveillée constamment et je ne veux pas qu'on lise ceci de mon vivant; quand on le lira, j'aurai expié mon crime et je serai dans la paix et le repos éternels.»

Vrai ou faux? Vendu par ceux qui s'étaient déjà largement enrichis par cette affaire, ce manuscrit offre-t-il une seule ligne digne de foi? N'a-t-il pas été monté de toutes pièces? Il ne contient, en fait, pas une ligne qui soit plus incriminante pour Cordélia et Sam que les aveux utilisés contre eux dans le cours des procès. Ils tracent de Samuel Parslow un portrait inédit: celui d'un homme jeune, bien fait, fringant et jaloux, faible, mais en même temps incapable de supporter le retour d'Isidore Poirier, dont il craint l'influence sur Cordélia. Les Mémoires parlent de la tolérance du mari, consentant à la création du trio pourvu qu'on le préserve du ridicule. Ils révèlent l'amour réel ressenti par Cordélia pour Sam, un amour mêlé de mépris pour la lâcheté que, dès le début, elle devina chez lui. On y découvre également certains contresens et de légères erreurs pouvant faire croire que le manuscrit est un faux.

Mais, puisqu'il n'existe plus dans sa version originale, il est impossible de le vérifier. Seul indice de son authenticité: le document, traduit en français, a été publié peu après les tristes événements qu'il relate, et personne, semble-t-il, n'en a contesté l'authenticité... À moins que le shérif Lapointe et les Lacombe n'aient été complices d'une plaisanterie amusante qui rapporta mille dollars, ce qu'en toute justice nous ne pouvons affirmer sans, à notre tour, être pris au piège de la rumeur, des soupçons et des preuves de circonstances...

TABLE DES MATIÈRES

Remerciements

Je voudrais ici remercier Jacques Lacoursière, qui a contribué à étoffer une recherche de base et qui m'a encouragée à aller plus profondément dans ce retour sur le passé que je ne l'avais fais dans la première édition de ce livre.